DE KAPING VAN PELHAM 123

JOHN GODEY

DE KAPING VAN
PELHAM
123

De Fontein

Dit boek is eerder verschenen in 1973 bij Uitgeverij De Fontein.
Afgezien van enkele kleine aanpassingen en de nieuwe spelling, is de
tekst ongewijzigd.

Eerste druk juli 2009
Tweede druk november 2009

© 1973 John Godey
© 2009 Uitgeverij De Fontein Baarn, voor de Nederlandse vertaling
Deze vertaling is tot stand gekomen na overeenkomst met Ballantine Books, een
imprint van Random House Publishing Group, onderdeel van Random House, Inc.

Oorspronkelijke uitgever: G.P. Putnam's Sons, New York
Oorspronkelijke titel: *The Taking of Pelman One Two Three*
Uit het Engels vertaald door: F.J. Bruning
Omslagontwerp: Hans Gordijn
Motion Picture Artwork and Photography Copyright © 2009 Columbia Pictures
Industries Inc. All Rights Reserved.
Zetwerk: Text & Image, Almere
ISBN 978 90 261 2475 4
NUR 332

1

Steever

STEEVER STOND OP HET PERRON voor lokaal verkeer in zuidelijke richting van station Lexington Avenue aan 59th Street. Hij
maalde zijn kauwgom met langzame bewegingen van zijn zware kaken, als een patrijshond die is afgericht om het wild stevig vast te houden zonder het te beschadigen.

Hij stond er ontspannen bij en tegelijkertijd stevig, alsof hij
een laag gelegen zwaartepunt combineerde met een vorm van
innerlijke zekerheid, zodat hij niet zomaar te verplaatsen was.
Hij droeg een marineblauwe regenjas, keurig dichtgeknoopt,
en een donkergrijze hoed zat voor op zijn hoofd, niet branie-
achtig maar degelijk, de rand in een scherpe hoek over zijn
voorhoofd getrokken zodat er een driehoekige schaduw over
zijn ogen viel. Zijn bakkebaarden en het haar achter op zijn
hoofd waren wit en staken opvallend af tegen zijn donkere
huidskleur, iets wat je niet verwachtte bij een man van voor in
de dertig.

De bloemendoos was kolossaal en deed een weelderig, uit
de kluiten gewassen boeket vermoeden, zo een voor een ge-
denkdag die maar eens in je leven voorkomt of waarmee je
een onvergeeflijke zonde of verraad probeert goed te maken.
Als er al passagiers op het perron stonden die erom zouden
willen lachen dat een man van wie je het helemaal niet zou
verwachten een dergelijke bloemendoos nonchalant onder

zijn arm hield, schuin omhooggericht naar het smerige plafond van het station, dan hielden ze dat toch maar liever voor zich. Hij was geen man om tegen te lachen, hoe vriendelijk ook.

Steever bewoog zich niet, liet helemaal niets merken toen de eerste verre trillingen van de naderende trein voelbaar werden en het geluid in niveau en sterkte toenam. Met zijn vier ogen open – gele en witte signaallichten boven witte koplampen – denderde Pelham One Two Three het station binnen. Remmen zuchtten, de trein kwam tot stilstand, de deuren gingen ratelend open. Steever stond precies zo opgesteld dat hij tegenover de middendeur kwam te staan van de vijfde wagon in de tien wagons tellende trein. Hij stapte in, sloeg links af en liep naar de dubbele zitplaats vlak tegenover het hokje van de conducteur. Er zat niemand. Hij ging zitten, zette de bloemendoos tussen zijn knieën en keek terloops naar de rug van de conducteur die ver uit zijn raampje leunde om het perron te kunnen bekijken.

Steever legde zijn handen over elkaar boven op de bloemendoos. Het waren heel brede handen met korte, dikke vingers. De deuren gingen dicht en de trein ging rijden met een onverwachte ruk die de passagiers eerst naar voren trok en daarna naar achteren. Steever bewoog nauwelijks zonder dat hij zich daarvoor schrap leek hoeven te zetten.

Ryder

Ryder aarzelde heel even met zijn muntje – een aarzeling die met het oog niet waarneembaar was, maar die hij bewust registreerde – liet hem toen in de gleuf vallen en duwde zich door het tourniquet. Terwijl hij naar het perron liep, analyseerde hij zijn aarzeling met het muntstuk. Zenuwen? Onzin. Een be-

6

wustwording, misschien zelfs een soort toewijding, voor de strijd, meer niet. Je bleef leven of je ging dood.

Met de bruine koffer in zijn linkerhand en de zware Samsonite in zijn rechter betrad hij het perron van het station aan 28th Street en liep naar de zuidkant. Hij hield stil precies ter hoogte van een bord dat boven de rand van het perron hing en waarop, zwart tegen een witte achtergrond, het cijfer 10 stond. Dit gaf het punt aan waar een trein van tien wagons stopte. Zoals gewoonlijk stonden er helemaal vooraan een paar vroege vogels, – zo was hij ze bij zichzelf gaan noemen – onder hen de onvermijdelijke uitslover die ver voorbij het bord wachtte en die straks terug moest draven wanneer de trein aankwam. De vroege vogels, dat had hij lang geleden al vastgesteld, beeldden een overheersende trek uit van de menselijke natuur: de blinde drift om de eerste te zijn, om voor de horde uit te rennen, enkel en alleen om die voor te kunnen zijn.

Hij schuifelde naar achteren tegen de muur en zette zijn koffers neer, een aan iedere kant, precies tegen de randen van zijn schoenen aan. Zijn marineblauwe regenjas raakte de muur maar even aan, maar bij ieder contact zou de jas zeker besmeurd raken met vuil, steengruis, stof en misschien zelfs met pas aangebrachte schuttingwoorden in felrode lippenstift en in nog fellere bitterheid of ironie. Hij haalde zijn schouders op en trok de rand van zijn donkergrijze hoed met een beslist gebaar dieper over zijn ogen. Het waren grijze ogen die onbeweeglijk in benige kassen lagen en die eigenlijk hoorden bij een ascetischer gelaat dan de bolle wangen en de rondingen rond de lippen. Hij leunde wat zwaarder tegen de muur en liet zijn handen in de diepe splitzakken van zijn jas glijden. Een vingernagel bleef haken aan een draadje. Met zijn vrije hand pakte hij de draad vast, maakte voorzichtig zijn vinger los en trok zijn hand eruit.

Een rommelend geluid groeide aan tot een gedender en een

sneltrein flitste voorbij op het tegenoverliggende spoor. Zijn lichten flikkerden tussen de pilaren als een film die niet goed wordt geprojecteerd. Op de rand van het perron keek een man woedend de verdwijnende sneltrein na en draaide zich toen om naar Ryder, in een smekend gebaar om contact en sympathie. Ryder keek hem aan met de absolute neutraliteit die het typische masker vormt van de ondergrondsepassagier en van iedere New Yorker. Misschien werden New Yorkers wel met dat masker geboren of kregen ze het uitgereikt of zetten ze het op – ongeacht waar ze vandaan kwamen – zodra ze hun sporen als echte New Yorkers hadden verdiend. De man trok zich niets aan van de afwijzing en bleef, verontwaardigd mompelend, over het perron op en neer benen. Tegenover hem, aan de andere kant van de vier sporen, vormde het perron voor de noordelijke richting een naargeestig spiegelbeeld van het zuidelijke: de betegelde rechthoek met de aanduiding 28TH STREET, de vuile muren, de grauwe vloer, de berustende of de ongeduldige passagiers, de late vogels die op de achterste wagon wachtten... (Wat zou hún syndroom zijn...?)

De ijsberende man draaide zich resoluut naar de rand van het perron, plantte zijn voeten op de gele streep, boog vanuit de heupen naar voren en keek het spoor af. Verderop op het perron stonden nog drie van die buigers, smekelingen die baden tot de donkere tunnel buiten het station. Ryder hoorde het geluid van een naderende trein en hij zag de buigers terugtrekken, slechts enkele centimeters en met tegenzin terrein prijsgevend, alsof ze voorzichtig de trein uitdaagden hen te raken als hij durfde. Hij reed het station binnen en zijn voorkant stopte precies gelijk met het bord. Ryder keek op zijn horloge. Nog twee treinen. Tien minuten. Hij deed een stap naar voren, keerde zich om en bestudeerde het affiche aan de muur.

Het was er een voor Levy's Bread, een oude bekende. Hij had het voor het eerst gezien toen het pas was aangeplakt, brandschoon en zonder vlekken. Maar direct daarna waren er schuttingwoorden op verschenen – of verontreinigingen, zoals ze officieel werden genoemd. Er was een negerkindje op afgebeeld dat Levy's Bread at en het onderschrift luidde: JE HOEFT NIET JOODS TE ZIJN OM GEK TE ZIJN OP LEVY'S BREAD. Daar stond nu een woedende krabbel in rode inkt bij: MAAR JE MOET WEL EEN HUFTER ZIJN OM DE SOCIALE DIENST TE BELAZEREN EN ZO JE KLEINE ROTJONG TE ONDERHOUDEN. Daaronder stond in blokletters, als om de bitterheid te verdrijven met het simpele tegengif van de vroomheid: JEZUS REDT.

Daarna kwamen drie verschillende zinnen waarvan Ryder nooit de betekenis had kunnen doorgronden:

HERKENNING VAN DE STEM IS GEEN BEWIJS VOOR DE INHOUD VAN HET GESPROKENE.

PSYCHIATRIE IS GEBASEERD OP ROMANS.

VAN DAUWWURM GA JE SPUGEN.

Daarna was het woord weer aan de ideologie met de ene sneer na de andere:

MARX STINKT. JEZUS CHRISTUS OOK. PANTER OOK. IEDEREEN STINKT. IK STINK OOK.

Zoals het daar stond, dacht Ryder, vertegenwoordigde het de ware stem des volks die zijn frustraties er publiekelijk uitgooide, ervan overtuigd dat hij verdiende gehoord te worden. Hij keerde zich van het affiche af en zag de staart van de trein het station uit schieten. Hij leunde weer tegen de muur tussen zijn koffers en keek terloops het perron af. Een in het blauw geklede figuur liep naar hem toe. Ryder herkende het type: een politieagent van het Vervoerswezen. Hij nam notitie van de bijzonderheden: één schouder lager dan de andere zodat hij schuin leek te hangen, borstelige, wortelkleurige bakkebaarden die tot op een paar centimeter onder de oorlellen krulden. Een wagonlengte van hem af hield de agent stil, keek even naar hem en ging toen nadrukkelijk naar de sporen staan kijken. Hij sloeg zijn armen over elkaar, haalde ze weer vaneen en nam zijn pet af. Boven op zijn hoofd was het haar roodachtig bruin, verschillende tinten donkerder dan zijn bakkebaarden en het was platgedrukt door de pet. Hij keek in zijn pet, zette hem terug op zijn hoofd en sloeg zijn armen weer over elkaar.

Aan de andere kant van de rails kwam een trein aan voor de noordelijke richting, stopte en reed weer door. De agent draaide zijn hoofd om en zag dat Ryder naar hem stond te kijken. Onmiddellijk keek hij weer voor zich uit en rechtte zijn rug. Dat trok zijn neerhangende schouder omhoog en verbeterde zijn postuur.

Bud Carmody

Bij het vertrek van een trein uit het station werd de conducteur verondersteld uit de beschutting van zijn cabine te komen en informatie te verschaffen en verdere assistentie te verlenen voor zover dat door de reizigers werd verlangd. Bud Carmody was er zich goed van bewust dat te weinig conducteurs dit voorschrift opvolgden. Meestal bleven ze maar zo'n beetje in hun cabine hangen en staarden naar de voorbijschietende grauwe muren. Maar hij vatte zijn baan heel anders op. Hij deed alles volgens het boekje en bovendien: hij zag er graag netjes uit en mocht graag met een glimlachend gezicht stomme vragen beantwoorden. Hij hield van zijn werk.

Bud Carmody zag het als een kwestie van erfelijkheid dat hij zo van de spoorwegen hield. Een van zijn ooms was machinist geweest (pas gepensioneerd, na dertig jaar tussen de rails), en als jongen had Bud hem uitbundig bewonderd. Een paar keer – tijdens een kalme, luie zondagsdienst – had zijn oom hem de cabine in gesmokkeld en dan had hij zelfs de bedieningsknoppen mogen aanraken. Vanaf de tijd dat Bud een jongen was stond het als een paal boven water: hij zou machinist worden. Direct na zijn middelbare school had hij het toelatingsexamen van de Civiele Dienst afgelegd, waarna je kon kiezen voor conducteur of voor buschauffeur. Dat laatste betaalde wel beter, maar hij werd er niet door in verleiding gebracht; zijn interesse lag bij de spoorwegen. Nu hij binnenkort zes maanden als conducteur in dienst was geweest – nog maar veertig dagen – kwam hij in aanmerking om zich te laten testen voor machinist.

Ondertussen had hij het prima naar zijn zin. Vanaf het begin had hij zijn baan leuk gevonden en hij had zelfs met plezier de opleiding gevolgd: achtentwintig dagen naar school, gevolgd door een week actieve dienst onder supervisie van een ervaren man. Matson, die zijn mentor was geweest, was een oudgediende die nog een jaar hoefde tot zijn pensioen. Hij was een goede leraar, maar het werk had hem verzuurd en hij was verschrikkelijk pessimistisch over de toekomst van de ondergrondse. Hij voorspelde dat er over vijf jaar alleen nog maar buitenlanders in zouden rijden en dat die dan waarschijnlijk ook nog aan de leiding zouden staan. Matson was een wandelende encyclopedie van gruwelverhalen en als je hem moest geloven dan was het werk op een ondergrondse trein net iets minder gevaarlijk dan dienst aan het front in Vietnam. Volgens Matson liep een conducteur van uur tot uur gevaar ernstig gewond te raken of zelfs het leven te laten, dus je mocht jezelf gelukkig prijzen als je de avond haalde. Veel van de oudere conducteurs – en zelfs sommige jongere – liepen rond met die gruwelverhalen. Bud geloofde hen wel tot op zekere hoogte, maar hij had zelf nog nooit moeilijkheden gehad. Natuurlijk was hij wel eens uitgescholden, maar zoiets kon je verwachten. De conducteur was immers zichtbaar en kreeg natuurlijk de schuld van alles wat er fout ging. Maar behalve enkele vuile blikken en wat lelijke woorden had hij nog nooit iets ergs meegemaakt waarover de oudgedienden het steeds maar hadden:

gespuugd, geslagen, beroofd, met een mes gestoken, ondergekotst door zatlappen, getreiterd door scholieren of in het gezicht geslagen door iemand op het perron terwijl je bij het vertrek van de trein uit je raampje leunde. Dit laatste baarde conducteurs de meeste zorgen en er waren wel honderdduizend griezelverhalen over: van de conducteur die ze een vinger in zijn oog hadden gestoken en die uiteindelijk dat oog was kwijtgeraakt, en een ander die een gebroken neus opliep door een vuistslag, en nog een ander die ze bij zijn haren hadden gepakt en bijna het raam uit hadden gesleurd.

'51st Street, dit is station 51st Street.'

Hij sprak zijn aankondiging in de microfoon met heldere, opgewekte stem en het deed hem altijd goed te weten dat hij tegelijkertijd in tien wagons hoorbaar was. Terwijl de trein het station binnenreed stak hij een sleutel in de gleuf onder op het paneel en draaide hem naar rechts. Toen stak hij de deursleutel in de gleuf en zodra de trein stopte drukte hij op de knoppen om de deuren te openen.

Hij leunde ver naar buiten uit zijn raampje om te letten op het in- en uitstappen van de passagiers, sloot toen de deuren, eerst van het achterste deel, toen van het voorste. Hij controleerde of alle lichtjes op zijn paneel brandden ten teken dat alle deuren dicht en op slot waren. De trein ging rijden en hij ging uit het raampje hangen voor de voorgeschreven drie wagonlengten, om zich ervan te verzekeren dat er niemand werd meegesleurd. Veel oudgedienden lieten deze handeling achterwege door hun ziekelijke angst mishandeld te worden.

'Station Grand Central, volgende halte. De volgende halte is Grand Central.'

Hij stapte uit zijn cabine en ging tegen de kopdeur staan. Met zijn armen over elkaar bekeek hij de passagiers. Dat was zijn favoriete tijdverdrijf. Zijn spelletje was om te raden, afgaande op het uiterlijk en de houding van de passagiers, wat voor leven zij leidden: wat voor werk ze deden, hoeveel geld ze verdienden, waar en hoe ze woonden, zelfs waar ze naartoe gingen. In sommige gevallen was het gemakkelijk: koeriers, vrouwen die eruitzagen als huisvrouwen, huispersoneel of secretaresses, oude, gepensioneerde mensen. Maar bij anderen, vooral bij de betere klasse, vormde het een echte uitdaging. Was een goedgeklede man een leraar, een advocaat, een vertegenwoordiger of een zakenman? Het kwam erop neer dat er, behalve tijdens de spits, weinig mensen van de betere klasse de IRT namen; na de BMT en de IND was de IRT een slechte derde. Waarom kon hij niet zeggen. Misschien was het een kwestie van routes of betere woonwijken, maar dat kon je moeilijk bewijzen. Misschien kwam het doordat de IRT de oudste van de drie afdelingen was, minder routes had en een kleiner wagenpark (daarom duurde de opleiding ook maar achtentwintig dagen tegenover tweeëndertig bij de andere afdelingen), maar dat kon je eigenlijk ook niet bewijzen.

Hij zette zich schrap tegen het schokken van de trein (hij hield eigenlijk wel van die beweging en was in zijn nopjes met zijn vaardigheid om zich eraan te wennen – net als een zeeman die op den duur zeebenen krijgt) en concentreerde zich op de man die tegenover zijn cabine zat. Hij viel op door zijn afmetingen – vooral door zijn breedte eigenlijk, want erg lang was hij niet – en door zijn witte haren. Hij was keurig gekleed in een donkere regenjas en met een nieuwe hoed op en zijn schoenen waren blinkend gepoetst. Beslist geen koerier, al had hij dan die grote, plompe bloemendoos tussen zijn benen staan. Dat betekende dat hij de bloemen voor iemand had gekocht en dat hij ze zelf ging bezorgen. Als je hem zo zag met zijn nogal harde gezicht, zou je hem niet zo gauw aanzien voor iemand die bloemen kocht. Maar door het omslag kende je het boek nog niet en dat maakte het leven juist interessant. Hij kon van alles zijn: een professor, een dichter...

Bud voelde onder zijn voeten dat de trein vaart minderde. Hij zette de plezierige raadsels van zich af en ging zijn cabine in.

'Grand Central station. Overstappen voor de expres. Dit is Grand Central...'

Ryder

In de loop van de jaren had Ryder een paar theorieën opgezet over angst – twee, om precies te zijn. De eerste was dat je angst moest aanpakken zoals een achterspeler een aanstormende spits: die wachtte niet tot hij bij hem was, hij ging eropaf en viel aan. Ryder werd angst de baas door er het hoofd aan te bieden. Daarom, in plaats van een andere kant op te kijken, keek hij recht naar de vervoerssmeris. Die werd zich bewust van zijn staren, draaide zich om en wendde toen snel zijn blik af. Daarna bleef hij met stramme rug recht voor zich uit staren, zich bewust van de blik van Ryder. Zijn gezicht kleurde licht en Ryder wist dat hij ook zou zweten.

De tweede theorie van Ryder – en de agent gaf daar een mooie demonstratie van – luidde dat mensen die in het nauw zaten dat toonden omdat ze dat wílden. Ze vroegen om medelijden voor hun hulpeloosheid, net als een hond zich op zijn rug rolt voor een grotere en woestere hond. In plaats van hun symptomen te bedwingen lieten zij ze aan iedereen zien. Hij was ervan overtuigd dat je – behalve in je broek pissen, want daarover had je geen controle – net zo veel angst toonde als je zelf wilde of jezelf toestond te tonen.

De theorieën van Ryder kwamen voort uit een heel eenvoudige filosofie die zijn leven beheerste en waarover hij zelden sprak. Zelfs niet onder goedbedoelde druk. Juist niet onder druk, goedbedoeld of niet. Hij herinnerde zich een gesprek met een dokter in Congo. Hij was met zijn been onder het bloed naar een eerstehulppost gestrompeld om een kogel uit zijn dij te laten halen. De dokter was een Indiër, elegant en opgewekt, die met een sierlijke beweging een geweerkogel uit zijn been plukte; een man die even geïnteresseerd was in vorm als in de inhoud, een man met stijl en dat was geen enkele verklaring voor het feit dat hij dienstdeed in een krankzinnig Afrikaans oorlogje tussen twee hogelijk gedesorganiseerde bendes van woestkijkende inboorlingen. Behalve geld. Behalve? Dat was zeer zeker een reden.

De dokter had het bloederige stuk metaal omhooggehouden om het hem te laten zien voordat hij het in een schaaltje gooide, hield toen zijn hoofd schuin en vroeg: 'Bent u niet die officier die ze Kapitein IJzerkont noemen?'

De dokter droeg de onderscheidingstekenen van majoor, maar rang betekende niet zoveel in dit gekke leger, behalve dan als een indicator voor iemands salaris. De dokter streek zo'n tweehonderd per maand meer op dan hij.

'Weet ik veel,' zei Ryder. 'U kijkt ernaar. Is hij van ijzer?'

'U hoeft niet nijdig te worden,' zei de dokter. Hij mat een wondkussentje af voor de wond en nam er een kleiner voor in de plaats. 'Alleen maar nieuwsgierigheid. U hebt nogal een reputatie verworven.'

'Waarvoor?'

'Voor onbevreesdheid.' Hij hield het kussentje handig op zijn plaats met slanke, bruine vingers. 'Of roekeloosheid. De geleerden zijn het nog niet eens.'

Ryder haalde zijn schouders op. In een hoek van de eerstehulptent lag een zwarte soldaat, halfnaakt, ineengekrompen op een draagbaar. Hij huilde aan één stuk door stilletjes voor zich uit. De dokter zocht zijn ogen met een langdurige blik en de man werd stil.

'Het zou me interesseren te horen hoe u daar zelf over denkt,' zei de dokter.

Ryder haalde zijn schouders nogmaals op en keek toe terwijl de bruine vingers leukoplast over het verband aanbrachten. Wacht maar tot dat van de haren afgetrokken moest worden. Dat zou pas een echte beproeving zijn. De dokter hield even op en zijn donkere gelaat glimlachte.

Ryder zei: 'U hebt waarschijnlijk meer meegemaakt dan ik, majoor. Ik sluit me aan bij uw mening.'

De dokter sprak met overtuiging. 'Een karaktertrek als onbevreesdheid ken ik nog niet. Roekeloosheid wel. Onverschilligheid ook. Sommige mensen wíllen sterven.'

'Bedoelt u mij?'

'Kan ik echt niet zeggen, want ik ken u niet. Ik hoor alleen geruchten. U kunt uw broek weer aantrekken.'

Ryder bekeek de bloederige scheur in zijn broek voordat hij die optrok. 'Jammer,' zei hij. 'Ik rekende op een conclusie van u.'

'Ik ben geen psychiater,' zei de dokter, half verontschuldigend. 'Alleen maar nieuwsgierig.'

'Ik niet.' Ryder pakte zijn stalen helm op – uit een partij tweedehandse Wehrmacht-goederen – en zette hem op. Hij duwde hem stevig vast zodat de smalle rand zijn ogen overschaduwde. 'Ik ben helemaal niet nieuwsgierig.'

De majoor kleurde en glimlachte toen sportief. 'Nou ja, ik geloof dat ik nu een beetje beter begrijp waarom ze u Kapitein IJzerkont noemen. Pas goed op uzelf.'

Terwijl hij naar het profiel keek van de agent die zich geen houding wist te geven, dacht Ryder: ik had die Indische dokter een antwoord kunnen geven, maar hij zou het waarschijnlijk verkeerd hebben begrepen en hebben geconcludeerd dat ik het over reïncarnatie had. Je blijft leven of je gaat dood, majoor, dat is mijn hele filosofie. Je bleef leven of je ging dood. Dat had niets met onbevreesdheid te maken of met roekeloosheid. Het wilde niet zeggen dat je met de dood flirtte of dat je de dood niet zag als een mysterie of als een verlies. Maar het loste wel de meeste complicaties in het bestaan op, het bracht de belangrijkste onzekerheid in het leven terug tot een formule waarmee je kon werken. Geen folterend onderzoek naar allerlei mogelijkheden, alleen maar de eenvoud van ja of nee: je bleef leven of je ging dood.

Een trein kwam het station binnen. Vlak bij de agent, recht onder het bord met het cijfer 8, stond een buiger zo ver naar voren geknikt dat het leek alsof hij zich niet meer op tijd zou kunnen terugtrekken. Ryder spande zijn spieren en zette bijna een stap in de richting van de man om hem in veiligheid te trekken, maar dacht toen: nee, vandaag niet, nu niet. Maar de man kreeg zichzelf op het laatste moment onder controle, zijn handen uitgestoken in een schrikreflex. De trein stopte en de deuren gingen open. De agent stapte in.

Ryder keek naar de machinist. Hij zat op zijn metalen kruk met zijn arm op het half geopende raampje geleund. Hij legde onverschillig zijn hand over een enorme geeuw. Hij keek ongeïnteresseerd uit zijn raampje en controleerde toen zijn paneel, waarop, net als bij de conducteur, de lampjes gingen branden wanneer de deuren dicht en op slot waren.

De trein ging rijden. Zijn aanduiding (op dat moment van de dag was de tijd tussen de treinen vijf minuten) moest Pelham One One Eight zijn, volgens het eenvoudige, effectieve systeem waarbij een trein zijn benaming kreeg uit het voorvoegsel van zijn vertrekpunt en het achtervoegsel van zijn vertrektijd. Omdat deze trein om één uur achttien van station Pelham Bay was vertrokken, was zijn aanduiding Pelham One One Eight. Zijn vertrekstation voor de terugreis vanuit het zuiden zou station Brooklyn Bridge zijn en zijn kengetal zou zoiets worden als Brooklyn Bridge Two One Four. Tenminste, dacht Ryder, zo zou het op een normale dag zijn. Maar vandaag was geen normale dag; vandaag zou de dienstregeling behoorlijk verstoord raken.

Toen de derde wagon voorbijkwam, zag Ryder de agent. Hij leunde tegen een stang en zijn rechterschouder hing omlaag, zo laag dat het leek alsof hij op een helling stond. Als hij nu eens niet in die trein was gestapt? Ze hadden van tevoren een teken afgesproken om de onderneming af te blazen wanneer zich een of ander onvoorzien gevaar voordeed. Zou hij het hebben gebruikt? Zou hij zich hebben teruggetrokken? Hij schudde nauwelijks merkbaar zijn hoofd. Geen antwoord nodig. Wat je gedaan zou kúnnen hebben was niet van belang, alleen wat je dééd.

De laatste wagon gleed langs het perron en de tunnel in, richting 32nd Street. Er kwamen nieuwe passagiers tevoorschijn. Voorop liep een jonge Afro-Amerikaan, opvallend gekleed in een hemelsblauwe cape, een blauw-rood geruite broek, bruine schoenen met een verhoogde hak en een zwarte leren baret op. Hij kwam aanlopen met een lenige, zwierige gang, stapte trots als een pauw voorbij en ging staan op een wagonlengte van het bord met de 10. Bijna onmiddellijk boog hij zich vanaf het perron naar voren en keek kwaad in de richting waaruit de trein moest komen.

Kalm aan, broer, dacht Ryder, Pelham One Two Three arriveert over minder dan vijf minuten en hij komt geen minuut eerder, al kijk je nog zo kwaad naar de rails. De jonge vent draaide zich plotseling om alsof hij voelde dat er iemand naar hem keek. Hij keek Ryder recht in zijn gezicht met een uitdagende blik. Ryder beantwoordde de uitdaging zonder interesse.

Zijn eigen ogen bleven vriendelijk en hij dacht: maak je niet zo druk, broer, bewaar je energie maar, die zou je wel eens nodig kunnen hebben.

Op Grand Central reageerde Pelham One Two Three op het stopsignaal, drie horizontale gele lichten, door zijn deuren open te houden en op de aankomst van de volgende exprestrein te wachten. Joe Welcome had een kwartier op het perron gestaan, rusteloos en zenuwachtig, en aankomst en vertrek van de lokale treinen gecontroleerd op zijn horloge. Daarbij had hij kwaad naar de exprestreinen geloerd, omdat die zo onregelmatig langskwamen. Weinig op zijn gemak ijsbeerde hij zo'n tien, vijftien meter op en neer en bekeek de vrouwen op het perron en zichzelf in de spiegelende ruiten van de snoepautomaten. Geen van de vrouwen was een cent waard en zijn lip krulde minachtend. Een lelijk wijf was een vloek. Dan zag hij nog liever zijn eigen spiegelbeeld: het knappe, zorgeloze gezicht, de olijfkleurige huid, iets bleker dan gewoonlijk en een paar donkere ogen waarin een vreemd vuur brandde. Nu hij gewend was aan de snor en aan de bakkebaarden vond hij ze niet eens zo gek. Ze stonden verdomd goed bij het zachte, glanzende zwart van zijn haar.

Toen Joe Welcome Pelham One Two Three hoorde binnenkomen, liep hij naar achteren, naar de laatste wagon. Hij zag er levendig en monter uit in zijn marineblauwe regenjas. Zijn hoed was donkergrijs, had een nauwe, wat opkrullende rand. Toen de trein stilhield stapte hij bij de laatste deur in, zich een weg duwend tussen de drie of vier mensen die eruit wilden. Zijn koffer, afwisselend donker- en lichtbruin gestreept, stootte tegen de knie van een jong Puerto Ricaans meisje. Ze keek hem boos van opzij aan en mompelde iets.

'Heb je 't tegen mij, eikel?'

'Waarom kijk je niet waar je loopt?'

'Stik, man!'

Ze wilde nog iets zeggen, maar toen ze zijn kwaadaardige glimlach zag, veranderde ze van gedachten. Ze stapte uit en keek verontwaardigd over haar schouder. Aan de andere kant van het perron arriveerde de exprestrein en hier en daar stapten een paar mensen de lokale trein in. Welcome keek even door de achterste helft van de wagon en begon toen naar voren te lopen, waarbij hij de passagiers aan beide kanten van het middenpad in zich opnam. Hij liep de volgende wagon in en net toen de deur achter hem dichtgleed, vertrok de trein met een onverwachte ruk die hem zijn evenwicht deed verliezen. Terwijl hij zich met moeite herstelde, keek hij woedend naar de machinist, acht wagons voor hem uit.

'Jezuschristus,' zei hij hardop, 'waar heb jij geleerd met zo'n verrekte trein te rijden?'

Nog steeds kwaad liep hij door en liet zijn blik over de passagiers glijden. Mensen. Gewoon vlees. Geen smerissen, niemand die eruitzag of hij de held zou gaan uithangen. Hij liep vol zelfvertrouwen en het klikkende geluid van zijn voetstappen trok de aandacht. Met genoegen zag hij hoeveel ogen er naar hem opkeken en met nog meer genoegen keek hij hen een voor een recht in hun smoelen totdat ze hun ogen neersloegen, zo'n hele rij ogen neermaaiend als eenden in een schiettent. Hij miste nooit. Paf, paf, daar gingen ze. *Occhi violenti* had zijn oom ze genoemd. Kwaadaardige ogen, en hij wist hoe hij ze moest gebruiken, hij wist hoe hij mensen in hun broek kon laten pissen van angst.

In de vijfde wagon zag hij Steever zitten, helemaal achterin. Hij keek hem even aan, maar Steever deed alsof hij hem niet zag, zijn gezicht onbewogen. Op weg naar de volgende wagon liep hij langs de conducteur, een jonge vent, keurig gekleed in blauw uniform, het gouden insigne van het Vervoerswezen op zijn pet blinkend gepoetst. Hij liep snel door en bereikte de eerste wagon toen de trein vaart begon te minderen. Hij zette zijn rug tegen de deur en plaatste zijn koffer op de vloer tussen de spitse punten van zijn Spaanse schoenen.

'32nd Street, dit is station 32nd Street.'

De stem van de conducteur was hoog maar vol en door de versterkers klonk het als de stem van een sterke vent. Maar hij was een bleke spriet met rood haar, wist Welcome, en als je hem goed raakte zou je waarschijnlijk zijn kaak net zo gemakkelijk breken als een stuk porselein. Het beeld van een kaak die als een breekbaar theekopje uit elkaar spatte vond hij grappig. Toen fronste hij zijn wenkbrauwen en dacht aan Steever, die daar zat als een blok hout met die bloemendoos tussen zijn benen. Dat was typisch Steever: een domme stier. Spieren zat, maar zijn bovenkamer was leeg. Steever, met een bloemendoos: om je te bescheuren.

Een paar passagiers stapten uit, een paar andere stapten in. Welcome zag Longman zitten tegenover de cabine van de machinist. Hij zat een flink eind weg. De wagon was vierentwintig meter lang. Vierentwintig meter en er stonden vierenveertig banken. De BMT en de IND, die ze de afdelingen B1 en B2 noemden (IRT was afdeling A) waren vijfentwintig meter lang en hadden vijfenzestig banken. Hij had schijt gehad aan die onzin. Ging nergens over.

Toen de deuren dicht gingen wrong een mooie griet haar schouder ertussen en stapte naar binnen. Hij bekeek haar geïnteresseerd. Superkort minirokje, lange benen in witte laarzen, een klein, rond achterwerk. Tot zover niet slecht, dacht Welcome, laat ons nou de voorkant maar eens zien. Hij glimlachte toen ze zich omdraaide en noteerde een fikse boezem die een lichtroze truitje flink uitrekte onder een kort groen jasje van dezelfde kleur als het rokje. Grote ogen, zware, valse wimpers, brede mond, overdadig geaccentueerd met zwaar opgebrachte, helderrode lippenstift, lang zwart haar dat recht naar beneden viel vanonder zo'n sexy Australische soldatenhoed waarvan de rand rechtop stond, plat tegen haar hoofd aan.

Ze ging in de voorste helft van de wagon zitten en toen ze

haar benen over elkaar sloeg, kroop het korte rokje omhoog tot haar dijen. Leuk. Hij keek gespannen naar het lange stuk been dat zichtbaar was en stelde zich voor dat die benen om zijn nek gekronkeld lagen. Om mee te beginnen.

'28th Street.' De stem van de conducteur zong engelachtig door de luidspreker. 'Het volgende station is 28th Street.'

Welcome zette zich klem met zijn heup tegen de koperen klink van de deur. 28th Street. Oké. Hij telde vluchtig de passagiers die een zitplaats hadden. Een stuk of dertig plus een paar jongetjes die door de voorste kopdeur stonden te kijken. Zowat de helft zou eruit getrapt moeten worden. Maar niet die griet met die gekke hoed. Zij bleef, wat Ryder of wie ook zou zeggen. Was het gek dat hij op zo'n moment aan een meid stond te denken? Dan was hij maar gek. Maar zij zou blijven. Zij zou zorgen voor, zoals ze dat noemden, het vleugje romantiek in het verhaal.

Longman

In de eerste wagon zat Longman op de plaats die overeenkwam met die van Steever, vijf wagons naar achteren. Hij zat precies tegenover de afgesloten, stalen deur van de bestuurderscabine, die versierd was met een zorgvuldig getekende signatuur in fel roze: PANCHO 777. Op zijn pakket, gewikkeld in zwaar papier en bijeengebonden met ruw, geel touw, stond in zwart: EVEREST PRINTING CORP., 826 LAFAYETTE STREET. Hij hield het tussen zijn knieën, leunde erop met zijn onderarmen en hield zijn vingers losjes onder de kruisingen waar de strengen touw samengeknoopt waren.

Hij was op de 86th Street in Pelham One Two Three gestapt om er zeker van te zijn vóór de 28th Street een lege plaats tegenover de cabine te vinden. Die speciale plek was niet zo belangrijk, maar hij had erop gestaan. Hij had zijn zin gekregen, enkel en alleen omdat geen van de anderen er veel waarde aan had gehecht. Hij besefte nu dat hij alleen maar zijn zin had doorgedreven, omdat hij wist dat niemand ertegen zou zijn. Anders zou Ryder de beslissing hebben genomen. Zat hij hier eigenlijk niet alleen maar vanwege Ryder, op het punt om zich met open ogen in een nachtmerrie te storten?

Hij keek naar de twee jongens die bij het raam van de kopdeur stonden. Ze waren ongeveer acht en tien, beiden mollig en met een gezonde kleur op hun ronde gezicht. Ze waren verdiept in hun spel waarin zij de trein bestuurden door de tunnel, en ze maakten bijpassende klik- en sisgeluiden. Hij zou willen dat ze er niet waren, maar het was onvermijdelijk. Op iedere trein, op ieder moment, altijd waren er wel een paar jongetjes – soms ook een volwassene! – bezig met het romantische spelletje van machinist. Mooie romantiek!

Toen de trein 33rd Street bereikte, begon hij te zweten. Niet geleidelijk maar ineens, alsof er plotseling een golf van hitte door de wagon joeg. Het zweet brak hem uit over zijn hele lijf en zijn gezicht in een kleverige laag. Het deed de donkere schaduwen boven zijn ogen wat lichter lijken en liep naar beneden langs zijn borst, zijn benen en zijn liezen. De trein stokte even toen hij de tunnel in reed en zijn hart stond stil in een plotselinge opwelling van hoop. In zijn fantasie maakte hij het beeld snel compleet: er is iets mis met de motor, de machinist schakelt de rem in en laat de trein stoppen. Het depot stuurt een wagenmeester, die kijkt er eens naar, krabt op zijn kop. Dan moeten ze de stroom uitschakelen, de passagiers uitladen, hen naar een nooduitgang leiden en de trein terugslepen naar de remise.

Maar het stokken ging voorbij en Longman wist – zoals hij de hele tijd al had geweten – dat er niets aan de hand was met de trein. Misschien was de machinist wat onhandig weggereden of was dit gewoon een haperende trein, een van die rottreinen waar machinisten de pest aan hadden.

Niet omdat hij erin geloofde, maar uit wanhoop, zocht hij in zijn verbeelding andere mogelijkheden. Stel je voor dat een van de anderen plotseling ziek was geworden of een ongeluk had gekregen? Nee. Steever zou niet eens het verstand hebben om te weten dat hij ziek was, en Ryder... Ryder zou nog van zijn sterfbed opstaan als dat moest. Misschien was Welcome, onbetrouwbaar en gek als hij was, wel aan het knokken geraakt omdat hij dacht dat iemand hem had beledigd.

Hij keek naar het achterdeel van de wagon en zag daar Welcome staan.

Vandaag ga ik dood.

De gedachte kwam zomaar bij hem op, gepaard met een plotseling opwellende hittevlaag alsof er een strovuurtje in zijn lijf werd ontstoken. Hij had het gevoel dat hij stikte en wilde zijn kleren van zich af rukken om zijn brandende lichaam lucht te geven. Hij prutste met de bovenste knoop van zijn regenjas tot die half los zat en hield toen op. Ryder had gezegd dat ze hun jassen helemaal dicht moesten houden. Zijn vingers wrongen de knoop weer terug door het knoopsgat.

Zijn benen begonnen te sidderen van boven tot beneden, tot aan zijn schoenen. Hij legde zijn handen op zijn knieën en drukte die naar beneden om zijn voeten op de vuile vloer te verankeren en hun onwillekeurige danspasjes van vrees te stoppen. Viel hij op? Keken de mensen naar hem? Hij durfde niet op te kijken. Net een struisvogel. Hij keek naar zijn handen en zag dat die onder het touw van het pakket kropen en daaronder rondwroetten totdat ze pijn begonnen te doen. Door het raam tegenover zijn zitplaats verbreedden de voorbijflitsende grauwe muren zich tot de betegelde muren van een station.

'28th Street. Dit is station 28th Street.' Hij ging staan. Zijn benen trilden, maar hij bewoog zich tenminste en sleepte zijn pakket achter zich aan. Hij ging tegenover de deur van de cabine staan en zette zich schrap tegen het snelle afremmen van de trein. Buiten begon het perron zich duidelijker af te tekenen. De twee jongens bij de kopdeur maakten sissende geluiden, terwijl ze zogenaamd de remmen inschakelden. Hij keek naar het achterste deel van de wagon. Welcome had zich niet verroerd. Door de kopdeur zag hij het perron tot stilstand komen. Mensen liepen naar voren en wachtten tot de deuren opengingen. Hij zag Ryder. Die leunde tegen de muur, volkomen op zijn gemak.

2

Denny Doyle

ERGENS ONDERWEG HAD DENNY DOYLE op een perron een gezicht gezien dat hem aan iemand deed denken. Het bleef hem bij tot- dat het hem te binnen schoot, net bij het vertrek van station 33rd Street, alsof er een licht aanging in een donkere kamer. Het was een Iers gezicht, zo'n benig gezicht dat je altijd op fo- to's zag van dode IRA-leden. De man aan wie het hem deed den- ken, was die verslaggever van de *Daily News*, een jaar of wat ge- leden, die was komen rondsnuffelen om een artikel te schrijven over de ondergrondse. De pr-afdeling van het Ver- voerswezen had Denny aan hem toegewezen als een typische veteraanmachinist – zoals ze dat hadden uitgedrukt – en de ver- slaggever, zo'n snelle, jonge gozer, had een heleboel vragen ge- steld. Sommige leken op het eerste gezicht belachelijk, maar als je erover nadacht waren ze toch heel slim.

'Waar denken jullie aan wanneer je de trein bestuurt?'

Heel even was Denny in paniek en dacht hij dat de vraag een valstrik was, dat de verslaggever op een of andere manier ach- ter zijn geheim was gekomen, maar dat kon niet. Hij had er nooit met iemand een woord over gesproken. Niet dat het een misdaad was, maar een volwassen man werd nu eenmaal niet verondersteld dergelijke flauwe spelletjes te spelen. Laat staan wat het Vervoerswezen ervan zou denken wanneer ze het te ho- ren kregen.

Daarom had hij de verslaggever een antwoord uit het instructieboekje gegeven. 'Een machinist heeft geen tijd om ergens anders aan te denken dan aan zijn werk. Daar komt heel wat bij kijken.'

'Kom op,' zei de verslaggever. 'Dag in dag uit rij je over hetzelfde stel rails. Hoe kan daar nou veel bij komen kijken?'

'Hoe kan daar nou –' Denny zag kans verontwaardigd te kijken. 'Dit is een van de drukste spoorlijnen van de hele wereld. Weet jij hoeveel treinen er dagelijks rijden, hoeveel kilometers rails –'

'Ze hebben me de cijfers gegeven,' zei de verslaggever. 'Bijna zeshonderdvijftig kilometer rail, zevenduizend wagons, acht- of negenhonderd treinen per uur tijdens de spits. Ik sta ervan te kijken. Maar je hebt nog geen antwoord gegeven op mijn vraag.'

'Ik zal je vraag beantwoorden,' zei Denny verongelijkt. 'Waar ik aan denk is het besturen van de trein. Op tijd rijden en de veiligheidsmaatregelen in acht nemen. Ik let op de signalen, de wissels, de deuren, ik probeer de passagiers zoveel mogelijk schokken te besparen, ik hou een haviksoog op de rails. Wij hebben een gezegde. "Zorg dat je je rails kent –"'

'Maar toch. Denk je nu nooit eens, nou ja, laat eens zien, wat je zult eten bij de lunch?'

'Ik weet wat ik eet bij de lunch. Die maak ik 's morgens zelf klaar.'

De verslaggever had gelachen en die regel over het middageten was zelfs in het verslag terechtgekomen dat de *News* een paar dagen later had gepubliceerd. Zijn naam werd genoemd in het verhaal en een paar dagen was hij beroemd, hoewel Peg zich een beetje had geërgerd. 'Wat bedoel je daarmee dat jíj het klaarmaakt? Wie stapt er hier iedere morgen uit bed om voor jouw lunchtrommeltje te zorgen?' Hij legde haar uit dat hij niet had geprobeerd met haar veren te pronken, maar dat hem dat zo was ontvallen. Toen had ze, tot zijn verbazing, gevraagd: 'Waar denk je verdomme dan wel aan?'

'Ik denk aan God, Peg,' had hij plechtig geantwoord en zij had gezegd dat hij die onzin maar moest bewaren voor kapelaan Morrissey en was weer begonnen met mopperen dat het leek alsof zij zijn lunchtrommeltje niet klaarmaakte en dat al haar vriendinnen zouden denken dat ze tot twaalf uur in haar nest bleef liggen.

Maar wat had hij dan moeten doen: haar zeggen dat hij sommen maakte met het gewicht? Hij, een betrouwbare, (meestal) nuchtere steunpilaar (zoals ze dat noemen) van de kerk? Mijn god, je moest toch íets doen om niet gek te worden. Waar het op neer kwam was dat een ondergrondse trein besturen na bijna twintig jaar automatisch ging: je ontwikkelde een soort verbinding tussen je ogen en de signalen, tussen je handen en je rijcontroller en je remhandvat en alles leek vanzelf te gaan. Hij had in twintig jaar nog geen ernstige vergissing begaan.

Hij had in feite, gedurende zijn hele loopbaan als machinist, maar één keer een echte fout begaan en dat was kort na zijn opleidingsperiode en de voorgeschreven zes maanden dienst tussen de rails. Hij was door een rood signaal gereden. Niet omdat hij gewicht zat op te tellen; dat deed hij toen nog niet. Maar het was gebeurd. Met zo'n dikke zestig per uur was hij zo door een rood signaal gereden. Ze moesten hem nageven dat hij het direct had beseft, maar tegen de tijd dat hij zijn rem had aangetrokken waren de ATB-seinen in werking getreden en hadden de noodremmen de trein tot stilstand gebracht. Hij was de cabine uit geklommen naar de spoorbaan, had het ATB-sein met de hand bijgesteld en dat was alles geweest. Later had hij er flink van langs gekregen, maar de ouwe Meara, de opzichter, had er rekening mee gehouden dat hij nieuw was en had er geen werk van gemaakt. Ze hadden in feite nog nooit een rapport over hem geschreven en dat bewees wel wat.

Hij kende zijn zaken gewoon goed, zo verdomd goed dat hij er niet eens over hoefde na te denken. Hij kende niet alleen zijn eigen zaken; hij was er ook van op de hoogte hoe de treinen in elkaar zaten. Als hij eenmaal iets had geleerd, vergat hij het niet meer. Het had weinig te maken met veilig en op tijd rijden, maar hij wist dat iedere wagon werd aangedreven door vier tractiemotoren van honderd pk – een voor iedere as – en dat de derde rail via de contactschoenen 600 volt gelijkstroom toevoerde en dat hij door de rijcontroller in te schakelen een signaal naar het regelblok van iedere wagon zond. Hij wist zelfs dat die krengen zowat een kwart miljoen dollar per stuk kostten en dat je, als je een trein van tien rijtuigen bestuurde, de baas was over tweeënhalf miljoen waarde aan materiaal!

Het kwam erop neer dat je de hele zaak bijna automatisch deed, zonder erbij na te denken. Neem nou die stoplichten bij station Grand Central. Hij wist dat ze brandden zonder er echt naar te kijken en hij had geweten dat ze wisselden. Nu, op weg naar station 28th Street, deed hij alles automatisch: de rijcontroller in precies de juiste stand, zijn ogen of zijn instinct – hoe je het ook noemde – gericht op de signalen, groen, groen, glijdend door geel naar rood, wetend dat hij precies de juiste snelheid had om het rood vóór hem geel te laten worden, wetend dat hij, als hij moest remmen, dat kon doen zonder de passagiers door elkaar te schudden. Je dacht niet over dat alles; je deed het gewoon.

Als je dus niet hoefde te denken over het besturen van een trein, dan kon je je veroorloven aan iets anders te denken om jezelf bezig te houden en de tijd te doden. Hij wilde wedden dat een heleboel machinisten dat deden. Neem nou Vincent Scarpelli, die had verteld dat hij het aantal tieten telde dat met hem meereed. Tieten!

Hij telde gewicht op. Op station 33rd Street bijvoorbeeld waren er zo'n twintig passagiers uitgestapt en misschien een stuk

29

of twaalf bij gekomen. Een verlies van zowat acht. Als je per passagier 150 pond rekende (als liftfabrikanten de capaciteit op die basis berekenden, kon hij daar ook mee werken), dan was het netto verlies 1200 pond en dan vervoerde hij momenteel 793.790 pond. Dat was natuurlijk een ruwe schatting. Hij wist nooit precies hoeveel mensen er in- of uitstapten, door de lengte van de trein en de korte tijd die je had om ze te tellen, dus het was eigenlijk niet meer dan een weloverwogen schatting. Maar hij was er vrij goed in, zelfs in de chaos van het spitsuur.

Hij besefte dat het een beetje idioot was om het gewicht van de wagons te blijven meetellen, want dat veranderde natuurlijk nooit. Maar de getallen werden er veel imposanter door. Op dit moment, bijvoorbeeld, vervoerde hij maar 290 passagiers (43.500 pond) plus 1 pond per passagier voor boeken, kranten, pakketjes, damestasjes (290 pond), maar als je tien wagons van ieder 75.000 pond meerekende, kwam je op een totaal van 793.790 pond.

Het werd pas echt leuk in het spitsuur, wanneer de perronopzichters de mensen in de trein stonden te duwen. Het was natuurlijk het drukste op de exprestrein en daar had hij dan ook zijn record gehaald. Volgens het Vervoerswezen kon je niet meer dan 180 mensen in een wagon proppen (220 in een BMT-wagon), maar dat was veel te weinig. Soms, vooral bij vertragingen, kreeg je er minstens nog zo'n twintig per wagon bij – alle 44 zitplaatsen bezet en zo'n goeie 155 tot 160 staplaatsen. Dan kon je dat bekende verhaal wel geloven van die man die op Union Square een hartaanval kreeg en die naar Brooklyn moest reizen voordat hij ruimte kreeg om in elkaar te zakken.

Denny Doyle glimlachte. Hij had dat verhaal zelf verteld en erbij gezegd dat het in zijn trein was gebeurd. Als zoiets al gebeurd zou zijn, dan was het waarschijnlijk tijdens één speciaal spitsuur, een paar jaar terug. Er was toen een waterleiding gesprongen en de spoorbaan was ondergelopen. Tegen de tijd dat alles weer op gang kwam, stond er een zee van mensen op de perrons en de stops op ieder station duurden wel drie of vier minuten, terwijl de mensen elkaar afmaakten om binnen te komen. Die avond had hij op een gegeven moment meer dan tweehonderd passagiers per wagon vervoerd, plus bagage – dat was meer dan één miljoen pond!

Hij glimlachte weer en hanteerde de remknuppel, terwijl hij station 28th Street binnengleed.

Tom Berry

Met zijn ogen dicht en zijn benen wijd voor zich uitgestrekt zat Tom Berry op zijn bankje in het voorste gedeelte van de eerste wagon. Hij gaf zich helemaal over aan de trein, liet zich wiegen door het vertrouwde schudden en slingeren en luisterde doezelig naar de kakofonie van geluiden. De stations waren voorbijgegleden en hij had geen moeite gedaan om ze bij te houden. Hij wist dat hij bij Astor Place zou opstaan, uit gewoonte en gewaarschuwd door dat zesde zintuig dat op een of andere manier te maken had met de overlevingsdrang die New Yorkers ontwikkelden in de verschillende fases van hun strijd om het bestaan met de stad. Als dieren in een oerwoud, als planten, pasten ze zich aan, leerden instinctmatig specifieke verdedigingstactieken en raakten vertrouwd met het argwaan dat geschapen is om aan bepaalde bedreigingen het hoofd te kunnen bieden. Als je een New Yorker opensneed zou je kronkels in zijn hersens en vertakkingen in zijn zenuwstelsel ontdekken die je nergens bij andere stadsmensen terug zou vinden.

Hij glimlachte bij die verwaande gedachte en bleef zich ermee bezighouden, schaafde hem nog wat bij en begon zelfs de terloopse bewoordingen te bedenken die hij zou gebruiken om het aan Deedee te vertellen. Hij had de indruk, en niet voor het eerst, dat hij in alles op Deedee gericht was. Net zoals de vallende boom in het bos geen geluid maakt tenzij er iemand is om hem te horen, zo vond hij niets de moeite waard zonder Deedee.

Het zou liefde kunnen zijn. Dat was tenminste één etiket dat je op het complex van dwaze en tegenstrijdige emoties kon plakken waarin zij verward waren geraakt: seksuele opwinding, vijandschap, verwondering, tederheid en een staat van bijna voortdurende strijd. Was dat liefde? Als dat zo was, dan was het heel wat anders dan hoe het in de poëzie werd omschreven.

De glimlach op zijn lippen verbleekte en er verscheen een rimpel in zijn voorhoofd toen hij terugdacht aan gistermiddag. Hij was met drie treden tegelijk de ondergrondse uit gerend en was naar dat gekke hok van haar gedraafd met een hart dat hamerde in het spannende vooruitzicht van haar te zien. Ze opende de deur toen hij aanklopte (de bel was al drie jaar kapot), maakte onmiddellijk rechtsomkeert en liep van hem weg met de stramheid van een soldaat op het exercitieveld.

Hij bleef bij de deur staan met dwaas openhangende mond na een halfvoltooide glimlach. Zelfs op zo'n moment van teleurstelling en opkomende woede was hij gek op haar en kon hij voorbijzien aan haar kleren waarmee ze haar best deed haar schoonheid te verbergen: de spijkerbroek die rafelig net boven haar knieën hing, het eenvoudige brilletje, het glanzend bruine haar dat aan weerszijden van haar hoofd omlaaghing.

Hij keek naar de sombere ogen en de vooruitgestoken lip.

'Die pruillip ken ik al. Die heb je ontdekt toen je drie jaar was.'

'Zozo, de middelbare school afgemaakt zeker?'

'Avondschool.'

'Avondschool. Gapende cursisten en een docent in een gekreukt pak die zwetend en in afschuwelijke verveling hun uur uitzitten.'

Hij liep behoedzaam naar haar toe, oppassend dat hij niet met zijn voet in het rafelige tapijt bleef hangen dat nauwelijks de houten vloer bedekte die schuin omhoogliep en dan weer naar beneden, als iets wat uit zijn voegen was geraakt door een aardbeving en nooit meer precies op zijn plaats terecht was gekomen. Hij lachte, maar zonder humor.

'Burgerlijke verachting voor de lagere klassen,' zei hij. 'Er zijn mensen die zich niet kunnen veroorloven overdag naar school te gaan.'

'Mensen. Jij hoort niet bij de mensen, jij bent een vijand van het volk.'

De sombere woede op haar gezicht wekte tegen alle verwachtingen in zijn lust op (of misschien niet zo onverwacht, als je bedacht hoe smal de grens was die liefde van haat scheidde, en die woede met passie verbond). Hij kreeg er een erectie van. Omdat hij dacht dat het in haar voordeel zou werken als ze dat wist, draaide hij zich om en liep naar de andere kant van de kamer. De boekenkast van sinaasappelkistjes helde dronken naar één kant over. De schoorsteenmantel, onder de verfklodders, stond vol met nog meer boeken en daaronder in de open haard die nooit werd gebruikt, lagen ook boeken. Abbie Hoffman, Jerry Rubin, Marcuse, Fanon, Cohn-Bendit, Cleaver – de vaste profeten en filosofen van de Beweging.

Haar stem zweefde door de kamer. 'Ik wil je niet meer zien.'

Hij had dat verwacht en had zich de stembuiging precies voorgesteld tot in de fijnste nuance. Zonder zich om te draaien zei hij: 'Ik vind dat je je naam moet veranderen.'

Het was zijn bedoeling om haar in de war te brengen door iets geks te zeggen. Maar direct toen hij het zei drong de tweeslachtigheid van zijn woorden tot hem door en hij wist dat zij ze verkeerd zou opvatten.

'Ik geloof niet in het huwelijk,' zei ze. 'En zelfs als ik dat deed, dan zou ik nog eerder gaan hokken met een... Nou ja, met wat dan ook... Liever dan met een smeris te trouwen.'

Hij keerde zich naar haar toe met zijn rug tegen de schoorsteenmantel. 'Ik vroeg je niet ten huwelijk. Ik bedoel je naam. Deedee. Die is veel te lief en te schattig voor een revolutionair. Revolutionairen horen rechttoe rechtaan namen te dragen. Stalin, Lenin, Mao, Che – harde, abstracte namen. Ik weet eigenlijk niet eens wat je echte naam is. Was.'

'Wat doet het ertoe?' Toen haalde ze haar schouders op en zei: 'Doris. En ik vind het een stomme naam.'

Ze had de pest aan nog een heleboel dingen behalve haar naam: de gevestigde orde, het politieke systeem, de overheersing van de man, oorlogen, armoede, smerissen en – vooral – aan haar vader, die buitengewoon succesvolle accountant die haar had verwend met zijde, satijn, liefde, stifttanden en een opvoeding op een deftige kostschool. Die haar en haar huidige behoeften bijna begreep – maar niet helemaal – en van wie ze nu alleen geld accepteerde als het echt niet anders kon, wat hem tot wanhoop bracht. Nou ja, bij het meeste wat ze dacht en voelde zat ze er niet zo heel erg ver naast, maar haar inconsequentie over sommige dingen zat hem dwars. Als ze haar vader haatte, zou ze in geen enkel geval geld van hem aan moeten nemen. En als ze smerissen haatte, moest ze niet met een smeris naar bed gaan.

Ze had een rode kleur en zag er erg lief uit en een beetje hulpeloos. Hij zei vriendelijk: 'Kom op, vooruit ermee, wat heb ik misdaan?'

'Probeer me maar niet voor de gek te houden met die gespeelde onschuld. Twee vrienden van me stonden tussen de mensen en zij hebben het helemaal gezien. Je hebt een onschuldige kerel afgeranseld.'

'O. O, ja? Heb ik dat gedaan?'

'Mijn vrienden waren daar, op St Marks Place, en ze hebben me precies verteld wat er is gebeurd. Nog geen halfuur nadat je hier was weggegaan – uit míjn bed was gekropen, jij klootzak – werd je weer helemaal agent. Je ranselde iemand af die helemaal niets verkeerds deed.'

'Hij deed wel iets meer dan niets verkeerds.'

'Hij stond op straat te urineren. Is dat een ernstige misdaad?'

'Het was iets specifieker dan op straat urineren. Hij stond op een vrouw te urineren.'

'Een blanke vrouw?'

'Wat doet het ertoe wat voor huidskleur ze had? Er werd over haar heen gepist. En vertel me nu niet dat het een symbolische politieke daad was. Hij was een vuile, gemene klootzak en hij stond opzettelijk op een vrouw te pissen.'

'En dus heb jij hem in elkaar geslagen.'

'Heb ik dat?'

'Probeer het maar niet te ontkennen. Mijn vrienden hebben alles gezien en je hoeft hun niet te vertellen wat hardhandig optreden door de politie is.'

'Luister,' zei Berry geduldig. 'Je bent er niet bij geweest. Jij hebt niet gezien wat er is gebeurd.'

'Mijn vrienden hebben het gezien.'

'Goed dan. Hebben je vrienden ook gezien dat hij een mes trok?'

Ze keek hem minachtend aan. 'Precies wat ik kon verwachten dat jij zou zeggen.'

'Jouw vrienden hebben dat zeker niet gezien? En toch waren ze erbij, of niet soms? Nou, ik was er ook bij. Ik zag wat er gebeurde en ik kwam tussenbeide –'

'Wat voor recht had je daartoe?'

'Ik ben politieagent,' zei hij geërgerd. 'Ik word ervoor betaald om de orde te handhaven. Dus volgens jou vertegenwoordig ik de macht van de onderdrukking. Maar noem je dat onderdrukken, als je voorkomt dat mensen boven op andere mensen pissen? De rechten van die kerel werden niet aangetast, die van de vrouw wel. Daarom ben ik tussenbeide gekomen. Ik kwam tussenbeide in naam van de wet.'

'Probeer er in hemelsnaam niet grappig over te doen.'

'Ik heb hem van die vrouw weggeduwd en ik heb hem gezegd zijn gulp dicht te knopen en op te lazeren. Hij deed wel zijn gulp dicht, maar hij lazerde niet op. Hij trok zijn mes en hij kwam op me af.'

'Je hebt hem niet geslagen of zoiets?'

'Ik gaf hem een duw. Niet eens een duw. Een klein zetje om hem op gang te krijgen.'

'Aha. Buitensporig geweld.'

'Híj gebruikte buitensporig geweld. Hij kwam met een mes op me af. Ik heb het hem afgenomen en daarbij heb ik zijn pols gebroken.'

'En het breken van iemands pols, dat is geen buitensporig geweld? Had je hem dat mes niet kunnen afnemen zonder zijn pols te breken?'

'Hij wilde het niet loslaten en bleef proberen me te steken. Daarom brak ik zijn pols. Het enige andere wat ik had kunnen doen, was hem dat mes in mijn lijf te laten steken en ik ben niet bereid om zover te gaan alleen om vriendjes te blijven met de buurt.'

Ze zweeg fronsend.

'Of,' zei hij nadrukkelijk, 'om mijn meisje te plezieren met haar halfgare, radicale ideeën.'

'Godverdomme!' Ze bewoog zich verrassend snel door de kamer. 'Maak dat je hier wegkomt! Sodemieter op, zwijn! Zwijn!'

Hij onderschatte de kracht van haar stormloop. Hij werd erdoor achteruit gekwakt tegen de trillende schoorsteenmantel. Lachend en protesterend probeerde hij haar druk gebarende handen te pakken, maar ze verraste hem weer. Ze balde haar vuist en stompte hem in zijn buik. Het deed geen pijn, maar hij klapte in een heftige, beschermende reflex dubbel. Toen hij weer overeind kwam, pakte hij haar bij haar schouders en rammelde haar door elkaar. Haar tanden klapperden ervan. Hij zag een blik van pure woede in haar ogen komen en ze probeerde met haar knie zijn kruis te raken. Hij wendde zich af, pakte haar knie vast en klemde die tussen zijn dijen. Weer kreeg hij een erectie. Zij voelde het, hield op met worstelen en keek hem stomverbaasd aan.

En dus maar weer naar bed.

Bij de climax, terwijl ze zich onder hem aanspande en haar wangen nat waren van de tranen, fluisterde ze: 'Zwijn! Zwijntje... o, mijn zwijntje...'

Zoals gewoonlijk liet ze niet toe dat hij haar gedag kuste of zelfs maar aanraakte zodra hij zijn .38 weer had aangegespt. Maar ze smeekte ook niet hartstochtelijk, zoals gewoonlijk, dat hij zijn revolver weg zou doen of, nog beter, hem tegen zijn bazen zou gebruiken.

Hij glimlachte en raakte nadenkend de ronding aan van de revolver die tegen zijn blote huid lag. De trein stopte en hij opende zijn ogen op een kiertje om te zien welk station het was. 28th. Nog drie stations, een paar honderd meter lopen, vijftig adembenemende traptreden... Was het de vreemde tegenstelling van hun relatie die hem aantrok? Hij schudde zijn hoofd. Nee. Hij hunkerde ernaar haar te zien. Hij hunkerde naar haar aanraking, zelfs naar haar woede. Hij glimlachte weer, terugdenkend en vooruitdenkend, terwijl de deuren ratelend openschoven.

Terwijl hij op de aankomst van Pelham One Two Three wachtte, keek Ryder zonder bepaalde interesse naar de vroege vogels.
Het waren er vier, vier uitslovers. Die jonge vent met zijn dodelijke blik. Een Puerto Ricaan, mager en ondermaats, met een
vuil, groen battlejack aan. Een advocaat – zo zag hij er tenminste uit met zijn diplomatenkoffertje, zijn felle ogen, zijn tob-
bende houding. Een jongen van een jaar of zeventien met gebogen hoofd, zijn gezicht rood van de acne. Niet vier mensen,
dacht Ryder, maar vier entiteiten. Wat er ging gebeuren zou
hen er waarschijnlijk wel van genezen vroege vogels te zijn.

Pelham One Two Three kwam aanrijden. De gele en witte
signaallichten bovenaan zagen eruit als een paar ogen die niet
bij elkaar pasten. Daaronder leken de koplampen, die de echte
ogen van de trein vormden, door een of ander optisch bedrog
te flikkeren, als een kaarsvlam in de wind. De trein kwam, als
altijd, aanrijden alsof hij te snel ging om nog te kunnen stoppen. Maar hij stopte gemakkelijk. Ryder keek toe terwijl de
vroege vogels op de deur afrenden en instapten. De Afro-Amerikaan in zijn nette kostuum liep naar het voorste deel van de
wagon, de anderen naar het achterste deel. Ryder pakte zijn
koffers op en hield ze wat onhandig in zijn linkerhand, zodat
zijn schouder door hun gewicht naar beneden werd getrokken.
Hij liep zonder haast het perron op met zijn rechterhand in de
zak van zijn regenjas op de greep van zijn pistool.

De machinist hing ver uit zijn raampje en keek achterom het
perron af naar de instappende passagiers. Hij was van middelbare leeftijd, met een blozend gezicht en zilvergrijs haar. Ryder
leunde met zijn schouder tegen de zijkant van de trein en op
hetzelfde moment dat de machinist merkte dat zijn uitzicht op
het perron werd belemmerd, drukte Ryder het pistool tegen
zijn hoofd.

Of het nu kwam door de aanblik van het wapen of door de druk tegen zijn slaap, of misschien zelfs door het onverwachte van Ryders dreigende aanwezigheid, de machinist rukte in een felle reflex zijn hoofd terug en stootte het dreunend tegen de rand van zijn raam. Ryder stak zijn hand naar binnen en plaatste dit keer het wapen zorgvuldig tegen de wang van de machinist, vlak onder zijn rechteroog.

'Maak de cabinedeur open,' zei Ryder. Zijn stem klonk vlak, zonder intonatie. De blauwe oogjes van de machinist traanden en hij leek verdoofd. Ryder drukte iets op het pistool en voelde de zachte wang meegeven. 'Let goed op wat ik zeg. Maak de cabinedeur open of ik schiet je dood.'

De machinist knikte, maar bewoog zich verder niet. Hij zag er verslagen uit; zijn rossig gekleurde huid was grauw geworden.

Ryder sprak wat langzamer. 'Ik ga je dit nog één keer zeggen en daarna schiet ik. Maak de cabinedeur open. Doe verder niets. Maak geen enkel geluid. Maak alleen maar de cabinedeur open en doe dat nu. Nu!'

De linkerhand van de machinist kwam in beweging, raakte het staal van de deur en tastte het af totdat hij de klink voelde. Zijn vingers trilden, maar draaiden de klink om en Ryder hoorde de zachte klik toen het slot opensprong. De deur werd opengetrokken en Longman, die in de wagon had staan wachten, schuifelde de cabine in en sleepte zijn pakket achter zich aan. Ryder trok zijn pistool terug van het gezicht van de machinist en stopte het in zijn jaszak. Hij tilde zijn koffers de trein in. Zodra hij binnen was, gingen de deuren dicht. Hij voelde ze tegen zijn rug glijden.

3

Bud Carmody

EEN STEM SPRAK: 'DRAAI JE om, ik wil je iets laten zien.'

De wagondeuren waren open en Bud Carmody hing uit het raam naar het perron van station 28th Street te kijken. De stem klonk vlak achter hem. Een ogenblik later werd er iets hards onder tegen zijn rug gedrukt.

De stem sprak: 'Dit is een pistool. Trek je hoofd naar binnen en draai je langzaam om.'

Bud trok zijn hoofd naar binnen. Terwijl hij zich omdraaide bleef het pistool tegen zijn lichaam gedrukt en werd uiteindelijk hard in zijn ribben gepord. Zijn gezicht raakte bijna dat van de witharige, potige man met de bloemendoos. Hij had de doos meegenomen in de cabine.

Bud zei met een benepen stemmetje: 'Wat is er aan de hand?'

'Doe precies wat ik zeg,' zei de man. 'Als je dat niet doet, ga ik je pijn doen. Maak geen moeilijkheden.' Hij draaide het wapen een beetje. De vizierkorrel wrong zich in de dunne huid op Buds ribben en hij schreeuwde het bijna uit van pijn. 'Ga je precies doen wat ik je zal zeggen?'

'Ja,' zei Bud. 'Maar ik heb geen geld. Doe me geen pijn.'

Bud probeerde niet naar de man te kijken, maar ze stonden zo dicht bij elkaar dat hij het niet kon vermijden. De man had een breed gezicht, donker van huid met zo'n baardgroei die hij twee keer per dag zou moeten scheren als hij een beetje presentabel wilde blijven. Zijn ogen waren lichtbruin en half verstopt onder dikke oogleden. De ogen leken uitdrukkingsloos en zonder diepte. Ze vormden geen toegang – zoals hij dat wel over ogen had horen zeggen – geen toegang tot de ziel. Hij kon zich niet voorstellen dat er uit die ogen enig gevoel kon spreken, laat staan medelijden.

'Ga weer uit het raampje hangen,' zei de man. 'Controleer de wagons van het achterdeel van de trein en als het perron leeg is, dan sluit je die. Alleen het achterdeel. De voorste wagons hou je open. Begrepen?'

Bud knikte. Zijn mond was zo droog geworden dat hij bang was dat hij geen geluid zou kunnen uitbrengen. Daarom knikte hij heftig, drie of vier keer.

'Vooruit dan,' zei de man.

Het pistool verschoof weer naar de wervelkolom toen Bud zich omdraaide en zijn hoofd uit het raam stak.

'Leeg?' vroeg de man.

Bud knikte.

'Doe ze dan dicht.'

Bud drukte op de knop en de deuren van het achterdeel gingen dicht en op slot.

'Blijf daar precies zo staan,' zei de man en toen stak hij zijn hoofd naast dat van Bud uit het raampje.

Het ging maar net, maar de man leek dat niet te merken of hij gaf er niets om. Hij keek naar voren en Bud voelde de adem van de man op zijn wang. Naast de eerste wagon stond iemand door het raampje met de machinist te praten. Het zag er heel gewoon uit, maar Bud wist dat het iets te maken had met de man bij hem in de cabine. Hij zag de man vooraan recht gaan staan.

'Zodra je hem ziet instappen, sluit je de rest van de deuren af,' zei de man naast hem. Bud zag de man instappen.

'Oké, sluit de deuren.'

Buds vingers rustten al op het paneel en ze drukten hard op

de knop. De deuren gleden dicht. De controlelampjes gingen branden.

'Ga naar binnen,' zei de man. Ze stonden weer tegenover elkaar en de man porde hem met het pistool. 'Kondig het volgende station aan.'

Bud drukte op de knop van de microfoon en sprak er in.

'23rd Str...' Zijn keel zat dichtgeschroefd, zijn stem brak en hij kon het niet afmaken.

'Opnieuw,' zei de man. 'Dit keer beter.'

Bud schraapte zijn keel en likte met zijn tong over zijn lippen. 'Het volgende station is 23rd Street.'

'Kan ermee door,' zei de man. 'Nu ga je het volgende doen. Je loopt door de trein naar de eerste wagon.'

'Naar voren lopen naar de eerste wagon?'

'Precies. Je gaat lopen en je blijft lopen totdat je in de eerste wagon bent. Ik loop achter je aan met het pistool in mijn zak. Als je iets probeert uit te halen, schiet ik je in de rug.'

In de rug. Bud huiverde. Zo'n stalen kogel die zich in je ruggengraat boorde, hem verpulverde, de steun onder je hele lichaam wegsloeg zodat het in elkaar zou zakken. En de pijn: het bot van de wervelkolom dat in stukken sloeg en messcherpe splinters die in je vlees schoten en in je organen...

'Schiet op,' zei de man.

Toen Bud zich uit de cabine wrong, stootte hij met zijn heup tegen de bloemendoos en hij stak automatisch zijn hand uit om te voorkomen dat de doos zou omvallen. Maar hij was verrassend stevig en bewoog nauwelijks. Hij draaide naar rechts en opende de kopdeur en de man liep achter hem aan. Hij aarzelde even op de voetplaten, opende toen de tweede deur en stapte de volgende wagon in. Hij hoorde geen voetstappen achter zich terwijl hij door de trein naar voren liep, maar hij wist dat de man er was met zijn hand op het pistool in zijn zak, zoals hij had gezegd, klaar om zijn ruggengraat door te breken als een droge tak. Hij bleef strak voor zich uit kijken terwijl hij van wagon naar wagon liep.

De trein begon te rijden.

Longman

Longman voelde zich licht in zijn hoofd, bijna duizelig, terwijl hij wachtte op het opengaan van de cabinedeur. Áls hij openging. Hij klampte zich wanhopig aan die mogelijkheid vast. Hij kon Ryder niet meer zien, maar misschien had die zich bedacht; misschien zou er iets gebeuren en de hele operatie lamleggen.

Maar hij wist, zo zeker als hij de diepte van zijn eigen angst kende, dat Ryder zich niet zou bedenken, dat hij in staat zou zijn op te treden wanneer er iets onvoorziens gebeurde.

De twee jongens stonden verlegen glimlachend naar hem te kijken of hij hun spelletje leuk vond en of het wel mocht. Hun onschuld en vertrouwen ontroerden hem en onwillekeurig glimlachte hij naar hen, hoewel hij een seconde geleden niet eens had gedacht dat hij dat zou kunnen. Even voelde Longman zich veilig in de warmte van hun vluchtige contact, maar toen hoorde hij dat er zacht tegen de cabinedeur werd gewreven, alsof er aan de binnenkant een hand overheen gleed.

Hij hoorde het openspringende slot klikken. Hij aarzelde een fractie van een seconde en onderdrukte een paniekerige aandrang om alles te laten vallen en weg te rennen. Toen pakte hij zijn pakket op bij het touw, opende de deur en ging de cabine in. Toen hij de deur achter zich dichttrok, zag hij de arm en het pistool van Ryder door het raam verdwijnen. Met onhandige bewegingen trok hij zijn eigen pistool – en dacht er schuldbewust aan dat hij het in zijn hand had moeten hebben toen hij de cabine binnenkwam – en duwde het in de zij van de machinist. De man zweette hevig en Longman dacht: met mij erbij gaat die cabine hier stinken als een kleedlokaal.

Hij zei: 'Klap je stoel in,' en de machinist gehoorzaamde met bijna komische snelheid. 'Nu ga je aan het raam staan.'

Hij hoorde zacht kloppen op de deur en toen hij de klink omlaagduwde, zag hij dat de controlelampjes brandden. Ryder opende de deur, plaatste eerst zijn koffer boven op het pakket van Longman en wrong zich naar binnen. Het was nu vol in de cabine; er was nauwelijks nog ruimte om je te bewegen.

'Ga je gang,' zei Ryder.

Longman duwde de machinist wat opzij, zodat hij volledig voor het paneel kon staan. Zijn handen gleden naar de bedieningshendels en hielden toen stil. 'Vergeet niet wat ik je heb gezegd,' zei hij tegen de machinist. 'Als je probeert dat microfoonpedaal met je voet aan te raken, schiet ik hem eraf.'

De machinist wilde alles doen om in leven te blijven en zijn pensioentje te kunnen innen, maar Longmans woorden waren voor Ryders oren bestemd. Hij werd verondersteld de machinist eerder te hebben gewaarschuwd over het voetpedaal dat de microfoon in werking stelde, maar hij was het vergeten. Hij loerde naar Ryder om instemming, maar op Ryders gezicht was niets te merken. 'Begin nou maar,' zei Ryder.

Net als fietsen en zwemmen, dacht Longman, was het een van die dingen die je nooit afleerde. Zijn linkerhand vond blindelings de rijcontroller, zijn rechterhand het remhandvat. Maar tot zijn verrassing voelde hij zich een beetje schuldig toen hij dat remhandvat aanraakte. Een remhandvat was iets heel persoonlijks. Iedere machinist kreeg er een op zijn eerste werkdag en vanaf dat moment behield hij hem, bracht hem mee naar zijn werk en nam hem weer mee naar huis.

De machinist zei benauwd: 'Je weet niet hoe je moet rijden.'

'Maak je geen zorgen,' zei Longman, 'ik zal hem niet kapot maken.'

Hij drukte de hendel stevig naar beneden om het dodemanseffect op te heffen – de veiligheidsmaatregel die automatisch de trein deed stoppen wanneer de machinist plotseling zou uitvallen – en duwde de rijcontroller geleidelijk naar links in de contactpositie. De trein begon langzaam het station uit te lopen. Hij reed de tunnel binnen met een slakkengangetje van acht kilometer per uur en controleerde onmiddellijk de seinlampen zonder er zelfs maar over te hoeven nadenken. Groen, groen, groen, geel, rood. Zijn hand streelde het gladde metaal van de rijcontroller en in een plotseling gevoel van blijde opwinding bedacht hij hoe geweldig het zou zijn als hij nu de controller helemaal tot in zijn uiterste stand kon duwen, en met een vaart van tachtig door de tunnel kon stuiven, de muren één vage flits, de lichten flikkerend als vage sterren en de seinen allemaal in zijn voordeel zodat hij zelfs de rem niet hoefde aan te raken totdat hij het volgende station binnendenderde. Maar ze zouden alleen een kort ritje maken en hij hield de rijcontroller in de contactpositie. Hij schatte dat ze drie treinlengten uit het station waren, liet de controller los en duwde de rem zachtjes naar rechts. De trein kwam tot stilstand en de machinist keek hem aan.

'Mooi gestopt, hè?' zei Longman. Hij zweette niet meer en hij voelde zich prima. 'Geen schok, geen bons, geen ruk.'

De machinist reageerde gretig op de gemoedelijke toon en glimlachte breeduit. Maar hij zweette nog heftig en zijn overall met smalle strepen was donkerder geworden. Uit langdurige gewoonte controleerde Longman de seinen: groen, groen, groen, geel. Door het open raam naast de machinist woei de vertrouwde stank van vet en vochtigheid naar binnen.

Ryders stem bracht hem weer met beide benen op de grond. 'Zeg hem wat je wilt hebben,' zei Ryder.

Longman zei tegen de machinist: 'Ik neem het remhandvat mee en de rijrichtingssleutel en ik wil je ontkoppelingssleutel hebben.' Hij trok de rijrichtingssleutel uit zijn gleuf en stak zijn hand uit. De machinist keek wat benauwd, maar viste de ont-koppelingssleutel zonder iets te zeggen uit de uitpuilende zakken van zijn overall. 'Ik ga nu de cabine uit,' zei Longman en het deed hem goed te merken hoe kalm hij klonk. 'Probeer niets uit te halen.'

'Dat zal ik niet doen,' zei de machinist. 'Echt niet.'

'Dat is je geraden,' zei Longman. Hij voelde zich de meerdere van de machinist; een Ier, maar van het slappe type, geen vechtersbaas. Hij was zo te zien zo bang dat hij wel in zijn broek kon pissen. 'En denk eraan wat ik over die radio heb gezegd.'

'Oké,' zei Ryder.

Longman stak het remhandvat en de lijvige sleutels in de zakken van zijn regenjas. Hij wrong zich langs Ryder en de opgestapelde bagage en liep de cabine uit. De twee jochies staarden hem bewonderend aan. Hij glimlachte naar hen en liep door de wagon naar achteren. Een of twee passagiers keken ongeïnteresseerd naar hem op toen hij voorbijliep.

Ryder

'Draai je om,' zei Ryder. 'Met je gezicht naar het raam.'

De machinist keek hem bang aan. 'Alsjeblieft...'

'Doe wat ik zeg.'

De machinist draaide zich langzaam om naar het zijraam. Ryder trok zijn rechterhandschoen uit, stak zijn wijsvinger in zijn mond en haalde er de pakjes verbandgaas uit, eerst vanonder zijn boven- en onderlip en toen uit zijn wangen. Hij propte de kletsnatte rollen verbandgaas tot een bal bijeen en liet die in de linkerzak van zijn regenjas glijden. Uit zijn rechterzak haalde hij een afgeknipt stuk nylonkous. Hij nam zijn hoed af, trok de kous over zijn hoofd, trok de sleuven voor de ogen op hun plaats en zette zijn hoed weer op.

De vermomming was op aandringen van Longman geweest. Zelf had Ryder het idee dat niemand op de trein, behalve de machinist en de conducteur, erg op hen zou letten voordat ze in actie kwamen. En zelfs wanneer ze dat wel deden, was het een feit – de politie zelf was de eerste om dat te beamen – dat ongeoefende burgers opvallend onbetrouwbaar waren in het beschrijven van mensen. Ook wanneer de machinist en de conducteur wat nauwkeurig waren, hoefden ze zich nog geen zorgen te maken over een IdentiKit-portret. Toch was hij op dit punt niet tegen Longman in gegaan, alleen wilde hij niets ingewikkelds. Uiteindelijk kwamen de vermommingen neer op de bril van Longman, de witte pruik van Steever, de valse snor en bakkebaarden van Welcome en het opvullen van zijn ingevallen, magere gezicht met verbandgaas.

Hij tikte de machinist op de schouder. 'Je kunt je nu omdraaien.' De machinist keek even naar het masker en wendde toen zijn blik af in een duidelijke, maar wel wat late demonstratie dat het hem weinig kon schelen hoe Ryder eruitzag. Het was een vriendschappelijk gebaar, dacht Ryder droogweg.

Hij zei: 'Je zult nu gauw een radio-oproep krijgen van de Centrale Verkeersleiding. Niet op reageren. Geen antwoord geven. Heb je dat begrepen?'

'Jawel meneer,' zei de machinist ijverig. 'Ik heb die andere man beloofd dat ik de radio niet zou aanraken. Ik werk heus wel met jullie mee.' Hij zweeg even. 'Ik heb mijn leven te lief.'

Ryder gaf geen antwoord. Door de voorruit zag hij hoe de tunnel in de verte verdween, vaag verlicht op de felle seinlampen na. Hij merkte op dat Longman de trein had gestopt op minder dan tien passen van de lamp die een stroomkast voor noodgevallen aanduidde.

'Ze kunnen oproepen wat ze willen,' zei de machinist. 'Ik reageer niet.'

'Rustig blijven,' zei Ryder.

Het zou nog wel een minuut of twee duren voordat de Toren van Grand Central ongerust zou worden en de Verkeersleiding zou adviseren: 'Alle seinen in de omgeving onveilig, er is een trein blijven steken.' Hijzelf, dacht Ryder, had op dit moment niets anders te doen dan te zorgen dat de machinist zich kalm hield. Welcome stond op zijn post om de achterste kopdeur te bewaken; Longman was op weg naar de cabine van de tweede wagon; hij kon veilig aannemen dat Steever en de conducteur nu door de trein naar voren liepen. Hij vertrouwde Steever volkomen, hoewel hij minder hersens had dan de rest. Longman was intelligent, maar een lafaard en Welcome was gevaarlijk wispelturig. Als alles goed ging was er best met hen te werken. Ging het niet soepel, dan zouden hun zwakheden naar boven komen.

'Verkeersleiding roept Pelham One Two Three. Verkeersleiding roept Pelham One Two Three. Antwoord, alstublieft.'

De voet van de machinist bewoog zich onwillekeurig in de richting van het voetpedaal, dat net als de knop op de microfoon kon worden gebruikt om te zenden. Ryder schopte hem tegen zijn enkel.

'Het spijt me. Dat ging automatisch. Mijn voet bewoog alleen maar...' De stem van de machinist zakte weg en zijn gezicht bleef geplooid in een verontschuldiging zo diep dat het bijna berouw leek.

'Pelham One Two Three, ontvangt u mij?' De stem uit de luidspreker zweeg even. 'Pelham One Two Three, geef antwoord. Zeg eens wat, Pelham One Two Three.'

Ryder verdrong de stem uit zijn bewustzijn. Nu zou Longman in de cabine van de tweede wagon zijn met de deur op slot en het remhandvat, de rijrichtingsleutel en de ontkoppelingssleutel op hun plaatsen. Het loskoppelen van de wagons, ook als het onverhoopt niet zo glad zou verlopen, zou minder dan een minuut duren.

'Verkeersleiding voor Pelham One Two Three. Ontvangt u mij? Meldt u zich, Pelham One Two Three... Geef antwoord, Pelham One Two Three!'

De machinist keek Ryder smekend aan. Op dit moment was zijn plichtsbesef, of misschien zijn angst voor disciplinaire straf, groter dan de vrees voor zijn leven. Ryder schudde streng zijn hoofd.

'Pelham One Two Three. Pelham One Two Three, waar zitten jullie, godverdomme!'

Longman

De gezichten van de passagiers liepen onherkenbaar in elkaar over, terwijl Longman naar het achterste deel van de wagon liep. Hij durfde niet naar hen te kijken uit angst dat hij de aandacht op zichzelf zou vestigen, ondanks de verzekering van Ryder dat hij plat op zijn gezicht zou moeten vallen om de aandacht te trekken. ('En zelfs dan,' had Ryder gezegd, 'zouden de meesten nog net doen of er niets was gebeurd.') Welcome stond met een scheve glimlach naar hem te kijken en als gewoonlijk maakte alleen al het zien van Welcome hem zenuwachtig. Hij was een griezel, een maniak. Een man die door de maffia was ontslagen omdat hij zich had misdragen?

De glimlach van Welcome verdween naargelang Longman dichterbij kwam en hij bleef pal voor de deur staan. Even was Longman ervan overtuigd dat Welcome niet opzij zou gaan en paniek welde in hem op als het kwik in een thermometer. Maar toen stapte hij opzij en duwde met een spottende glimlach de deur open. Longman haalde diep adem en liep door.

Hij hield stil tussen de wagons en zag in gedachten de dikke elektrische kabels onder de stalen voetplaten voor zich, die de stroom van wagon naar wagon voerden, en de gladde hechting van de koppelingen. De deur naar het tweede rijtuig ging open en hij zag dat Steever die vasthield. De conducteur stond naast hem, jong en bang. Steever gaf hem de sleutel die hij de conducteur had afgenomen. Longman opende de deur van de cabine en ging naar binnen. Hij sloot de deur af en maakte het paneel bedrijfsklaar. Hij stak het remhandvat op zijn plaats en viste daarna de rijrichtingsleutel uit zijn zak. Die was zowat twaalf centimeter lang, met een glimmend oppervlak, een soort hendel als van een schroefsleutel die in een uitsparing op het vlakke deel van de rijcontroller paste. Afhankelijk van de positie van de rijrichtingsleutel kon je nu met de rijcontroller de trein voor- of achteruit laten rijden. Ten slotte stak hij de ontkoppelingssleutel – ongeveer gelijk aan de rijrichtingsleutel, maar met een iets kleinere kop – op zijn plaats.

Behalve bij het rangeren had een machinist zelden de gelegenheid om een trein los te koppelen of te keren, maar het was helemaal niet moeilijk. Longman draaide de ontkoppelingssleutel om en de koppeling tussen de eerste en de tweede wagon liet los. Hij plaatste de rijrichtingsleutel in keerpositie. Toen drukte hij de rijcontroller door de dodemanspositie heen en bewoog hem langzaam naar de contactpositie. De losse koppelingen gingen gemakkelijk uit elkaar en de negen wagons reden achteruit. Hij schatte de afstand op ongeveer vijftig meter en remde geleidelijk. De trein stopte. Hij haalde het remhandvat en de twee sleutels van hun plaatsen, stopte ze in zijn zakken en stapte de cabine uit.

In de wagon zat hier en daar een passagier ongeduldig heen en weer te schuiven vanwege het oponthoud dat nu al tot verschillende minuten was opgelopen, maar niemand leek ongerust. Ook leek het hen niet te storen dat hun wagon achteruit gereden was. Maar het zou de Verkeersleiding wél storen. Hij kon zich helemaal voorstellen wat daar op dit moment aan de hand was.

Steever hield de kopdeur voor hem open. Hij stapte naar buiten op de voetplaat, bukte diep om gemakkelijker neer te komen en sprong naar beneden op het betonnen ballastbed. Na hem kwam de conducteur en toen Steever. Ze liepen snel de tunnel door naar de eerste wagon. Welcome opende de deur, stapte naar buiten op de voetplaat en bukte om hen naar boven te helpen.

Longman was opgelucht dat hij geen geintjes probeerde uit te halen.

4

Caz Dolowicz

ZWAARLIJVIG EN OPGEZWOLLEN, MET ZIJN jasje strak over zijn
buik gespannen, liep Caz Dolowicz haastig en vastberaden
door de menigte die het Grand Central in en uit liep. Bij bijna
iedere stap boerde hij tussen zijn getuite lippen door, in een serie lichte oprispingen die hem wat opluchting gaven van de
pijnlijke gasophoping die onder tegen zijn hart drukte. Zoals
gewoonlijk was zijn lunch weer te overdadig geweest en hij
vermaande zichzelf, ook zoals gewoonlijk, dat hij nog eens spijt
zou krijgen van zijn eetlust, waarmee hij bedoelde dat hij er
vandaag of morgen aan dood zou gaan. De dood als zodanig
boezemde hem weinig angst in, behalve dan dat hij er zijn pensioen door zou mislopen. Maar dat gebeurde niet gauw.

Een paar stappen voorbij het stalletje van Nedick – de geur
van gebraden worstjes had hem een uur geleden aangelokt, nu
moest hij ervan kokhalzen – duwde hij de onopvallende poort
open met het bord NAAR KANTOOR OPZICHTER en haastte zich
langs het platform met de meer dan manshoge vuilnisbakken
waarin het afval van de eetstalletjes in het Grand Central werd
vergaard. Uiteindelijk zou de vuilnistrein langskomen en de
bakken opladen, maar ondertussen stonken ze en lokten ratten aan. Dolowicz verbaasde zich, als altijd, dat de onafgesloten
poort de nieuwsgierigheid van voorbijgangers niet opwekte,
uitgezonderd de enkele zatlap die er doorheen strompelde op

zoek naar een pisbak of god weet wat. Dat was maar goed ook – ze konden best zonder burgers die in de Toren verzeild raakten en stomme vragen gingen stellen. Terwijl hij de tunnel in liep, vroeg hij zich af hoeveel mensen – zelfs spoorlui – wisten dat het de oude overslagtunnel was; de rails waren wel weggehaald maar het oorspronkelijke ballastbed lag er nog. Terwijl hij voortliep met zijn zware, gestage pas ving Dolowicz hier en daar het glinsteren van een oog op. Geen rat, maar een van de honderden katten die in de tunnel leefden, die nooit het daglicht zagen en die op de ratten joegen die de gang bij duizenden bevolkten. 'De ratten zijn groot genoeg om je op te pakken en weg te dragen,' hadden ze hem plechtig verzekerd op zijn eerste dag als Torenman. Maar niet zo groot – hoewel hij ze nooit had gezien – als de ratten die naar ze zeiden in het verwarmingsgedeelte van Penn-Central zaten. Er was een beroemd verhaal van een man die op de loop was voor de politie en die in het verwarmingsgedeelte was binnengedrongen. In de war gebracht door het netwerk van gangen was hij verdwaald en uiteindelijk was hij compleet door de ratten verslonden tot aan het merg van zijn botten toe.

Recht voor hem uit stormde een trein pal in zijn richting. Hij liep er glimlachend op af. Het was de expres naar het noorden en straks zou hij afbuigen. Op die eerste dag, twaalf jaar geleden, had niemand de moeite genomen om hem te waarschuwen over die noord-expres en toen hij op hem af kwam denderen, had hij zich in doodsangst in de greppel laten vallen. Hij had er nog steeds plezier in om nieuwelingen door de tunnel te leiden en te kijken wat er gebeurde wanneer de noord-expres eraan kwam daveren.

Vorige week nog was hij met een paar hoge pieten van de ondergrondse van Tokio door de tunnel gelopen en dat was een machtige gelegenheid geweest om eens te kijken hoe het nu stond met die zogenaamde oosterse onverstoorbaarheid.

Mooie onverstoorbaarheid: toen de noord-expres op hen af kwam denderen schrokken ze zich wezenloos, net als ieder ander, en ze gilden en stoven uit elkaar. Maar ze herstelden zich snel en een halve minuut later liepen ze alweer te mopperen over de stank. 'Nou ja,' had hij hun gezegd, 'het is een ondergrondse tunnel en geen botanische tuin.' Over de Toren zelf hadden ze ook klachten: te kleurloos, te kaal, te somber. Dolowicz vond dat ze gek waren. Goed, het was enkel een langwerpige, smalle ruimte zonder opsmuk, met een paar bureaus, een paar telefoons en een toilet. Maar, zoals ze dat zeiden, ieder meent dat zijn eigen bruid de mooiste is, en het mooie aan de Toren was het Routebord dat zich over een hele wand uitstrekte en in baden van gekleurd licht de routes en de bewegingen van iedere trein in het blok aangaf. Het geheel was geprojecteerd op een kaart van de spoorbanen en de stations.

Hij klom de trappen op en ging de Torenkamer binnen, de controlepost waar hij acht uur per dag de leiding had.

In feite luidde de technische naam het Blokhuis, maar niemand noemde het ooit zo. Het was de Torenkamer of gewoon de Toren, genoemd naar de ouderwetse torens die op knooppunten boven de rails uitstaken, net als de torens van de ondergrondse op knooppunten in het ondergrondse net lagen.

Dolowicz nam het beeld in zich op. Zijn Torenmannen waren allemaal bezig aan hun glimmende toetsenpanelen en hielden het gebeuren op het Routebord in de gaten terwijl ze praatten met verkeersleiders, dienstleiders en Torenmannen van nabijgelegen blokken. Zijn oog viel op Jenkins. Een vrouw. Een vrouwelijke Torenman. Hij kon maar niet aan het idee wennen, zelfs niet na een maand. Nou, hij kon er maar beter aan wennen; ze zeiden dat er een heleboel vrouwen examen deden voor Torenman! Waar moest dat heen? Niet dat hij te klagen had over mevrouw Jenkins. Ze was rustig, netjes, beleefd, competent. Maar toch...

Aan de linkerkant van het vertrek wenkte Marino hem. Dolowicz hield zijn oog op het Routebord gericht en ging achter hem staan. Op het bord stond een lokaaltrein naar het zuiden stil tussen de 28th en de 23rd.

'Hij is blijven steken,' zei Marino.

'Dat zie ik,' zei Dolowicz. 'Hoe lang al?'

'Twee, drie minuten.'

'Klim dan in je pruttelkastje naar de Verkeersleiding, dan kunnen zij contact opnemen met de machinist.'

'Dat heb ik gedaan,' zei Marino beledigd. 'Ze proberen hem op te roepen. Hij antwoordt niet.'

Dolowicz kon een aantal redenen bedenken waarom de machinist geen antwoord gaf. De meest voor de hand liggende was dat hij niet in zijn cabine zat, dat hij naar buiten geklommen was om een ATB-sein bij te stellen dat hem per ongeluk tot staan had gebracht of misschien om naar een deur te kijken die niet goed gesloten was. Voor alles wat erger was zou hij via de radio om een wagenmeester hebben gevraagd. Maar wat het ook was, hij was verplicht om het via de radio aan de Verkeersleiding te melden.

Hij bleef kijken naar het Routebord en zei tegen Marino: 'Hij kan natuurlijk een stomme sukkel zijn, maar waarschijnlijk krijgt hij geen contact met de Verkeersleiding omdat zijn radio kapot is. En die luie donder zal zich niet moe maken met even te telefoneren. Ze hebben het tegenwoordig te makkelijk.'

Toen hij bij de ondergrondse ging werken, hadden ze die luxe van radioverkeer nog niet. Als een machinist moeilijkheden kreeg, klom hij uit zijn cabine, liep langs de spoorbaan naar een van de telefoons die op zo'n zeventig meter van elkaar in de tunnel stonden en bracht rapport uit. De telefoons waren er nog, voor noodgevallen.

'Ik ga hiervoor een rapport schrijven over die klootzak,' zei

Dolowicz. De gasophoping drukte tegen zijn hart. Hij probeerde een boer te forceren, maar het lukte niet. 'Welke trein is het?'

'Pelham One Two Three,' zei Marino. 'Hé, er komt weer beweging in.' Toen werd Marino's stem schel van verbazing. 'Jezuschristus, hij rijdt achteruit!'

Ryder

Toen Longman met zijn knokkels tegen het metaal van de cabinedeur klopte, liet Ryder hem een ogenblik wachten, terwijl hij het slot van zijn bruine koffer openmaakte en er het machinepistool uithaalde. De adem van de machinist stokte. Ryder opende de deur van de cabine en Longman kwam naar binnen.

'Zet je masker op,' zei Ryder. Hij schopte tegen het pakket van Longman. 'En haal je wapen eruit.'

Hij wrong zich de deur uit, deed hem achter zich dicht en hield het machinepistool verticaal langs zijn been. Midden in de wagon deed Steever geen poging meer om niet op te vallen, terwijl hij bezig was zijn geweermitrailleur uit de bloemendoos te trekken. Die was van tevoren in twee helften gesneden en daarna met tape weer aan elkaar geplakt. Achter in de wagon stond Welcome over zijn koffer gebukt. Hij kwam grijnzend omhoog en zijn tommygun bestreek de lengteas van de wagon.

'Opgelet,' zei Ryder luid en hij keek toe terwijl de passagiers zich naar hem omdraaiden, niet tegelijk maar onregelmatig, de een na de ander, afhankelijk van ieders reactiesnelheid. Hij liet het wapen in de kromming van zijn elleboog rusten, de loop op zijn rechterhand en hield de vingers van de linkerhand rond de trekker achter het magazijn. 'U blijft allemaal zitten. Niemand beweegt. Op iedereen die probeert op te staan of die zich maar beweegt, zal worden geschoten. Er wordt verder niet meer gewaarschuwd.'

Hij zette zich schrap terwijl de wagon langzaam begon te rijden.

Caz Dolowicz

De rode baden op het Routebord in de Toren van Grand Central begonnen te knipperen.

'Hij beweegt,' zei Marino. 'Vooruit.'

'Dat zie ik zelf ook wel,' zei Dolowicz. Hij stond voorovergebogen met zijn handen op de rug van Marino's stoel geleund en keek omhoog naar het bord.

'Nu staat hij stil,' zei Marino met verwonderde stem. 'Hij is weer gestopt. Zowat halverwege tussen de stations.'

'Rijp voor het gesticht,' zei Dolowicz. 'Die vent ga ik ervan langs geven.'

'Hij staat nog steeds stil,' zei Marino.

'Ik ga ernaartoe en ik ga verdomme kijken wat er aan de hand is. Ik zal die machinist eens aan zijn ballen trekken.'

Hij dacht aan mevrouw Jenkins. Haar gezicht stond streng. Verrek, dacht Dolowicz, als ik nu ook nog op mijn woorden moet gaan letten, dan bekijken ze het maar. Hebben ze dáár aan gedacht toen ze de functie van Torenman ook voor vrouwen openstelden? Hoe kon je nou verdomme een spoorwegnet draaiende houden zonder krachttermen te gebruiken?

Toen hij de deur opende, bulderde er een woedende stem door de luidspreker. 'Wat is er verdomme aan de hand met die stomme trein? Willen jullie er als de sodemieter voor zorgen dat er een opzichter gaat kijken?'

Het was de stem van de chef-verkeersleider die op de Centrale in de microfoon stond te schreeuwen. Dolowicz grijnsde tegen de rechte rug van mevrouw Jenkins.

'Zeg maar tegen zijne hoogheid dat de opzichter eraan komt,'
zei hij tegen Marino en hij haastte zich de Toren uit en de trappen af die naar de tunnel leidden.

Ryder

De machinepistolen hadden heel wat geld gekost – afgezaagde
jachtgeweren vormden net zo goed verschrikkelijke wapens
maar zouden veel goedkoper zijn geweest – maar Ryder zag het
als een goede investering. Hij was er niet zo dol op als wapen
(toegegeven, op korte afstand waren ze moordend, maar ze waren onnauwkeurig en ze hadden de neiging om af te wijken
naar rechts en naar boven en op een afstand van honderd meter waren ze bijna niet meer te gebruiken), maar hun waarde
lag voor hem in het psychologisch effect. Joe Welcome zei dat
een tommygun respect afdwong. Hij had natuurlijk heimwee
naar het traditionele wapen uit de gangstertijd, maar hij had
gelijk. Zelfs de politie, die de beperkingen ervan kende, toonde respect voor een wapen dat vierhonderdvijftig dodelijke .45-
kaliber kogels per minuut kon uitspugen. De passagiers zouden er nog het meest door worden geïmponeerd, want die
zagen altijd in de film dat tommyguns mensen met rijen tegelijk neermaaiden.

In de wagon was het stil op het piepen van de wielen en het
kraken van metaalverbindingen na, terwijl Longman de trein
langzaam door de tunnel stuurde. Steever stond precies in het
midden van de wagon met zijn gezicht naar Welcome, die aan
het uiteinde stond. Beiden droegen ze maskers. Voor het eerst
bekeek Ryder de passagiers in de voorste helft eens wat nauwkeuriger. Het waren er zestien. Maar hoe onbewogen hij ze ook
bekeek, toch drongen zich individuen aan hem op. Zoals de
twee kleine jongens die met grote ogen stonden te kijken en

waarschijnlijk meer gefascineerd dan bang waren, nu ze ineens zelf acteurs waren geworden in een echte misdaadfilm. Hun mollige moeder was op van de zenuwen, want ze wist niet wat ze moest doen: flauwvallen of haar kroost beschermen. Een hippietype met lang blond jezushaar en een bijbehorende baard, om zijn schouders een wollen poncho met een indiaans dessin, een hoofdband om en sandalen met ronde, leren riemen aan zijn voeten. Lethargisch. Stomdronken of stoned of allebei. Een meisje met opvallende zwarte haren onder een soldatenhoed. Een dure hoer? Vijf Afro-Amerikanen: twee jongens die sprekend op elkaar leken en pakketjes bij zich hadden – lange, benige, verdrietige gezichten met heel grote ogen die naar verhouding veel te veel oogwit hadden; dan nog dat stoere type van het perron met zijn Che Guevara-baret en zijn Haile Selassie-cape; een man van middelbare leeftijd, gladde huid, knap, goed gekleed, met een diplomatenkoffertje op zijn schoot; een dikke, kalme vrouw, waarschijnlijk een dienstbode, met op haar jas een door de motten aangevreten vosje, erfenis van een of andere gulle mevrouw. Een oude, blanke man, klein en levendig, met roze wangen, opgedoft in een kasjmieren jas, een Borsalino-hoed en een witte zijden sjaal. Een vrouwelijk wrak, wier huidskleur niet te bepalen was: een alcoholiste, verborgen onder lagen van jassen en truien, onvoorstelbaar schurftig en vuil, die halfbewusteloos lag te snurken.

En nog meer. Figuren in een stedelijk landschap. Behalve die donkere kerel, die hem uitdagend zat aan te staren, deden de andere passagiers hun best zo argeloos en onopvallend mogelijk te lijken. Kon ermee door, vond Ryder, ze waren alleen maar lading. Lading met een vastgestelde prijs.

Hij voelde onder zijn voeten de wagon remmen, even schokken en toen tot stilstand komen. Steever draaide zich met opgetrokken wenkbrauwen om. Ryder knikte en Steever schraapte zijn keel en begon te praten. Zijn stem klonk zwaar, eentonig en gesmoord, de stem van een man die niet veel sprak.

'Iedereen naar het achterste deel van de wagon,' zei Steever. 'Ga staan, iedereen, en vlug een beetje.'

Ryder, die de onrust in zijn gedeelte van de wagon had voorzien, zei: 'Jullie niet. Jullie blijven zitten. Op jullie plaatsen. Niet bewegen. Op iedereen die beweegt zal geschoten worden.'

De Afro-Amerikaan bewoog zich op zijn zitplaats. Opzettelijk en in een zorgvuldig afgemeten uitdaging. Ryder richtte zijn wapen op zijn borst. Hij bewoog zich weer, wiegde met zijn heupen en liet het daarbij, tevreden met zijn demonstratie van onverzettelijkheid. Ryder was ook tevreden; de uitdaging was alleen maar voor de vorm, hij kon eraan voorbijzien.

'Iedereen omhoog. Opschieten. Horen jullie me niet? Ga staan, schijtluizen!'

Welcome begon zich er vanaf zijn plaats achter in de wagon onverwacht mee te bemoeien. Dat was verkeerd. De passagiers werkten wel mee; het had geen zin te riskeren dat ze op hol zouden slaan. Nou ja, hij had voorzien dat Welcome zou gaan improviseren en het was te laat om daar nu iets aan te doen.

De deur van de cabine ging open. Longman kwam naar buiten en duwde met het uiteinde van zijn wapen de machinist voor zich uit. Hij zei zachtjes iets tegen de man. Die knikte en keek om zich heen naar een zitplaats. Hij aarzelde bij een onbezette plaats naast de hippie, liep toen door en viel plomp neer naast de dikke vrouw. Ze accepteerde zijn aanwezigheid rustig en zonder verwondering.

Ryder knikte naar Longman. Met de deursleutel boog Longman zich naar het sleutelgat boven de kruk aan de voorste kopdeur. De twee jongens, met hun rug tegen de deur, stonden hem in de weg. Longman stak rustig zijn hand tussen hen in en duwde hen opzij.

De mollige vrouw riep: 'Brandon! Robert! Alstublieft, doe ze geen pijn.' Ze sprong overeind en zette een stap in de richting van de jongens.

'Blijf zitten,' zei Ryder. De vrouw hield stil, haar mond half open in protest. 'Niet tegenspreken. Ga zitten.' Ryder wachtte tot ze weer op haar plaats zat en gebaarde toen naar de jongens. 'Weg bij die deur. Ga zitten.'

De vrouw stak haar armen naar de jongens uit en trok hen onstuimig naar zich toe. Ze plaatste ze tussen haar gespreide benen, hun oorspronkelijke en veilige haven.

Longman opende de deur, stapte naar buiten op de voetplaat en terwijl de deur dichtgleed, sprong hij op de rails. Ryder inventariseerde zijn passagiers door de loop van zijn wapen van de een naar de ander te bewegen, in een nadrukkelijk, intimiderend gebaar. Het meisje met de soldatenhoed tikte rusteloos met haar voet op de vuile zwart-witte vierkanten van de vloer. De hippie zat glimlachend te knikkebollen, met zijn ogen dicht. De militante gozer zat met zijn armen over elkaar beschuldigend en doordringend naar de man aan de andere kant van het gangpad te kijken, de goedgeklede Afro-Amerikaan met het diplomatenkoffertje. De jongens kronkelden zich van schaamte in de wurggreep van hun moeder. Achter in de wagon stonden de passagiers nu met zijn drieën naast elkaar voor de deur, terwijl Welcome als een herdershond om hen heen sprong.

Ineens ging het licht in de wagon uit en sprongen de lampen van de noodverlichting aan. De passagiers keken angstig, hun gezichten leken ingevallen onder het zwakkere licht van de gloeilampen. Daar hingen er minder van en het licht was niet zo fel als dat van de tl-buizen die langs de zijkanten en langs het plafond van de hele wagon liepen. De stroom was nu uitgeschakeld in het blok tussen 14th en 33rd Street, op alle vier de sporen, lokaal en expres, noord-spoor en zuid-spoor.

Ryder zei: 'Conducteur, kom hier.' De conducteur liep naar het midden van de wagon en bleef staan. Hij zag heel bleek. Ryder zei: 'Ik wil dat u al die passagiers langs de spoorbaan terug-leidt.'

De conducteur zei: 'Goed, meneer.'

'Verzamel alle passagiers in de andere negen wagons ook en breng ze allemaal terug naar station 28th Street.'

De conducteur keek bezorgd. 'Misschien willen ze de trein helemaal niet uit.'

Ryder haalde zijn schouders op. 'Zeg maar dat die trein ner-gens meer naartoe gaat.'

'Dat zal ik doen, maar' – de stem van de conducteur klonk vertrouwelijk – 'passagiers stappen niet graag uit een trein, zelfs wanneer ze weten dat hij niet meer gaat rijden. Het is gek, maar –'

'Doe nou maar precies wat je gezegd is,' zei Ryder.

'Kan ik alsjeblieft ook gaan?' Het meisje met de soldatenhoed sloeg met veel nadruk haar benen over elkaar en boog zich toen naar voren. 'Ik heb een verschrikkelijk belangrijke afspraak.'

'Nee,' zei Ryder. 'Uit deze helft van de wagon kan niemand weg.'

'Een heel belangrijke auditie. Ik ben actrice en –'

'Meneer?' De jonge moeder stak haar hoofd naar voren bo-ven haar twee jongens uit. 'Alstublieft, meneer. Alstublieft? Mijn twee kinderen zijn erg nerveus en –'

'Er gaat niemand weg,' zei Ryder.

De oude man in de kasjmieren jas zei: 'Ik vraag u niet om weg te mogen, maar... zou u ons niet ten minste op de hoogte kunnen stellen wat er aan de hand is?'

'Ja,' zei Ryder. 'Wat er aan de hand is, is dat u overvallen bent door vier mannen met machinepistolen.'

De oude man glimlachte. 'Eén gek kan meer vragen...'

'Kunt u ons enig idee geven hoelang we zullen worden op-gehouden?' vroeg het meisje met de hoed. 'Ik zou niet graag die auditie mislopen.'

'Nu is het genoeg,' zei Ryder. 'Geen antwoorden meer. En ook geen vragen.' De pogingen van het meisje om hem op te jutten en de zelfverzekerdheid van de oude man waren beide even doorzichtig, maar hij was erdoor gerustgesteld: geen van beiden zou gauw in paniek raken.

Longman kwam door de kopdeur naar binnen. Zijn machinepistool hield hij onder een arm geklemd en hij wreef zijn handen tegen elkaar om het stof en het vuil eraf te krijgen. De stroomkast voor noodgevallen was waarschijnlijk in maanden of zelfs in jaren niet meer gebruikt. Ryder gebaarde en Longman hield zijn wapen op de passagiers gericht. Ryder liep naar het achterste deel van de wagon. De conducteur was bezig de passagiers gerust te stellen dat de geleidrail niet gevaarlijk meer was.

'De stroom is eraf, mevrouw. Een van die heren is zo goed geweest om de stroom uit te schakelen.'

Welcome lachte hardop en er klonk zelfs wat verlegen gegrinnik bij de passagiers. De conducteur bloosde, stapte toen door de deur en sprong naar beneden op het ballastbed. De passagiers begonnen hem wat onhandig te volgen. Wie aarzelde, een beetje bang van de hoogte, werd door Welcome met zijn machinepistool aangepord.

Steever kwam naar achteren naar Ryder toe en zei fluisterend: 'Vijf van die lui daar voorin zijn buitenlanders. Wie zal er losgeld voor buitenlanders betalen?'

'Ze hebben dezelfde waarde als ieder ander. Misschien meer.'

'Politiek zeker?' Steever haalde zijn schouders op.

Toen op drie of vier na alle passagiers door de achterdeur waren verdwenen, liep Ryder terug naar het voorste deel van de wagon en ging de cabine binnen. Het stonk er naar zweet. Door het voorraam zag hij dat de tunnellampen, die op gelijkstroom brandden, uit waren. Maar de seinen en de noodverlichting, op wisselstroom, bleven aan. Dichtbij brandde een enkele blauwe lamp bij een noodtelefoon en een hele processie van groene seinlampen strekte zich voor hem uit.

Ryder pakte de microfoon van zijn haak naast het voorraam en tastte naar de zwarte knop die de zender in werking zou stellen. Maar voordat hij hem kon indrukken, bulderde een stem door de cabine.

'Verkeersleiding aan Pelham One Two Three. Wat is er verdomme aan de hand? Heb je de stroom uitgeschakeld? Zonder eerst de Centrale te bellen om uit te leggen waarom? Hoor je me? Kom ik door? Dit is de chef-verkeersleider. Laat van je horen, verdomme, laat van je horen, Pelham One Two Three, verrekte klootzak!'

Ryder drukte de knop in. 'Pelham One Two Three aan Verkeersleiding. Verstaat u mij?'

'Waar heb je verdomme gezeten? Wat is er met je aan de hand? Wat probeer je met je trein uit te halen? Waarom heb je die radio-oproep niet beantwoord? Over, Pelham One Two Three en vertel maar eens.'

'Pelham One Two Three aan Verkeersleiding,' zei Ryder. 'Centrale, uw trein is gekaapt. Verstaat u mij? Uw trein is gekaapt. Over, Verkeersleiding.'

5

Tom Berry

TOM BERRY ZEI TEGEN ZICHZELF – al een hele tijd achter elkaar – dat hij op geen enkel punt met succes iets had kunnen ondernemen. Misschien als hij niet had zitten dagdromen, niet had zitten denken aan Deedee in plaats van aan zijn dienst, als hij misschien redelijk op zijn qui-vive was geweest, dan had hij misschien kunnen aanvoelen dat er verdachte dingen gebeurden. Maar tegen de tijd dat hij zijn ogen opendeed, telde hij vier machinepistolen, en met ieder daarvan hadden ze een bloederige biefstuk van hem kunnen maken nog voordat zijn hand zijn pistool zelfs maar had aangeraakt.

Er zouden genoeg agenten zijn geweest die die beweging toch zouden hebben gemaakt, die willens en wetens zelfmoord zouden hebben gepleegd omdat ze automatisch reageerden op de harde indoctrinatie die al op hun eerste dag op de politieacademie begon: een mengsel van plichtsgevoel, viriliteit en minachting voor de misdadiger. Hersenspoeling zou Deedee het hebben genoemd. Ja, hij kende agenten die zo waren en ze waren niet allemaal stom en fatsoenlijke lui waren het ook niet allemaal. Hersenspoeling, of alleen maar mannen die hun opdracht serieus opvatten? Hijzelf, met een .38 achter zijn broekband, was gewoon vanzelf blijven zitten. Misschien een schrale troost, maar hij leefde in ieder geval nog en hij stond waarschijnlijk aan het einde van zijn carrière als politieman.

Hij was ervoor opgeleid en had moeten zweren om de wet te onderhouden, om de orde te handhaven en niet uit zijn neus te zitten eten, zoals het publiek dat hij plechtig beloofd had te zullen beschermen. Agenten werden niet verondersteld te dutten terwijl er een misdaad werd begaan, of hun kansen te veel naar de veilige kant te berekenen. Zelfs geen agenten in burger of buiten dienst.

Er werd van hen verwacht dat ze geweld met geweld bestreden en als ze daarbij omkwamen, dan was dat volgens de heiligste traditie van het politiewerk. Dat hoorde erbij.

Nou ja, als hij zijn pistool had getrokken, zou hij zeker hebben gehandeld volgens de heiligste traditie van het korps, zowel wat heldenmoed als wat sterven betreft. Als beloning zou hij een begrafenis als een inspecteur hebben gekregen, met de hoofdcommissaris en de burgemeester erbij en de rest van de hoge pieten, allemaal netjes in hun geperste uniformen en witte handschoenen en als het op het tv-nieuws van elf uur zou komen, zou er geen oog bij de kijkers droog blijven. Een mooie manier om aan je eind te komen, zelfs al was je niet meer in staat om zelf van de pracht en praal te genieten. Wie zou er om hem hebben gerouwd – echt gerouwd, niet omdat het zo horde? Deedee? Zou Deedee om hem rouwen en langer dan een dag aan hem denken, hem gedenken als iets meer dan iemand die ze tussen haar benen miste? Of zou het eindelijk tot haar doordringen wat 'weg met het zwijn' betekent, in termen van spuitend bloed en verbrijzeld bot en doorboorde organen?

Hij opende zijn ogen tot een spleetje en zag dat het beeld wat was veranderd. De vent die uit de wagon was geklommen, waarschijnlijk om de stroom af te sluiten, was terug en de lange, de leider, ging net de cabine van de machinist binnen. De potige stond in het midden van de wagon met zijn gezicht naar voren en de vierde man waakte over het naar buiten begeleiden van de passagiers uit het achterste deel. Dus, dacht Berry, was de verhouding nu geen onmogelijke vier-tegen-één meer, maar enkel een onmogelijke twee-tegen-één. Het was de kans van zijn leven. Om zich te laten afslachten. 'Ziet u, meneer' – hij was bezig uitleg te geven over zijn gedrag tegen een grimmig inspecteur – 'om mezelf gaf ik niets, maar ik wilde niet dat er passagiers zouden worden geraakt en daarom heb ik me ervan weerhouden om mijn pistool te trekken. In plaats daarvan ben ik doorgegaan plannen te maken hoe het algemeen welzijn het beste zou kunnen worden gediend volgens de heiligste tradities van het korps.'

Hij grijnsde zwakjes en sloot zijn ogen. Besluitname bevestigd. Het spijt me, Meneer de Burgemeester en Meneer de Hoofdcommissaris, trek het u niet aan; iemand schiet nog wel een smeris overhoop voordat de maand voorbij is, dus u krijgt uw plechtige optocht echt nog wel. Het spijt me, Deedee, zou je zwarte kleding hebben gedragen om te rouwen over je dode zwijnenminnaar?

De zware druk van de .38 tegen zijn buik gaf hem geen moed. Als hij kon zou hij hem hebben laten verdwijnen; dat ding bleef hem eraan herinneren dat hij zijn kans voorbij had laten gaan om een dappere dooie te worden. Deedee. Deedee zou het begrijpen. Ze zou hem gelukwensen dat hij eindelijk volgens zijn geweten had gehandeld, zich er eindelijk van bevrijd had een willoos instrument te zijn van een onderdrukkende klasse. Maar zijn leidinggevenden zouden er anders over denken. Er zou een onderzoek worden ingesteld, hij zou voor een soort krijgsraad moeten verschijnen en uit de dienst worden ontslagen. Alle agenten zouden hem verachten, ook zij van wie iedereen wist dat ze steekpenningen aannamen. Hoe corrupt ze ook waren, ze zouden zich te allen tijde zo maar dood laten schieten.

Eén lichtpuntje: een nieuwe baan kon je altijd krijgen. Een nieuw leven was heel wat moeilijker.

Toen Dolowicz door de oude tunnel begon terug te lopen, kwam zijn indigestie weer opzetten. Die was verdwenen of in elk geval onderdrukt door zijn woede over het onverklaarbare gedrag van Pelham One Two Three. Hij liep snel langs de stank en langs het gesis van de frisdrankautomaat en beklom puffend de trappen naar het station. Door de hal liep hij de straat op en wenkte een taxi. 'Park Avenue South en 28th.'

'Jij komt van buiten de stad,' zei de chauffeur. 'Dat hoor ik omdat de inboorlingen het nog 4th Avenue noemen. Net als met 6th Avenue. Alleen rijke stinkers noemen het Avenue of the Americas. Waar kom jij vandaan?'

'South Bronx.'

Zijn buik danste hangend op zijn afgezakte broekriem, terwijl hij de trappen van station 28th Street af rende. Hij zwaaide met zijn pasje onder de neus van de loketbediende en draafde de poort door. Op het perron stond een trein met zijn deuren open. Als Pelham One Two Three nog steeds stilstond in die tunnel, zouden de seinen deze trein tegenhouden, Pelham One Two Eight. Toen hij naar de zuidzijde van het perron liep, besefte hij dat de trein enkel werd verlicht door de zwakke noodverlichting die op batterijen brandde. Hij liep op een drafje naar de voorste wagon. De machinist hing uit het raampje.

'Wanneer is de stroom uitgeschakeld?'

De machinist was een oudgediende en moest zich nodig scheren. 'Wie wil dat weten?'

'Caz Dolowicz, de chef van de Toren van Grand Central.'

'O.' De machinist ging wat rechter zitten. 'Een paar minuten geleden.'

'Heb je met de Verkeersleiding gesproken?'

De machinist knikte. 'De dienstleider zei dat ik hier moest blijven wachten. Wat is er aan de hand, ligt er iemand onder?'

'Ik zal wel eens gaan kijken wat er aan de hand is,' zei Dolowicz.

Hij liep naar het uiteinde van het perron en het trapje af naar
het ballastbed. Toen hij door de donkere tunnel begon te lopen,
bedacht hij dat hij de radio van de machinist had kunnen gebruiken om te weten te komen hoe het zat met de stroom, maar
zo was het ook goed. Hij wilde altijd liever de dingen met eigen ogen zien. Geprikkeld door woede en bezorgdheid begon
hij op een drafje over het ballastbed te lopen. Maar het gas in
zijn maag dwong hem het kalmer aan te doen. Hij probeerde
tevergeefs te boeren en masseerde zijn borst in een poging een
uitweg te forceren voor de gasopeenhoping. Zonder acht te
slaan op de pijn sjokte hij gestaag verder, totdat hij stemmen
in de tunnel hoorde. Hij bleef staan en keek met half dichtgeknepen ogen door de schemering naar een enorme, vaag bewegende vorm die langs de rails op hem af kwam. Verrek, het leek
wel een complete mensenmenigte.

Longman

Longman was in de tunnel koelbloedig genoeg geweest toen
hij de hendel overhaalde om de stroom uit te schakelen. Eerder
ook al – hij had er zelfs op een bepaalde manier plezier in gehad – toen hij de wagons ontkoppelde en de trein bestuurde.
Hij voelde zich lekker wanneer hij technische dingen te doen
had. Toen hij terugkwam in de wagon ging het ook nog goed,
maar op het moment dat Ryder de cabine in ging, begon hij
weer te zweten. Hij besefte daardoor hoe veilig hij zich voelde
bij Ryder, ook al maakte de houding van de man hem de helft
van de tijd doodsbenauwd. Met de twee anderen had hij nooit
een echte band kunnen aanknopen. Steever was efficiënt maar
gesloten, helemaal op zichzelf, en Welcome was niet alleen

wreed en wispelturig, maar waarschijnlijk ook een maniak die in een gesticht hoorde.

Het machinepistool leek te trillen in zijn hand alsof het zijn geagiteerde hartklop had overgenomen. Hij klemde de kolf wat steviger onder zijn elleboog en hield de handgreep wat losser en het wapen kwam vaster in zijn hand te liggen. Zijn ogen dwaalden bezorgd af naar de deur van de cabine, maar hij keek weer met een ruk voor zich uit toen hij het zachte waarschuwingsfluitje van Steever hoorde. Hij richtte zijn blik op de passagiers in de rij banken rechts van hem. Daarvoor was hij verantwoordelijk en de linkerrij was voor Steever. Ryder had dat zo geregeld; dan stonden ze niet in elkaars vuurlijn. De passagiers waren stil, verroerden zich nauwelijks.

In het achterste deel waren nu helemaal geen passagiers meer. Het zag er leeg en verlaten uit. Hij zag het profiel van Welcome tegen de kopdeur, met zijn voeten ver uit elkaar en zijn tommygun op de spoorbaan gericht. Hij zag eruit alsof hij dolgraag in actie zou willen komen en Longman was ervan overtuigd dat hij gewoon stond te bidden dat er iets fout zou gaan, zodat hij iemand zou kunnen neerknallen.

Zijn gezicht was nat van het zweet en hij maakte zich zorgen dat het nylon eraan zou kleven en de vormen zou verraden. Hij gluurde nog eens naar de deur van de cabine, maar een onverwacht geluid aan zijn rechterkant deed hem snel zijn hoofd omdraaien. Het was de hippie die met gesloten ogen zijn benen in het gangpad uitstrekte. Steever was kalm, waakzaam, onbeweeglijk. Welcome tuurde door het achterraam naar de spoorbaan.

Longman spande zich tot het uiterste in om enig geluid op te vangen van achter de cabinedeur, maar hij kon niets horen. De operatie was tot dusver zonder enige tegenslag verlopen. Maar het zou allemaal voor niets zijn als ze niet wilden betalen. Ryder had hem verzekerd dat er geen redelijk alternatief bestond. Maar stel je voor dat ze besloten onredelijk te zijn? Je kon het gedrag van mensen toch niet met zo veel zekerheid voorspellen? Stel dat die smerissen een beslissing namen en hun kont tegen de krib gooiden? Nou ja, dan zouden er een heleboel mensen het loodje leggen. Inclusief zij zelf.

Het credo van Ryder: je blijft leven of je gaat dood. Het was voor Longman een afschuwelijke gedachte. Zijn credo, als hij het al ooit onder woorden had gebracht, zou geluid hebben: blijf leven ten koste van alles. Toch had hij zich uit vrije wil aan Ryders voorwaarden onderworpen. Vrije wil? Nee. Hij was er een beetje hulpeloos in gesukkeld, half dromend. Ryder had hem gefascineerd, maar dat verklaarde nog niet alles. Was hij zelf niet verantwoordelijk geweest voor het feit dat ze elkaar hadden leren kennen? Was het niet zijn eigen idee geweest? Had hij het niet zelf uitgesproken en het toen van een spelletje – een speelse en wraakzuchtige fantasie – gemaakt tot misdadige en winstgevende actie?

Hij dacht al lang niet meer dat zij elkaar die eerste keer bij toeval waren tegengekomen. Een accurater en ontzagwekkender woord daarvoor was 'lotsbeschikking'. Van tijd tot tijd had hij dat idee van lotsbeschikking geopperd, maar Ryder had er niet op gereageerd. Hij had wel begrepen wat hij bedoelde, maar het interesseerde hem niet, het had geen betekenis. Er gebeurde iets, dat leidde weer tot iets anders – verder dan dat zocht Ryder niet naar oorzaken en konden toevalligheden hem niet opwinden.

Ze hadden elkaar ontmoet bij het uitkeringenbureau op de hoek van 6th Avenue en 20th Street, in een van die onregelmatige, ontmoedigend geduldige rijen werklozen die langzaam naar voren schuifelden tot waar een ambtenaar een of ander runenteken in hun 'blauwe boekjes' krabbelde en hun een kwitantie voor hun wekelijkse cheques liet tekenen. Ryder was hem het eerst opgevallen in een andere rij – een lange, slanke man met zwarte haren en fijngesneden, opvallende gelaatstrekken. Hij was niet direct een machoman, maar je vermoedde diep in hem geheime krachten en iets van rustig zelfvertrouwen. Tot die conclusie was hij eigenlijk pas later gekomen. Wat Longman het eerst was opgevallen, was veel eenvoudiger geweest: de man hoorde niet thuis in die multiculturele massa, jongens en meisjes met lange haren en nietszeggende, ontmoedigde mensen van middelbare leeftijd (tot die laatsten, moest Longman wel toegeven, behoorde hij zelf ook). Zo bijzonder was Ryder eigenlijk niet en hij zou nergens anders zijn opgevallen. Sommige mensen maakten een praatje in de wachtrijen om de tijd te doden. Anderen hadden iets te lezen bij zich. Longman kocht meestal een *Post* op weg naar het uitkeringenbureau en praatte nooit met iemand. Maar toen hij, een paar weken nadat hij Ryder voor het eerst had gezien, vlak achter hem in een rij bleek te staan, was hij met hem in gesprek geraakt. Eerst had hij geaarzeld, want Ryder was kennelijk een zwijgzaam type die iemand zou kunnen negeren wanneer hij niet wilde praten. Maar ten slotte had hij zich half omgedraaid en Ryder een van de koppen in zijn *Post* laten lezen.

WEER EEN 747 NAAR CUBA

'Het lijkt wel een besmettelijke ziekte,' zei Longman. Ryder knikte beleefd maar zei niets.

'Ik begrijp niet wat ze ermee willen,' zei Longman. 'Zo gauw ze in Cuba komen, worden ze of in de bak gegooid of ze moeten tien uur per dag suikerriet kappen onder de gloeiende zon.'

'Ik zou het niet kunnen zeggen.' Ryders stem klonk onverwacht diep en autoritair. De stem van een baas, had Longman een beetje verward bedacht. Maar toch niet helemaal, er kwam nog iets bij wat hij niet precies thuis kon brengen.

'Al dat risico voor een baantje als koelie, daar kan ik met mijn verstand niet bij,' zei Longman.

Ryder haalde niet echt zijn schouders op, maar Longman besefte dat hij geen belangstelling meer voor het onderwerp had, als hij het al ooit had gehad. Normaal gesproken zou Longman zich op dat punt hebben teruggetrokken; hij hield er niet van zich bij mensen op te dringen. Maar Ryder had hem nieuwsgierig gemaakt en op een manier die hij niet begreep wilde hij zijn instemming winnen. En daarom ging hij verder en uitte de woorden die uiteindelijk profetisch zouden blijken.

'Als er iets voor hen aan zit – een hoop geld bijvoorbeeld – dan kan ik het begrijpen. Maar al dat risico te nemen voor niks...'

Ryder glimlachte. 'Overal zit risico aan vast. Inademen brengt risico mee; je zou iets giftigs naar binnen kunnen krijgen. Als je geen risico wilt nemen, moet je ook niet meer ademhalen.'

'Dat kan niet,' zei Longman. 'Ik heb eens ergens gelezen dat je niet uit vrije wil kunt stoppen met ademen, ook al probeer je het.'

Ryder glimlachte weer. 'O, ik geloof dat het wel zou lukken als je het op de juiste manier aanpakt.'

Daarna leek er niet veel meer te bepraten en het gesprek was doodgebloed. Longman pakte zijn *Post* weer met het gevoel dat hij zich op een of andere manier belachelijk had gemaakt. Toen Ryder eindelijk zijn stempel in zijn boekje had gekregen en zijn kwitantie had getekend, had hij vriendelijk naar Longman geknikt voordat hij wegging. Longman stond aan het loket, draaide zich om en zag Ryder door de glazen deuren verdwijnen.

Een week of twee later was Longman zowel verrast als gevleid toen Ryder bij hem kwam staan in een cafetaria waar hij een broodje stond te eten. Er viel dit keer wat gemakkelijker met Ryder te praten – niet direct vriendschappelijk, maar op zijn gereserveerde manier was hij toch wat opener. De conversatie ging over koetjes en kalfjes en daarna liepen ze samen naar het uitkeringenbureau en gingen in dezelfde rij staan.

Longman voelde zich nu meer op zijn gemak bij Ryder, minder als een indringer. Hij zei: 'Ik zag dat er deze week weer zo'n vliegtuigkaping is geweest. Heb je het gelezen?'

Ryder schudde zijn hoofd. 'Ik ben niet zo'n krantenlezer.'

'Deze had niet zo veel geluk,' zei Longman. 'Hij haalde Cuba niet eens. Toen ze naar beneden kwamen om brandstof in te nemen, liet hij zich zien en een scherpschutter van de FBI heeft hem doodgeschoten.'

'Heel wat beter dan suikerriet kappen.'

'Dood zijn?'

'Dood zijn is beter dan een heleboel dingen die ik zo kan bedenken. Onroerend goed proberen te verkopen, bijvoorbeeld.'

'Is dat je werk?'

'Ik heb het een paar maanden geprobeerd.' Hij haalde zijn schouders op. 'Ik bleek een rottige verkoper te zijn. Ik geloof dat het me niet ligt mensen om iets te vragen.' Hij zweeg even. 'Ik vertel ze liever wat ze moeten doen.'

'Je bedoelt de baas spelen?'

'Zoiets.'

'Je bent geen verkoper van beroep?'

'Nee.'

Hij ging er verder niet meer op in en hoewel Longmans nieuwsgierigheid was gewekt, liet hij het voor wat het was. In plaats daarvan praatte hij over zichzelf.

'Ik werkte bij een aannemer, kleine huizen op Staten Island. Maar zijn geld raakte op en ik kon vertrekken.'

Ryders knikje was nietszeggend.

'Ik ben geen bouwvakker van beroep,' zei Longman. 'Ik ben machinist bij de ondergrondse geweest.'

'Gepensioneerd?'

'Ik ben pas eenenveertig.'

Ryder zei beleefd: 'Zo oud dacht ik ongeveer dat je was. Daarom verwonderde het me al dat je gepensioneerd zou zijn.'

Het was een hoffelijke verontschuldiging, maar Longman trapte er niet in. Hij zag er versleten uit, een beetje grijzig en men zag hem meestal voor ouder aan. Hij zei: 'Ik heb er zowat acht jaar als machinist op zitten. Maar ik ben ermee opgehouden. Een paar jaar geleden.'

Ryder ging er niet meer verder op in, of hij het geloofde of niet. Hij knikte enkel. Negenennegentig van de honderd kerels zouden hem hebben gevraagd waarom hij ermee was opgehouden. Misschien kon het Ryder eenvoudig geen moer schelen, maar toch: het zou begrijpelijke nieuwsgierigheid zijn geweest om het te vragen. Geërgerd stelde Longman een tegenvraag wat hij anders, uit respect voor Ryders zwijgzaamheid, niet zou hebben gedaan. 'Wat was jouw vak? Ik bedoel je beroep?'

'Het leger. Ik was militair.'

'Contract voor twintig jaar? Da's niet slecht, lijkt me, als je het tenminste kunt volhouden. Wat voor rang had je?'

'Mijn laatste rang was kolonel.'

Longman was teleurgesteld. Hij wist van het ene jaar dat hij zelf had gediend dat kerels van dertig – zo oud schatte hij Ryder ongeveer – geen kolonel werden. Hij had Ryder niet voor een opschepper versleten. Hij knikte en zweeg.

Ryder zei: 'Niet in het Amerikaanse leger.'

Die verklaring nam Longmans argwaan niet helemaal weg; het maakte het mysterie alleen maar groter. In welk leger had Ryder dan gediend? Je kon geen vreemd accent aan hem te horen of zo; hij klonk hartstikke Amerikaans. Het Canadese leger? Maar in dat leger werd je met dertig jaar ook geen kolonel.

Hij was aan de beurt om zijn boekje te laten stempelen.

Daarna wachtte hij tot Ryder zijn stempel had. Buiten liepen ze naast elkaar 6th Avenue af.

'Ga je ergens naartoe?' vroeg Longman.

'Ik geloof dat ik maar wat ga wandelen.'

'Vind je het goed als ik een eindje meeloop? Ik heb verder niks te doen.'

Ze wandelden tot aan 36th Street, pratend over onpersoonlijke zaken – nu en dan een opmerking over iets in een etalage, over de vrouwen die zich de warenhuizen aan de 34th Street in en uit haastten, over het lawaai en de stank van het verkeer. Maar het raadsel bleef Longman bezighouden en eindelijk, terwijl ze aan de stoeprand op het groene licht stonden te wachten, flapte hij het eruit.

'Bij welk leger zat je dan?'

Ryder wachtte zo lang met antwoorden dat Longman op het punt stond zijn verontschuldigingen aan te bieden. Maar toen zei Ryder: 'Het laatste? Biafra.'

'O,' zei Longman. 'O, ik snap het.'

'En daarvoor Congo. En Bolivia.'

'Je bent een fortuinsoldaat?' Longman was erg belezen, avonturenromans en zo, en hij kende het begrip wel.

'Dat is de boekennaam ervoor. Huurling is juister.'

'Je bedoelt iemand die voor geld vecht?'

'Ja.'

'Nou ja,' zei Longman, terwijl hij niet zozeer dacht aan het vechten om geld als wel aan het doden om geld en daar nogal verbijsterd over was, 'ik weet zeker dat het geld minder belangrijk was dan het avontuur.'

'In Biafra betaalden ze me vijfentwintighonderd per maand om een bataljon aan te voeren. Ik zou het voor geen cent minder hebben aangenomen.'

'Biafra, Congo, Bolivia,' zei Longman verwonderd. 'Bolivia, zat Che Guevara daar niet? Was jij bij –'

'Nee. Ik was bij de andere kant – de kant die hem dood-schoot.'

'Ik zag jou nou ook niet direct als een communist,' zei Long-man met een zenuwachtig lachje.

'Ik ben datgene waarvoor ik word betaald.'

'Het klinkt allemaal verrekt opwindend en aantrekkelijk,' zei Longman. 'Waarom ben je ermee opgehouden?'

'Er was geen markt meer voor. Geen banen meer beschik-baar. En geen werkloosheidsverzekering.'

'Hoe kom je in zo'n baan terecht?'

'Hoe kwam jij in de ondergrondse terecht?'

'Dat is wat anders. Ik werd machinist omdat ik mijn brood moest verdienen.'

'Zo ben ik ook soldaat geworden. Zin in een biertje?'

Daarna werden de wandeling en het biertje een wekelijkse gewoonte. Eerst had het Longman verbaasd dat iemand zoals Ryder met hem omging, maar hij was slim genoeg om het ant-woord te raden. Ryder was eenzaam, net als hij, net als zo veel andere kerels in de stad. En zo ontstond een soort kameraad-schap voor een uur of twee per week. Maar na die eerste ver-trouwelijkheden werd hun relatie weer onpersoonlijk.

Tot dat op zekere dag veranderde.

Het begon weer, heel onschuldig, met een krantenkop. Ze la-zen het in de bar waar ze een biertje dronken.

TWEE DODEN BIJ SCHIETPARTIJ ONDERGRONDSE

Twee mannen hadden geprobeerd om een wisselloket in een metrostation in de Bronx te overvallen. Een politieman van het Vervoerswezen in het station had zijn pistool getrokken en bei-de overvallers doodgeschoten. Op een foto lagen de twee dode mannen languit op de vloer van het station en achter hen gluurde de loketbeambte tussen de tralies van zijn loket door.

'Verslaafden,' zei Longman met kennis van zaken. 'Niemand anders zou proberen geld uit een wisselloket te krijgen. Zo veel zit daar niet in dat je daar het risico voor gaat lopen.'

Ryder knikte ongeïnteresseerd en daar zou het bij zijn gebleven – zoals Longman zichzelf zo vaak had voorgehouden – als hij er niet op was doorgegaan, als hij in een poging om indruk te maken op Ryder zijn fantasie niet uit de kelder had gehaald.

'Als ik een misdaad wilde plegen bij de ondergrondse,' zei hij, 'dan was ik hartstikke gek wanneer ik een wisselloket zou overvallen.'

'Wat zou jij dan doen?'

'Iets spectaculairs, iets waarmee je een grote poet kon verdienen.'

'Zoals?' Ryders interesse was nog niet meer dan beleefdheid.

'Zoals een trein kapen, bijvoorbeeld,' zei Longman.

'Een ondergrondse trein? Wat zou iemand kunnen doen met een ondergrondse trein?'

'Vasthouden voor losgeld.'

'Als het mijn trein was, zou ik je vertellen dat je hem kon houden, in plaats van dat ik er geld voor zou betalen.' Ryder klonk geamuseerd.

'Niet de trein zelf,' zei Longman. 'Losgeld voor de passagiers. Gijzelaars.'

'Klinkt te ingewikkeld,' zei Ryder. 'Ik zie niet in hoe je dat zou moeten doen.'

'O, het zou wel lukken. Ik heb er wel eens over nagedacht. Gewoon voor de lol, snap je?'

Het was waar: hij had er voor de lol wel eens over nagedacht, maar het was een soort bittere lol. Het was zijn wraak tegen het systeem. Maar het was enkel een ingebeelde wraak, een spelletje dat hij speelde, en het was nog nooit bij hem opgekomen om het serieus op te vatten.

Ryder zette zijn bierglas neer, draaide zich op zijn kruk om en keek Longman recht in het gezicht. Zonder zijn stem te verheffen en op vastberaden toon – Longman wist nu dat dat zijn commandostem was – vroeg hij: 'Waarom ben je bij de ondergrondse weggegaan?'

Dat was niet de vraag die Longman had verwacht, als hij al iets had verwacht, uitgezonderd misschien een matige interesse. Het overviel hem en tot zijn verwondering flapte hij er zo de waarheid uit. 'Ik ben niet weggegaan. Ik ben ontslagen.'

Ryder bleef afwachtend naar hem kijken.

'Ik was onschuldig,' zei Longman. 'Ik had me ertegen moeten verzetten, maar –'

'Onschuldig waaraan?'

'Aan een overtreding natuurlijk.'

'Wat voor overtreding? Waarvan werd je beschuldigd?'

'Ik werd nergens van beschuldigd. Het waren enkel insinuaties, maar ze hebben me er toch uitgetrapt. Je klinkt net als een officier van justitie.'

'Het spijt me,' zei Ryder.

'Verrek, het kan me ook niks schelen om het te vertellen. Ze hebben me erin laten lopen. De snavels moesten een slachtoffer vinden –'

'Snavels?'

'Speciale controleurs. Stillen. Ze gaan in burger gekleed en controleren het treinpersoneel. Soms zijn ze zelfs als tieners gekleed, weet je wel, met hip haar en alles. Spionnen, dat zijn het.'

Ryder knikte. 'Wat had jij volgens hen gedaan?'

'Een of andere bende werd ervan verdacht drugs te vervoeren,' zei Longman opstandig. 'Weet je wel, kriskras door de stad en dan gaven ze het met machinisten mee en dan moest iemand in Harlem het weer oppikken. De snavels probeerden mij de schuld te geven. Ze hebben nooit bewijzen gehad; ze hebben me nooit met het spul betrapt. Hoe kon dat ook, als ik er niet aan meedeed?'

'Ze probeerden je erin te luizen?'

'Dat deden ze inderdaad, de klootzakken.'

'Maar je was onschuldig.'

'Natuurlijk was ik onschuldig. Dacht jij dat ik zoiets zou doen? Je kent me toch!'

'Ja,' zei Ryder. 'Ik ken jou.'

Komo Mobutu

Komo Mobutu had zijn zelfbeheersing kunnen bewaren, tot op het punt dat hij woedend werd op die twee donkere jongens. Wat er gebeurde ging helemaal aan hem voorbij, hij had er niets mee te maken. Van hem mochten ze er twee keer per dag met een trein vandoor gaan, hij zou er geen traan om laten. Als het niets te maken had met de revolutionaire aspiraties van de onderdrukte Afro-Amerikanen, dan bestond het niet, dan was het er eenvoudig niet.

Het gaf hem een gevoel van pervers genoegen dat hij erbij betrokken was, omdat hij met de ondergrondse reisde. Hij was niet dat type van taxi, dure slee, dure flat, diplomatenkoffertje, businessclass-vliegen-en-gratis-drank-van-de-stewardessen, zoals die internationale kliek van zogenaamde Broeders aan de kust en in Parijs en Algiers. Hij was een rechtschapen, werkende revolutionair en ook al had hij poen, dan zou hij nog met het openbaar vervoer reizen en over de lange afstanden met de Greyhound-bus gaan.

Onder normale omstandigheden – als er niet een stelletje idioten mee aan de haal ging, met bewapening die hem het water in de mond bracht – had hij eigenlijk wel plezier in de ondergrondse, want hij had een speciale manier om de tijd door te brengen. Een tijdverdrijf, zou je kunnen zeggen, geen tijdverspilling maar een machtige tijd. Hij koos dan een vadsig zwijn uit, keek de klootzak strak aan en staarde net zolang tot de ander het opgaf. Heel vaak werd de klootzak er zo zenuwachtig van dat hij ergens anders ging zitten of naar een andere wagon ging. Sommigen raakten er zelfs zo van ondersteboven dat ze gingen zweten en eerder uitstapten dan ze eigenlijk moesten. Hij staarde alleen maar, maar zij konden in zijn pupillen de gigantische woede zien branden van een volk dat eindelijk in opstand begon te komen tegen driehonderd jaar onderdrukking en volkerenmoord. Er was geen enkele blanke die die boodschap in zijn fonkelende bruine ogen niet begreep en die niet voor die uitdaging op de loop ging. Hij had nog nooit verloren. Hij hypnotiseerde ze gewoon!

Mobutu zat kaarsrecht op zijn bank, tegenover een opgedirkte troela met een soldatenhoed, en hij keek recht door die slet heen. Toen die ouwe zak naast hem had gesproken, had hij zelfs zijn hoofd niet omgedraaid. Maar nu zag hij vanuit zijn ooghoeken de twee jongens die aan de andere kant van het gangpad zaten. Ze waren allebei heel donker en een jaar of zeventien, achttien. Boodschappenjongens die hun meester dienden, die de pakjes van de blanke man moesten dragen. Waar hij zich kapot aan ergerde was de manier waarop ze met hun ogen rolden. Grote, zachte, bruine pupillen en ze rolden ze rond als knikkers, maakten er een soort grijns van, zaten met hun stomme staart te kwispelen zodat de man niet kwaad zou worden en hen een kogel door hun kont zou jagen.

Bijna voordat hij wist wat hij deed, zat hij woedend over het gangpad heen te schreeuwen. 'Godverdomme, hou je verdomde ogen stil, horen jullie me?' Hij keek hen woedend aan en zij keken verschrikt terug. 'Hou je ogen stil en kijk die man recht in zijn verrekte smoel!'

Iedereen in de wagon keek naar hem en terwijl hij de een na

de ander aanstaarde, bleef hij even langer kijken naar de goed-geklede Afro-Amerikaan met het diplomatenkoffertje. Op zijn gezicht lag geen enkele uitdrukking. Niet de moeite waard om je druk om te maken. Maar die twee jongens... Het zou de moeite kunnen lonen om een kleine demonstratie voor hen op touw te zetten.

Hij draaide zich om naar de man met het machinepistool, maar sprak tegen de jongens: 'Jullie hebben geen enkele reden om bang te zijn voor zo'n blanke klootzak, broeders. Er komt nog eens een dag dat we hem dat geweer afpakken en het in zijn vuile zwijnenstrot rammen.'

De man met het wapen bleef onverstoord en zei een beetje verveeld: 'Hou je verdomde smoel.'

'Ik laat me niet commanderen door een blank zwijn!'

De man gebaarde met zijn wapen. 'Kom eens bij me, vuil-bek.'

'Denk je soms dat ik bang van je ben, zwijn?' Mobutu stond op. Zijn benen trilden, niet van angst maar van woede.

'Ik wil jou even hier hebben,' zei de man. 'Kom eens.'

Hij liep naar het midden van de wagon en ging voor de man staan met kaarsrechte rug en zijn handen tot vuisten gebald.

'Ga je gang maar,' zei hij. 'Schiet me maar overhoop. Maar ik waarschuw je: er zijn er heel wat meer net als ik, duizenden en duizenden, en we hebben gezworen je zwijnenstrot af te snij-den –'

Zonder moeite en zonder hartstocht haalde de man zijn wa-pen tevoorschijn en smakte het met een schuine slag tegen de linkerslaap van Mobutu. Mobutu voelde de slag – een steken-de pijn, een rode regen voor zijn ogen – tuimelde achterover en viel op de grond.

'Ga zitten en doe je bek nooit meer open.'

Mobutu hoorde de stem van de man maar vaag. Hij raakte zijn gezicht aan en besefte dat er bloed van een kapotgeslagen wenkbrauw in zijn oogkas drupte. Hij stond op en viel weer op zijn bank naast de oude man. De oude man stak een hand uit om hem steun te geven. Hij schudde hem van zich af. In de wagon was het angstig stil.

'Hij heeft erom gevraagd,' zei de man die hem had geslagen. 'Laat niemand anders erom vragen.'

Mobutu pakte zijn zakdoek en drukte die tegen zijn voorhoofd. Zijn rechteroog hield hij nog strak op de boodschappenjongens gericht. Hun ogen rolden nog, hun lippen hingen naar beneden. Godverdomme, dacht Mobutu, die klap heb ik voor niks opgelopen. Zij zullen hun leven lang katoen blijven plukken.

Iedereen in het rijtuig deed zijn best om niet naar hem te kijken, ook zij die normaliter gefascineerd raken bij het zien van bloed.

6

Frank Correll

HET HOOFDKWARTIER VAN HET VERVOERS- en Transportwezen voor de stad New York, kortweg het Vervoerswezen, is gevestigd in een log gebouw met een granieten gevel aan Jay Street 370 in Brooklyn. Jay Street 370 is een betrekkelijk nieuw en modern complex dat omgeven is door vele oudere, donkerder getinte, sierlijker en architectonisch interessantere gebouwen, die het hart van het officiële centrum van Kings County vormen: gemeentehuis, rechtsgebouwen, administratieve kantoren. Hoewel er over dit deel van Brooklyn niet de gebruikelijke Brooklyngrapjes in omloop zijn, wordt het toch beschouwd als een provincie van het eiland aan de overkant van de rivier, en daardoor verliest het aan status.

De administratieve afdelingen van het Vervoerswezen liggen verspreid door Jay Street 370. De kantoorinrichting loopt nogal uiteen, van stijlloos via ambtenarenstijl tot deftige kantoren voor de topbazen op de dertiende verdieping. Die bereik je via een ruim, indirect verlicht voorvertrek dat onopvallend door een politieman van het Vervoerswezen wordt bewaakt.

Werkruimte mag dan misschien verschrikkelijk duur zijn in de vele kantoren in het gebouw – vooral beneden, op de tweede verdieping, waar de volgepropte afdelingen huizen van het Centrale Zenuwstelsel voor het eigen politiekorps – er wordt heel kwistig mee omgesprongen op de derde verdie-

84

ping waar de Centrale Verkeersleiding huist. Drie afdelingen liggen er breed uitgemeten, verspillend uitgemeten zelfs, in een enorme ruimte met een hoog plafond, bijna over de hele breedte van het gebouw. Er is zo veel plaats dat het lijkt alsof de indeling voorlopig is. Ieder van de drie afdelingen – de A-afdeling of IRT; de B-afdeling of BMT; en de B1-afdeling, of IND – heeft er zijn eigen enclave, door brede ruimten van elkaar gescheiden. De actiefste en opvallendste leden van een afdelingsgroep zijn de verkeersleiders en hun dienstleiders. IRT, de oudste maar ook de kleinste afdeling, telt vier dienstleiders die de verkeersleider assisteren. Ze zitten aan stalen bureaus met elektronische bedieningspanelen die hen in staat stellen radioverbinding te onderhouden met iedere machinist in hun rayon. Iedere afdeling is in vakken verdeeld die overeenkomen met gedeelten op de kaart. De IRT heeft bijvoorbeeld de oostzijde en de westzijde, de bovengrondse trajecten in de Bronx, enzovoorts. De bedieningspanelen van de dienstleiders lijken op die in de Torenkamers, met het grote verschil dat je via de Torenkamer niet rechtstreeks met de machinist kunt spreken.

Iedere oproep die de dienstleiders van een trein ontvangen of die ze zelf plaatsen, wordt bijgehouden in een logboek: identificatienummer van de trein, soort oproep, wat er aan is gedaan. Een typische oproep aan de Centrale Verkeersleiding zou over een machinist kunnen gaan die een brandje rapporteert onder een perron op een bepaald station. Nadat de dienstleider heeft gevraagd hoe ernstig het eruitziet en hoe ver het zich heeft verspreid, vertelt hij de machinist wat hij moet doen: verder rijden of wachten, en of hij de passagiers moet laten uitstappen ('zijn lading moet lossen'). Dan stelt hij zich in verbinding met de betreffende afdeling: Onderhoud (de zogenaamde wagenmeesters), de Toren, de Elektriciteitscentrale (stroom uitschakelen of juist inschakelen), de Politie van het Vervoerswezen – afhankelijk welke afdeling of combinatie van afdelingen er vereist wordt.

De dienstleiders rapporteren aan de chef-verkeersleider en die is op zijn beurt ondergeschikt aan een inspecteur, die zich niet met de chronologische actie op iedere afdeling bezighoudt. Via het bedieningspaneel kan de chef-verkeersleider met de machinisten in alle baanvakken praten, dat komt neer op iedere machinist in de afdeling. De chef-verkeersleider is de baas; hij is ervoor verantwoordelijk dat de treinen vlot en op tijd rijden. Hij is iedere dag zijn loon dubbel en dwars waard, maar vooral wanneer er iets onverwachts gebeurt wat het vlot functioneren van de afdeling in de war dreigt te sturen. Dan is het zijn taak om een noodschema uit te werken waarop de treinen blijven lopen. Hij moet lokaaltreinen naar expresbaanvakken overschakelen en omgekeerd, treinen van de oostlijnen naar de westlijnen dirigeren, machinisten opdragen hun lading te lossen of met halve lading te rijden – er is een hele variëteit van ingewikkelde maatregelen ontworpen om de treinenloop flexibel te maken, om de dienst op gang te houden, zelfs bij echte rampen als een ontsporing of een aanrijding. Zulke dingen gebeuren nu eenmaal, ook bij de best georganiseerde spoorlijnen.

Een onderafdeling van de Centrale Verkeersleiding is het Communicatiecentrum. Die kondigen veranderingen in de dienstregeling en onvoorziene omstandigheden aan door de omroepinstallaties op de stations om de passagiers op de hoogte te houden. De berichten worden door het Communicatiecentrum op de band gezet en doorgegeven aan de stations. Wanneer zich grote vertragingen of noodgevallen voordoen, stelt het Communicatiecentrum zich in verbinding met de media en houdt die op de hoogte van de ontwikkelingen.

Frank Correll kende dit alles net zo goed als hij zichzelf kende. Hij zou het niet kunnen omschrijven en vond het ook niet noodzakelijk om dat te doen, net zomin als hij zijn lichaam zou kunnen omschrijven. Als je hem vroeg hoe hij zijn arm oplichtte, dan zou hij grommen: 'Die licht je gewoon op,' en daarmee bedoelen dat er gewoon dingen zijn die je doet zonder erbij na te denken. En zo zag hij ook de Verkeersleiding en zijn belangrijke rol in het opereren van de A-afdeling als een van de drie chef-verkeersleiders die vierentwintig uur in ploegendienst de post bezetten.

Hoewel een verkeersleider geen oog kan houden op iedere oproep die er bij zijn dienstleiders binnenkomt, moet hij toch een soort zesde zintuig bezitten waarmee hij ernstige moeilijkheden aanvoelt nog voordat zijn dienstleider hem ervan op de hoogte stelt. Het zesde zintuig van Frank Correll had hem gewaarschuwd dat er iets ernstigs met Pelham One Two Three aan de hand was. Nadat hij de Toren van Grand Central had gezegd dat ze in actie moeste komen, nam hij het van de dienstleider over. Hij probeerde verbinding te krijgen met de trein vanaf zijn eigen paneel, zittend op het puntje van zijn stoel, met zijn hoofd vooruit gestoken als een slang die op het punt staat toe te slaan en gericht op de microfoon die met een bocht uit het paneel omhoogstak.

Maar zelfs hij was onvoorbereid op het soort probleem dat zich bij Pelham One Two Three voordeed toen die eindelijk doorkwam, en hij verviel in een kort en voor hem heel ongewoon stilzwijgen. Toen stootte hij een gebrul uit en overal in de uitgestrekte ruimte van de Verkeersleiding begonnen mannen te grijnzen. Zelfs onder de verkeersleiders – de mannen die in het Vervoerswezen gewoonlijk de aantrekkelijke, taaie en levendige sterren zijn die hun heldenrol tot het einde toe spelen – zelfs onder die mannen was Frank Correll beroemd. Mager, pezig, ongeduldig, met een grote bek en een overvloed aan energie, paste die rol hem als gegoten. En dus had niemand die

zijn uitbarsting hoorde reden om aan te nemen dat er iets on-
gewoons aan de gang was.

Correll kalmeerde wat, of beteugelde tenminste zijn humeur en zei rustig, of wat bij hem voor rustig doorging: 'Ik heb
gehoord wat je zei. Wat bedoel je met "de trein is gekaapt"? Verklaar je nader. Nee. Wacht even. Je hebt ook de stroom afgesloten. Waarom heb je de stroom afgesneden en waarom heb je
de reden niet gemeld aan de Verkeersleiding? Over, en zorg
maar voor een goede smoes.'

'Hebt u een potlood, chef-verkeersleider?'

'Wat is dat nou voor een stomme vraag. Is dit de machinist?'

'Dit is niet de machinist. Luister aandachtig naar mij. Let
goed op. Hebt u een potlood?'

'Wat is dit voor gesodemieter? Hebt u toestemming om in
de cabine te zijn? Wie bent u eigenlijk?'

'Luister naar mij, chef-verkeersleider. Ik hou er niet van dingen te moeten herhalen. Luister. Uw trein is overgenomen
door een groep zwaarbewapende mannen. U weet dat de
stroom is afgesneden. De trein is losgekoppeld. Wij zitten in
de eerste wagon van de trein en we houden zestien passagiers
en de machinist als gijzelaars. We zullen niet aarzelen om ze
allen te doden als dat nodig mocht blijken. We deinzen nergens
voor terug, verkeersleider. Over.'

Correll schakelde uit en drukte knop zes in, die hem onder
andere automatisch op het net van de Vervoerspolitie aansloot.
Zijn handen trilden van woede.

Clive Prescott

Een van de directiesecretaressen belde naar beneden naar inspecteur Clive Prescott, om hem mee te delen dat de belangrijke bezoekers uit Boston terug waren van hun lunch met de di-

recteur en dat ze op dit moment in de lift stonden, op weg van de dertiende verdieping naar de tweede. En of hij er alsjeblieft aan wilde denken dat het persoonlijke vrienden van de directeur waren en hij hen met de hoogste egards wilde behandelen.

'Ik leg de rode loper uit zo gauw als ik die heb gestofzuigd,' zei inspecteur Prescott. Hij hing op, liep naar de informatiebalie bij de ingang naar het hoofdkwartier van de Vervoerspolitie – of het Centrale Zenuwstelsel, zoals de agenten het zelf graag noemden – en wachtte tot de lift zich van zijn kostbare lading zou ontdoen.

Hij had er een kwajongensachtig plezier in op hun reacties te letten toen hij naar voren stapte om hen te begroeten. Hij zag dat ze hun verrassing niet helemaal konden verbergen dat hij een beetje anders was dan zij hadden verwacht – een tíntje anders, bedacht hij met fijne ironie. Maar ze herstelden zich gemakkelijk (dat moest hij toegeven) en ze schudden zijn hand zonder enig teken van tegenzin of terughouding.

Ze waren politici en Iers; de een wat terughoudend, de ander hartelijk. Hun namen luidden Maloney (hartelijk) en Casey (terughoudend). Ze hadden praktisch dezelfde felle blauwe ogen die, niet helemaal zonder vooringenomenheid, het keurige kostuum van inspecteur Prescott opnamen (ietsje ingenomen, hoog dichtgeknoopt van voren), zijn opvallend gestreepte rood-wit-zwarte hemd, zijn Balmoral-das, spits toelopende Italiaanse schoenen (vijfenvijftig dollar in de uitverkoop), en hun stompe neusjes snoven de geur van Canoë op. Hun handdruk was stevig en warm tegelijkertijd – de handdruk van mannen die hun hele leven handjes gaven.

'U zult zien dat we hier nogal dicht op elkaar zitten...' Maar Prescott liet die klacht onafgemaakt. Ze zouden hem net zo verveeld aanhoren als hij hen maakte. Wat opgewekter zei hij: 'De hoge heren hebben hun kantoor aan deze kant...' Een vaag gebaar. 'Dat is het kantoor van hoofdinspecteur Costello...' De bezoekers wisselden een snelle blik van verstandhouding die Prescott interpreteerde als: hè hè, godzijdank nog een Costello, een echte Ierse naam. 'Deze kant op graag, heren.'

Gewoonlijk ging men eerst naar de afdeling Operaties, waar de bezoekers het logboek tekenden, maar Prescott besloot om de volgorde om te draaien. Als hij een beetje geluk had kon er, na een kalme ochtend, nog wat vuurwerk komen. Gisteren was er een bommelding op een station van de IND geweest (het bleek een vals alarm te zijn) en bij Operaties hadden de vonken eraf gespat met gesprekken naar en van de patrouilles die het station en de spoorbanen afzochten. Dat zou een mooie voorstelling zijn geweest voor de bezoekers. Hij loodste hen van Operaties vandaan in de richting van Telexverbindingen en de Appèlafdeling.

Ontspannen, als een lector die zijn stof beheerst voor een eliteklas van twee studenten, stond Prescott tussen de telexmachines en verklaarde wat hun gekletter betekende. 'We hebben een inkomende en uitgaande verbinding met het Hoofdbureau van Politie in New York. Wij krijgen al hun berichten op de telex en zij die van ons. Verder zijn er twee aparte apparaten, een voor de stadsbussen en een voor de Serviceafdeling.'

De bezoekers zagen er slaperig uit. Prescott nam het hun niet kwalijk. Een ongeïnteresseerd spreker verdient ongeïnteresseerde luisteraars. Hij had deze voorstelling zo vaak gegeven dat hij er misselijk van werd. Als je dienst had op het bureau en te vaak met gasten werd opgescheept, dan leek het net of je helemaal geen politieagent was. Maar hij werd ervoor betaald. Dus, dacht hij met een inwendige zucht, laten we maar eens opdraven met de het-is-niet-waar-feiten.

'U wilt misschien wel wat achtergrondinformatie horen over de afdeling.' Hij wachtte even en in de stilte weerklonk het gestage en rustige klikken van de telex naar het Hoofdbureau van Politie. 'U weet misschien al dat de bezetting van de Vervoerspolitie ongeveer tweeëndertighonderd man bedraagt, ofwel iets meer dan tien procent van de totale bezetting van het hoofdbureau in New York. Dat lijkt misschien weinig, maar in feite behoren we tot de vijfentwintig grootste politiekorpsen in het hele land. We hebben een uitgestrekt gebied waarvoor we verantwoordelijk zijn: driehonderdtachtig kilometer spoorbaan, vierhonderdzesenzeventig stations, waarvan zo'n zestig procent ondergronds. Verbaast dat u?'

Geen van de twee mannen keek in het minst verbaasd, maar nu het van hen werd verwacht, kregen ze dat toch voor elkaar.

'In feite,' zei Prescott, 'zijn er tweehonderdvijfenzestig ondergrondse stations en honderddrieënzeventig bovengrondse...'

Hij wachtte en Maloney verraste hem. Met scherpe stem zei hij: 'Dat zijn er samen nog maar vierhonderdachtendertig. U zei dat er vierhonderdzesenzeventig waren.'

Prescott glimlachte inschikkelijk als tegen een oplettend leerling. 'Ik wilde er net aan toevoegen dat er nog achtendertig zogenaamde halfopen stations zijn: aan het oppervlak, maar tussen diepe zijwanden. Ik wil u niet te veel feiten geven...' Maar dat was precies wat hij wel wilde doen, hij wilde hen volstoppen met feiten, hen net zo verveeld maken als hij zelf was. 'Het zal u interesseren te weten dat het hoogste station van de ondergrondse op de hoek van Smith Street en de 9th Straat in Brooklyn ligt, negenentwintig meter van de straat tot aan de basis van de spoorbaan. Het diepste ondergrondse station daarentegen is aan de 191th Street en St Nicholas Avenue, zestig meter van straatoppervlak tot basis spoorbaan.'

Maloney zei: 'Wat je zegt.' Casey onderdrukte een geeuw.

'Grand Central,' zei Prescott alsof hij niets had gemerkt, 'is het drukste station langs de hele lijn wat passagiers betreft, met meer dan veertig miljoen ritten per jaar. Het drukste station wat treinen betreft is 4th Street West aan de IND-lijn: honderd treinen per uur in beide richtingen tijdens de spits.'

Maloney zei weer: 'Wat je zegt.' Casey gaapte nog een keer.

Prescott dacht wraakzuchtig: als hij zijn mond niet dichthoudt, ga ik hem vertellen hoeveel roltrappen er zijn. 'Er zijn zevenduizend wagons in dienst. O ja, en er zijn negenennegentig roltrappen. Welnu, dat alles, inclusief trappen, tussenverdiepingen enzovoorts, moet door tweeëndertighonderd politiemannen worden bewaakt, vierentwintig uur per dag. U weet waarschijnlijk dat er op ieder station en in iedere trein een agent aanwezig is, tussen acht uur 's avonds en vier uur 's morgens. Sinds de instelling van die bewakingsdienst hebben we de misdaad met zo'n zestig procent kunnen verminderen.'

Casey hield op met geeuwen en zei in verweer: 'In de ondergrondse in Boston hebben wij ook onze portie misdaad.'

'Maar toch zeker niet te vergelijken met die van u,' zei Maloney vriendelijk.

'Dank u,' zei Prescott. 'Net als de stadspolitie hebben wij te maken met berovingen, overvallen, vele vormen van geweldpleging, dronkenschap, ongevallen, ziekte, aanranders, oproerige jeugd – in feite iedere vorm van misdaad en ongeregeldheden die u maar kunt bedenken. En, al zeg ik het zelf, we behandelen die vakkundig. We zijn natuurlijk gewapend – zowel in als buiten dienst...'

Casey begon aan een nieuwe geeuw en de blik van Maloney dwaalde naar de klikkende telex. Prescott begreep de hint van Maloney. Hij voerde zijn bezoekers naar het apparaat. 'Hierop worden alle gesprekken die via de stadspolitie lopen vastgelegd.'

Maloney las vluchtig het bewegende vel papier. 'Er staan alleen maar gestolen auto's op.' Hij keek weer even. 'Oldsmobile uit 1950. Wie gaat er nu vandoor met een Oldsmobile uit 1950?'

Prescott besloot de Appèlafdeling over te slaan. 'En nu,' zei hij, 'gaan we naar Operaties, in feite het hart van het Centrale Zenuwstelsel.'

Het hart klopte maar heel lusteloos, merkte Prescott toen ze de grote ruimte betraden die door glazen wanden in een doolhof van vierkanten en rechthoeken was opgedeeld. Er was wel wat te doen, maar dat was routinewerk. Prescott leunde tegen de glazen wand die Operaties scheidde van Documentatie en liet het beeld op de bezoekers inwerken. Zoals te verwachten was, werd hun aandacht direct getrokken door de enorme plattegrond op de tegenoverliggende muur.

'Dat noemen we het Statusbord,' zei Prescott. 'U kunt er precies op zien waar iedereen die buitendienst heeft zich bevindt. De rode lichten stellen de agenten van de IRT voor en de gele zijn voor die van de BMT en IND. De patrouillerende manschappen staan voortdurend in contact met Operaties en omgekeerd. Vele manschappen op patrouille zijn uitgerust met radiotelefoons, die achthonderd dollar per stuk kosten, en alle anderen rapporteren ieder uur via de normale telefoon. Of vaker, als er iets bijzonders is.'

'Dat is mooi zo,' zei Maloney. 'Met al die kleuren.'

Maloney had het oog van een poëet. Het langwerpige bord was verdeeld in pasteltinten van geel, rood, oranje, blauw, groen die de verschillende sectoren in het systeem aangaven; de lichtjes die flikkerend veranderden, wanneer ze de verschuivende posities van de patrouillerende agenten aanduidden droegen daar hun eigen kleuren toe bij. Alles bij elkaar, moest Prescott toegeven, vormden ze een mooie constellatie.

Garber was de dienstdoend inspecteur in Operaties en omdat hij de belangrijkste man was van de afdeling gedroeg hij zich ook zo. Prescott stelde Maloney en Casey aan hem voor en Garber, donker van huid en met de schaduw van een zware baardgroei, gaf hen ongeduldig een hand en zei kortaf dat ze het logboek moesten tekenen.

Prescott zei: 'Deze heren zijn vrienden van de directeur. Héél goede vrienden.'

Garber gromde. Hij gaf geen krimp, dacht Prescott. Hij speelde de drukke, geplaagde, belangrijke politieman op wiens schouders de veiligheid van de burgers zwaar drukte en die het geen moer kon schelen al waren de bezoekers vrienden van Jezus Christus zelf. Nou ja.

Prescott zei tegen de bezoekers: 'Wilt u hierheen komen, heren?' Ze volgden hem gehoorzaam, maar zelfs Maloney begon tekenen te vertonen dat hij aandrang voelde om te geeuwen en beide paren listige oogjes zagen er vermoeid uit. 'Hier staan de bedieningspanelen, een voor ieder van de drie afdelingen in de ondergrondse. Ze worden bediend door een wachtmeester, geassisteerd door een agent van dienst en een radioman. U ziet dat hun panelen heel erg lijken op die welke u bij de Verkeersleiding hebt gezien. Als er een melding binnenkomt van een of ander voorval krabbelt de man achter dit paneel een bericht op een elektroschrijver, dat vervolgens op het paneel van de radioman leesbaar wordt. Deze roept op zijn beurt de dienstdoende agent op en verwijst hem naar de plaats van het voorval. Dit is een heel drukke afdeling, eh, gewoonlijk.'

Hij had het nog nooit zo doods gezien. Twee van de wachtmeesters zaten op hun ellebogen geleund te roken; een paar radiomannen zaten met elkaar te kletsen.

'U had hier gisteren moeten zijn,' zei Prescott. 'We hadden een bommelding en we draaiden op volle toeren.'

De IND-wachtmeester die had zitten luisteren zei behulpzaam: 'Een week geleden hadden we in een halfuur tijd drie steekpartijen, die overigens niets met elkaar te maken hadden.'

'Meestal is er van alles te doen.'

'Twee doden, drie gewonden waarvan één levensgevaarlijk. Die ene is nog niet buiten levensgevaar, dus uiteindelijk hebben we misschien nog een derde dooie.'

'Als u hierheen komt,' zei Prescott, 'achter deze glaswand hebben we de afdeling Documentatie. Alle activiteiten van de hele dag worden hier bijgehouden: dagvaardingen, arrestaties, verwondingen, alle voorvallen. Ze houden een arrestantenboek bij, net zoiets als het strafblad bij de politie –'

Achter hem hoorde hij Garber schreeuwen, zijn telefoon neersmijten en schreeuwen: 'Roberts, word wakker! Een of andere bende heeft een trein gekaapt in de A-afdeling. Ze zeggen dat ze gewapend zijn. Alles wat we op de Lexington Avenue-lijn hebben, moet naar de buurt van 28th Street!'

'Een ondergrondse trein gekaapt?' Het was de stem van Casey die ineens wakker was en die half verbaasd, half lachend klonk. 'Waarom zou iemand in hemelsnaam een ondergrondse trein willen kapen?'

'Waar komt die informatie vandaan?' vroeg Prescott aan Garber.

'De verkeersleider. Hij is aan het praten met de kapers in de cabine van de trein.'

'Heren,' zei Prescott tegen de bezoekers, 'de directeur verwacht u.' Hij voerde hen snel door het voorvertrek en drukte op de knop van de lift. Zodra de liftkooi er was, liet hij hen instappen, drukte op de knop voor de dertiende verdieping, rende naar de uitgang en vloog de trap op naar de Verkeersleiding op de volgende etage.

Ryder

Terwijl hij in de cabine wachtte totdat de verkeersleider weer aan de radio zou komen, besefte Ryder dat het grootste risico van de hele operatie – afgezien van de onzekerheid of de andere kant redelijk zou handelen of niet – gelegen was in het feit dat hij veel tijd in de cabine zou moeten doorbrengen. Dat betekende dat hij voor langere perioden niet persoonlijk het commando over zijn legertje kon voeren.

Het was lang geen ideaal leger. Longman was een lafaard, Welcome ongedisciplineerd, Steever betrouwbaar, maar hij had leiding nodig. Op de moed van twee van hen kon hij rekenen (Steever en Welcome), één had hersens (Longman), één was gedisciplineerd (Steever, en je kon Longman meerekenen als de zenuwen hem niet de baas werden). Er bleef nog veel te wensen over, maar zo was het in het verleden met al zijn commando's geweest. Het vreemdste was een compagnie Congolezen geweest. Ze kenden geen vrees en waren bereid om te sterven. Maar het ontbrak hen aan iedere redelijke basis. Je bleef leven of je ging dood, jawel, maar je pleegde geen zelfmoord. De Congolezen leken hem mensen die bereid waren gewoon voor hun plezier of om de opwinding te sterven. Arabieren waren ook tomeloos, maar die hadden tenminste nog een zekere mate van verbeeldingskracht en ze wisten – of dachten te weten – waarvoor ze stierven. De volmaakte soldaat, bedacht hij, zou een combinatie zijn van Longmans intelligentie, Steevers discipline en Welcomes daadkracht.

Zijn legertje bestond dus – afhankelijk van hoe je telde – ofwel uit drie onvolmaakte soldaten of uit één complete.

'Pelham One Two Three. Meld u, Pelham One Two Three.'

Ryder drukte op de zendknop. 'Hebt u een potlood klaar, verkeersleider?'

'Een fijn, scherp potlood. Ga je dicteren?'

'Ik wil dat u precies opschrijft wat ik u ga zeggen. Precies. Hebt u me verstaan?'

'Ik versta je, jij achterlijke klootzak. Je bent volledig gestoord, dat je zoiets probeert.'

Ryder zei: 'Ik ga u zeven punten opgeven. De eerste drie bevatten informatie; de rest geeft specifieke instructies. Ze zijn heel kort. Noteert u ze precies zoals ik ze opgeef. Punt één: Pelham One Two Three is geheel in onze macht. We zijn er volledig de baas over. Hebt u dat?'

'Wat zijn jullie voor lui? Terroristen?'

'Punt twee, verkeersleider: we zijn zwaar bewapend met volautomatische wapens. Bevestig.'

'Ik bevestig dat jij hartstikke gek bent. Dit krijg je nooit voor elkaar.'

'Geen commentaar dat er niets mee te maken heeft. Punt drie: we deinzen nergens voor terug en we menen het als we zeggen dat we er geen enkel bezwaar tegen hebben om mensen te doden. U moet ons serieus nemen. Bevestig dit.'

'Weet je dat je de hele oostlijn in de soep laat lopen?'

'Bevestiging.'

'Ga door. Laat de rest van die onzin maar eens horen.'

'Punt vier: u zult geen poging doen om de stroom weer in te schakelen, totdat wij u daartoe instructies geven.'

'O, mooi is dat!'

'Bevestig dit, verkeersleider.'

'Je kunt m'n kont likken!'

'Als u de stroom inschakelt,' zei Ryder, 'schieten wij een van de passagiers dood. En we zullen doorgaan met er elke minuut een neer te schieten, totdat de stroom weer is uitgeschakeld.'

'Lafbekken, de politie zal jullie binnen de kortste keren te pakken hebben.'

'Punt vijf,' zei Ryder, 'als iemand probeert tussenbeide te komen – politie, treinpersoneel, wie dan ook – schieten we de passagiers dood. Hebt u me begrepen?'

'Jullie zijn iets anders...'

'Punt zes: u neemt nu direct contact op met de burgemeester. Zeg hem dat we één miljoen dollar eisen voor het vrijlaten van de passagiers en de trein. Bevestig.'

'Droom maar lekker verder, klootzak.'

'Punt zeven: het is nu dertien minuten over twee. Het geld

moet over één uur in ons bezit zijn. De tijd gaat nu in. Het geld moet in ons bezit zijn niet later dan dertien minuten over drie. Als het er niet is, zullen we daarna voor iedere extra minuut een gijzelaar doodschieten. Hebt u dat, verkeersleider?'

'Ik heb het allemaal genoteerd, klerelijer. Maar als jij denkt dat ik er iets aan ga doen, ben je nog gekker dan ik dacht.'

Je ontwierp een strategie die gebaseerd was op de logische reactie van de andere kant, dacht Ryder, of anders kon je er beter niet aan beginnen. Maar uitgesproken stupiditeit kon je hele plan laten stranden. 'Luister naar me, verkeersleider. Ik wil dat u mij met de Vervoerspolitie doorverbindt. Ik herhaal: verbind me door met de Vervoerspolitie.'

'Hier is er eentje, gangster. Een smeris. Het beste ermee.'

Ryder wachtte en toen klonk er een nieuwe stem, een beetje buiten adem. 'Wat is hier allemaal aan de hand?'

'Identificeert u zich,' zei Ryder.

'Inspecteur Prescott, Vervoerspolitie. Identificeert u uzelf maar eens.'

'Ik ben de man die jullie trein heeft gestolen, inspecteur. Vraag de verkeersleider maar naar zijn notities. Maar laat het niet te lang duren.'

Terwijl hij wachtte, hoorde Ryder de ademhaling van de inspecteur. Toen: 'Prescott aan Pelham One Two Three. Ik heb het gelezen. Je spoort niet.'

'Goed dan, ik spoor niet. Is dat enige troost voor u? Is het een reden om me niet serieus te nemen?'

'Luister,' zei Prescott. 'Ik neem je serieus. Maar je kunt hier op geen enkele manier onderuit komen. Je zit onder de grond; je zit in een tunnel.'

'Inspecteur, kijk eens naar punt zeven. Om precies dertien minuten over drie beginnen we met de executie van de passagiers, iedere minuut één. Ik stel voor dat u direct contact met de burgemeester opneemt.'

'Ik ben inspecteur bij de Vervoerspolitie. Hoe kan ik me nou tot de burgemeester wenden?'

'Dat is uw probleem, inspecteur.'

'Oké. Ik zal het proberen. En laat iedereen met rust!'

'Breng onmiddellijk bericht aan mij uit nadat u contact met de burgemeester hebt gehad. Verdere instructies volgen dan. Over en sluiten.'

7

Centre Street 240

HOEWEL DE VERVOERSPOLITIE EEN DIRECTE verbinding met het Hoofdbureau van Politie heeft, dat oude, sombere gebouw aan Centre Street 240, werd de melding over de kaping van Pelham One Two Three daar doorgegeven op het alarmnummer 911. De dienstleider die de melding ontving, handelde niet zo omdat hij zijn neus optrok voor een tweederangs politiekorps of omdat hij strikt democratisch wilde handelen, maar hij volgde eenvoudigweg de normale procedure die ervoor was ingesteld om de computer van het hoofdbureau zo efficiënt en zo volledig mogelijk te laten werken.

Het bericht, compleet met informatie over de tijd van melding, plaats van het voorval en soort van alarm, werd in de computer getypt. Deze verrichtte in drie seconden zo'n vijfentwintig tot dertig handelingen en kwam tevoorschijn met een oproep voor de radiokamer.

Het kapen van een ondergrondse trein komt weliswaar niet iedere dag voor, maar de dienstleider die de melding behandelde, raakte er niet bijzonder door opgewonden. Als je met relletjes te maken had, met massamoorden en rampen van allerlei aard, dan klonk zo'n diefstal van een ondergrondse trein misschien wel een beetje buitenissig, maar hij werd er niet warm of koud van. De dienstleider volgde gewoon de voorgeschreven procedure.

In de oproep vond hij informatie welke van de tientallen patrouillewagens in ieder van de aangrenzende districten – het dertiende en het veertiende – beschikbaar waren. Hij riep de betreffende auto's op, de Boy 13 en de David 14, en droeg hen op informatie in te winnen over het gebeurde en het hem direct te melden. Afhankelijk van het rapport en hun beoordeling van de ernst van de situatie zou de afdeling Planning dan een passende politiemacht oproepen om zich ermee bezig te houden. Dat ging via een oplopende schaal van oproepen: bijvoorbeeld een 1041 (hoofdagent en tien manschappen), 1042 (hoofdagent en twintig manschappen), 1047 (acht hoofdagenten en veertig manschappen), inclusief hogere rangen.

In minder dan twee minuten meldde een van de patrouillewagens zich. 'David 14 aan Centrale. K.'

'Komt u maar,' zei de dienstleider. 'K.'

Maar terwijl de dienstleider het rapport van David 14 ontving vanaf de plaats van het misdrijf, werd er op hoger niveau nog een rapport doorgegeven. Inspecteur Prescott had zich in verbinding gesteld met hoofdinspecteur Costello van de Vervoerspolitie en die had op zijn beurt de hoofdinspecteur van de New Yorkse politie gebeld, die hij persoonlijk kende. De hoofdinspecteur was praktisch de deur van zijn kantoor al uit, op weg naar het vliegveld voor een belangrijke bespreking op het ministerie van Justitie in Washington. Hij gaf de zaak onmiddellijk over aan Planning en beval een uitgebreide mobilisatie van mankracht, waardoor er manschappen zouden worden aangetrokken van andere wijken, voornamelijk Brooklyn en de Bronx. Toen moest hij helaas toch naar het vliegveld.

Patrouillewagens uit het dertiende en veertiende district haastten zich naar het betreffende gebied om het verkeer te regelen en de toevoerwegen open te houden voor het politieverkeer dat naar de sector zou snellen via van tevoren vastgestelde naderingswegen. Zulke routes bestaan er voor ieder deel van de stad om snel manschappen en materiaal te kunnen aanvoeren.

Het Tactische Politiekorps rukte uit om de onvermijdelijke nieuwsgierigen op afstand te houden.

Een politiehelikopter steeg op.

De leden van de afdeling Speciale Operaties kregen materiaal uitgereikt: automatische geweren, machinepistolen, traangas, geweren met scherpschuttersvizieren, kogelwerende vesten, zoeklichten, megafoons. De meeste munitie zou .22 kaliber zijn, om het gevaar van ketsende kogels voor politie en publiek te beperken.

Een aantal 'grote vrachtwagens' (zo groot als een kleine vrachtwagen) en 'kleine wagens' (zo groot als een grote stationcar) haastten zich naar de plek van de misdaad. Deze voertuigen voeren een indrukwekkend arsenaal aan wapens, reddingsmateriaal, speciale werktuigen en instrumenten mee. In beide zijn sleutels aanwezig om de roosters waar de nooduitgangen van de ondergrondse op uitkomen open te maken. De grote vrachtwagens hebben generatoren.

Alle manschappen zouden in uniform zijn, met de mogelijke uitzondering van een klein aantal rechercheurs in burger die zich onopvallend tussen het publiek zouden bewegen. Bij grote operaties, die meestal bewust rommelig verlopen, worden rechercheurs maar spaarzaam ingezet en veilig op de achtergrond gehouden. Als het erom gaat spannen, en vooral als ze daarbij hun dienstwapen trekken, kunnen ze worden aangezien voor misdadigers.

De inspecteur die de leiding kreeg van de gehele operatie was de wijkcommandant. Zijn rang is assistent-hoofdinspecteur en zijn commando, dat bekend is onder de naam Manhattan South, omvat het hele gebied ten zuiden van 59th Street tot aan de Battery. Zijn hoofdkwartier, het wijkbureau, is gevestigd in de Politieacademie aan 21st Street East, niet veel meer dan tien minuten stevig doorstappen naar de plaats van de misdaad. Maar lopen deed hij niet. Hij liet zich er naartoe rijden in een onopvallende vierdeurswagen met chauffeur. Alles bij elkaar zouden er, op het hoogtepunt van de operatie, meer dan zevenhonderd politiemanschappen zijn ingeschakeld.

Welcome

Joe Welcome liet het Thompson-geweer nonchalant naast zijn rechterbeen bungelen en keek door het achterraam naar buiten. De tunnel lag er donker en verlaten bij, vol schaduwen. Het was een beetje spookachtig en het deed hem denken aan een kermis waar hij eens was geweest, 's avonds laat, nadat alles gesloten was. De stilte werkte op zijn zenuwen. Al zag hij maar een stuk papier rondwaaien of zelfs een van die ratten die volgens Longman in de tunnels huisden. Als hij een rat zag, kon hij er misschien op schieten. Dat zou tenminste actie zijn.

Hij was een schildwacht met niets om te bewaken en begon onrustig te worden. Toen ze de plannen beraamden voor dit grapje en Ryder de opdrachten verdeelde, had hij het belangrijk laten klinken: 'volledige verantwoordelijkheid voor de beveiliging van onze achterhoede'. Maar het begon stomvervelend te worden. Niet dat er vooraan zo veel eer viel te behalen – een stelletje schijters van slijmjurken bewaken – maar Steever had er tenminste wat lol aan beleefd om die stronteigenwijze Afro-Amerikaan zijn kop in te beuken.

Daarna waren de passagiers net engeltjes, ze bewogen zich nauwelijks. Longman en Steever hadden niets anders te doen dan daar maar te staan. Hij zou liever zien dat de passagiers wakker werden en iets probeerden uit te halen. Niet dat ze daar kans voor hadden. Ze zouden gehakt zijn voordat ze hun kont tien centimeter van hun zitplaats hadden. Daar zou Steever wel voor zorgen. Misschien zou Longman hen wel neermaaien. Misschien ook niet. Longman werd verondersteld hersens te hebben, maar hij was een rare vent en een lafbek. Steever had lef, maar hij had stront in plaats van hersens.

Hij keek naar dat mokkel met de laarzen en de gekke hoed. Zij leek wel te versieren. Haar benen had ze over elkaar geslagen en ze zat met één witgelaarsde voet te wippen. Hij volgde het been tot aan de blote dij, glad en rond, in een roze panty die er net uitzag als bloot vlees als je je ogen wat dichtkneep. En of ze dat wist! In gedachten volgde hij de rest van de weg naar boven, tussen de lijnen van de gekruiste benen, recht naar de plek waar het feest was – het plukje mooie, zwarte haar en een gleuf als een rechtopstaande mond. Voordat ze klaar waren met hun karwei zou hij als hij de kans kreeg dat lekkere wijf naaien. Joe, jij bent een maffe gangster!

Maf. Nou ja, hij had het zo vaak gehoord, misschien was het wel waar. Maar wat was er zo verkeerd aan maf zijn? Hij leefde op de manier die hij wilde en hij had zijn pleziertjes. Maf? Oké. Wie anders zou er nog aan neuken kunnen denken als je één miljoen dollar ging jatten? Het komende uur zou best eens hun laatste kunnen zijn. Waar anders zou een normale vent het laatst aan denken, behalve aan neuken? Hoe hij vooruit kon komen in de wereld zeker?

Hij keerde zich weer naar de tunnel. Niets. Een paar groene seinen in de verte, een paar blauwe lichten... stomvervelend. Waarom deed Ryder er zo lang over? Zelf hield hij van snelle actie: erin en eruit, niet blijven wachten, geen ingewikkelde dingen.

Ryder. Hij had het niet erg op Ryder, maar twee dingen moest je hem nageven: hij kon organiseren en hij had lef. Maar hij was een kouwe kikker. Bij de Organisatie, waar ze het ook altijd hadden over discipline, om nog maar te zwijgen over dat gezeik uit het moederland van *rispetto* – respect –, daar waren het tenminste geen kouwe kikkers. Zij waren zuiderlingen en je wist altijd hoe een zuiderling dacht. Als een zuiderling de pest in had, dan liet hij het je weten. Je hoefde geen psychologie te hebben gestudeerd om te begrijpen wat een serie snerpende Siciliaanse vloeken betekende. Ryder verhief nooit zijn stem.

Niet dat hij nou zo gek was op zuiderlingen; anders zou hij zijn naam niet hebben veranderd. Hij herinnerde zich nog hoe de rechter hem had gevraagd of hij wist dat Joseph Welcome een letterlijke vertaling was van Giuseppe Benvenuto. De mensen hadden hem er praktisch vanaf de dag dat hij geboren was mee gepest. De enige die het ooit op een aardige manier had gedaan, was juffrouw Linscomb geweest, vroeger op de middelbare school en die trut had zich later alsnog tegen hem gekeerd.

Juffrouw Linscomb, Latijn, die hem een nul op zijn rapport had gegeven. Wat een bak – Giuseppe Benvenuto, met zijn Latijnse afkomst, die het laagterecord in de geschiedenis van de school hield voor Latijn: een dikke, vette nul. Maar niemand wist waarom ze dat had gedaan. Op een middag had ze hem gevraagd na te blijven en hij had zin in haar gekregen. Ze liet hem zijn hand op haar tiet leggen en kuste hem met haar tong naar buiten, maar toen hij klaar begon te komen en zijn gulp openritste en probeerde zijn piemel in haar hand te duwen, had ze niet meer gedurfd. *Giuseppe! Hoe durf je! Kleed je direct fatsoenlijk aan!* En ze had zich van hem afgekeerd. Maar hij was niet te houden. Hij klemde zijn armen om haar middel en ramde van achteren tegen haar billen. Ze begon zich te verzetten, maar juist door het schuiven van haar harde billetjes tegen hem aan kwam hij binnen een halve minuut klaar. Alles over de achterkant van haar jurk!

Ze kon hem natuurlijk niet rapporteren zonder een heleboel uit te moeten leggen en daarom nam ze wraak met die nul voor

Latijn. Het verbaasde hem dat hij zich haar nog zo goed kon herinneren: een gewone, bleke, protestantse griet met kleine spitse tieten en geweldige benen en dat wiebelende achterwerk. Het kwam plotseling bij hem op, voor het eerst, dat ze misschien helemaal niet zo met haar billen had hoeven te draaien, dat ze zich zonder veel moeite had kunnen loswerken. Misschien was ze alleen maar woedend op hem geworden en had ze hem die nul gegeven omdat hij op haar jurk was klaargekomen?

Nou ja, het was te laat om daar nog iets aan te doen.

De jongens bij de Organisatie hadden hem opgepikt vanwege zijn naam; ze hadden oog voor dat soort gekke bijnamen en toen hij dus die ene keer in het nieuws was gekomen – voor een roofoverval waarvoor hij bij gebrek aan bewijs werd vrijgesproken – hadden de kranten over hem geschreven als 'Giuseppe (Joseph Welcome) Benvenuto'. Dat was een paar weken voordat hij die stunt uithaalde waarvoor hij eruit getrapt werd. De Organisatie had hem opgedragen een paar kerels in elkaar te beuken, maar in plaats daarvan had hij hen koud gemaakt. Wat maakte dat verdomme nou uit? Hij wilde alleen maar snel laten zien wat hij waard was, dat was alles. Maar ze hadden hem er mooi van langs gegeven. Niet dat ze een flikker gaven om die lui die hij had gedood, maar hij had de bevelen niet opgevolgd. Discipline. In plaats van toe te geven dat hij fout zat en te beloven dat hij voortaan een brave jongen zou zijn, had hij hun een grote bek gegeven en voordat hij het wist stond hij buiten. De zak van de maffia!

Ze hadden hem nooit meer lastiggevallen en dus was waarschijnlijk alles wat je hoorde vertellen dat iemand de Organisatie nooit anders verliet dan met zijn voeten vooruit. Gelul. Maar hij was er wel bang voor geweest en als zijn oom – Zio Jimmy, een belangrijke capo – er niet was geweest, was er misschien wel iets met hem gebeurd. De pot op met alle gangsters.

Hij had hen niet nodig. Hij had zelf zijn brood verdiend, zonder zijn handen vuil te maken met werken, en als dit karwei was geklaard, zou hij er honderdduizend dollar aan overhouden en dat was meer geld dan een heleboel jongens bij de Organisatie in tien jaar verdienden en vergeet de onzin maar die je in de kranten las.

Zijn ogen begonnen te tranen van al dat staren in die tunnel. Hij bette ze met het nylon masker en keek toen weer de verlaten spoorbaan af. Maar hij was niet verlaten. In de verte – hij kneep zijn ogen half dicht om beter te kunnen zien – in de verte liep er iemand over het ballastbed, recht op hem af.

Anita Lemoyne

Die machinepistolen waren angstaanjagend, maar Anita Lemoyne was er niet bang voor. Niemand zou haar iets doen; de anderen misschien, zoals die gozer met zijn grote bek, maar haar niet. Nu en dan kwam ze wel eens een vent tegen die ze niet kon opjutten, maar niet vaak. Zelfs wanneer een man niet direct op haar viel, werd hij toch verraden door dat half pondje vlees dat hij tussen zijn benen droeg. Die gangsters mochten er nog zo gevaarlijk uitzien, ze gingen vast geen gebruiksvoorwerp vernielen dat voor hen een zekere waarde had, al was het dan maar objectief. Daarom was ze niet bang, alleen maar geïrriteerd, want als deze rare zaak niet gauw afgelopen was, zou het haar geld gaan kosten. Ze zat er rustig bij – ze wist hoe ze een onbewogen gezicht moest trekken, net zo goed als ze wist hoe ze dat niet moest doen – maar inwendig begon ze de zenuwen te krijgen. Ze kon zich niet veroorloven om hier vast te blijven zitten in die verrekte ondergrondse, drie stations van haar bestemming vandaan, ook al was hij dan gekaapt. Die vent naar wie ze op weg was leverde haar honderdvijftig dollar op en hij hield er niet van als mensen te laat kwamen. Ze had het één keer meegemaakt dat hij een meisje een uitbrander gaf en zijn pruilerig kindermondje kronkelde als een worm toen hij tegen haar zei: 'Als wij in ons vak met fracties van een seconde kunnen werken, zie ik niet in waarom een hoer een kwartier te laat moet komen.' En hij had het meisje weggestuurd en nooit meer gebruikt.

Hij werkte bij de televisie en was een of andere belangrijke piet in de nieuwssector. Producent of regisseur of zoiets. Als je hem zo hoorde praten, was hij onmisbaar. Misschien was hij dat ook wel. In ieder geval leefde hij er wel naar: pandje aan 5th Avenue, vakantiehuisje in Southampton, boot, auto's en de rest. Hij hield er een paar rare opvattingen over seks op na, maar wie deed dat niet? En waarom zou ze niet doen wat iemand graag wilde? Als ze haar maar geen pijn deden – dat pikte ze niet – dan wilde ze met alle gekke spelletjes meespelen. Die televisiesnuiter had graag twee meisjes tegelijk – dat kwam vaker voor – en hij had een hele serie verzonnen van buitenmodelcombinaties en -permutaties, zoals hij ze noemde. Dat was haar om het even, maar ze had de laatste tijd wel het gevoel gekregen, door de dingen die hij het liefste deed, dat hij homo was zonder het zelf te weten. En als hij daar ooit achter kwam, zou hij de meisjes aan de kant zetten en zich een lief jongetje aanschaffen.

Maar zij ging hem dat niet aan zijn neus hangen zolang er tweeënhalf honderd per keer aan vast zat. Dat zou trouwens niet zo lang meer duren als ze niet als de sodemieter uit deze rotzooi vandaan kwam en binnen niet al te lange tijd op station Astor Place kwam. Ze zou niet alleen haar geld mislopen, maar Pruilmondje zou er geen rekening mee houden dat ze oog in oog had gestaan met een stelletje tuig met tommyguns. Hij zou haar een schop onder haar kont geven en haar er waarschijnlijk bij vertellen dat zij in de studio nog tot op de seconde op tijd werkten, al stonden ze met kanonnen voor de deur.

Haar voet, waarmee ze tot dan toe steeds maar ongeduldig had zitten wiebelen, hield plotseling stil. Zou ze een van die vier rotzakken kunnen lijmen om haar te laten gaan? Krankzinnig, maar hoe wist je dat als je het niet had geprobeerd? Had die ene die achteraan stond niet de hele tijd naar haar gekeken, al vanaf het moment dat ze instapte? En hij deed het nog steeds van zo'n vijftien, twintig meter afstand. Ze herinnerde zich nog hoe hij eruitzag voordat hij het masker voordeed: een zuiderling, zo'n zuiderling met suiker aan zijn pik, knap van gezicht. Ze kende het type: griezels, maar zo geil als wat. Oké, maar hoe moest ze dat aanleggen als hij een halve kilometer van haar vandaan stond? Een van de andere drie? Die lange – de aanvoerder – was er niet, die zat in de cabine van de machinist. De stoere of de zenuwachtige? Misschien, maar beiden hadden tot dusver nauwelijks naar haar gekeken. Maar ja, ze had er dan ook nog niet echt werk van gemaakt; ze had nog niet al haar registers opengetrokken.

De griezel begon plotseling te schreeuwen. Hij had de achterdeur opengegooid, zijn machinepistool door de opening gestoken en stond zijn longen uit zijn lijf te blèren.

Longman

Het eerste bloed.

Dat was de traditionele uitdrukking bij de spoorwegen wanneer een machinist voor het eerst iemand had doodgereden en Longman had die gebruikt – niet helemaal juist, besefte hij – voor Steever toen die die gozer met z'n grote bek voor zijn raap sloeg. Hij vermeed het naar het slachtoffer te kijken dat daar met een bebloede zakdoek zijn gezicht zat te betten, maar al zag hij het niet, hij moest er toch voortdurend aan denken en hij stond nog steeds niet al te vast op zijn benen. De klap die Steever zo rustig had uitgedeeld, had zijn eigen gevoel van verbazing weer opgeroepen.

Hij was toch niet gek, hoe had hij zich dan ooit kunnen laten bepraten door Ryder? Hoe had hij zich, bij zijn volle verstand, laten hypnotiseren?

Maar was het werkelijk zo gebeurd? Had hij gedwee achter Ryder aangelopen, tegen zijn eigen wil in? Zoals hij daar stond met in zijn gevoelloze handen het gewicht van het onwennige machinepistool, moest hij toegeven dat hij niet zo passief was geweest als hij had willen geloven. Hij had, in feite, bereidwillig meegewerkt. Hij had zichzelf voor de gek gehouden toen hij voorgaf dat het alleen maar een spelletje was, een grap in afleveringen om hen bezig te houden als ze iedere week hun biertje dronken na het uitkeringenbureau. Het kwam erop neer dat Ryder stilzwijgend had toegegeven dat de kaping mogelijk was, nu moesten ze nog uitzoeken of hij uitvoerbaar was. Daarom was het gepest en getreiter van Ryder helemaal serieus bedoeld geweest: het moest tot een beslissing leiden om het al of niet te doen en Longman wist dat. Waarom was hij dan helemaal meegegaan? Eén ding was zeker: hij was geïnteresseerd geraakt in Ryder en zijn verbeeldingskracht was door hem wakker gemaakt. Maar daarnaast had hij ook bij Ryder in de gunst willen komen, had hij in de ogen van Ryder competent en intelligent willen lijken. Tenslotte, zo had hij voor zichzelf uitgemaakt, was Ryder een geboren leider en hij was zelf een geboren volgeling, misschien zelfs een heldenvereerder.

Hij wist nog hoe verbaasd hij was geweest toen Ryder, de week nadat het onderwerp voor het eerst ter sprake kwam, er meteen weer over was begonnen.

'Ik heb eens nagedacht over die kaping in de ondergrondse. Het lijkt me godsonmogelijk.'

'Helemaal niet,' had Longman gezegd en hij besefte pas veel

later dat hij in het aas van Ryder had gehapt. 'Het is echt wel uit te voeren.'

Ryder begon hem vragen te stellen en Longman begon langzamerhand te erkennen hoe vaag het plan was dat hij had uitgewerkt. Ryder bezat een griezelige vaardigheid om zijn vingers op de zwakke plekken te leggen en Longman, die het als een uitdaging opvatte en die zich wilde bewijzen bij Ryder, spande zich in om met de antwoorden te komen. Ryder had hem er bijvoorbeeld op gewezen dat hij een strijdmacht van zowat dertig man nodig zou hebben om de passagiers in alle tien wagons in bedwang te houden. Longman had stomverbaasd beseft hoe onpraktisch hij op zo'n belangrijk punt was geweest, maar hij had bijna onmiddellijk een oplossing gevonden: koppel de eerste wagon los van de trein. Ryder had geknikt en gezegd: 'Ja, met een stuk of tien gijzelaars bereik je net zo veel als met honderd.' Maar hij had niet altijd zo gemakkelijk succes.

De week daarop bracht hij door met details te onderzoeken op zwakke punten en er de oplossingen voor uit te werken. Bij hun volgende ontmoeting kwam hij met zijn huiswerk tevoorschijn zonder dat Ryder hem ernaar vroeg. Ryder viel hem weer aan, zocht naar zwakke plekken, dwong hem zich te verdedigen. Ryder deed geen enkele poging hem te helpen met problemen oplossen of er verfijningen aan toevoegen; hij speelde eenvoudigweg advocaat van de duivel, een vervelende wesp die Longmans inventiviteit uitdaagde. Pas later, toen de technische problemen waren opgelost, begon Ryder eigen ideeën bij te dragen. Op een dag – het was zowat hun zesde of zevende ontmoeting al – zei Ryder: 'Mensen die weten wat ze willen, spelen het waarschijnlijk wel klaar om die trein te kapen, maar ik ben er niet zo zeker van dat ze weg zouden kunnen komen.'

'Ik geef toe dat het niet gemakkelijk is,' zei Longman langs zijn neus weg. 'Heel moeilijk zelfs.'

Ryder keek hem scherp aan en trok toen even met zijn

mondhoeken. Verder dan dat kwam hij nooit als hij glimlachte: 'Je hebt erover nagedacht.'

Longman grijnsde, maar bedacht toen plotseling: daarom heeft hij er eerder niet over willen praten. Hij wist dat ik die moeilijkheid zou voorzien en hij wilde me zoveel mogelijk tijd geven om het uit te werken.

'Nou, ja,' zei Longman. 'Ik heb er in mijn vrije tijd een paar minuten over nagedacht. Ik geloof dat ik weet hoe je het kunt klaarspelen.'

'Vertel,' zei Ryder.

Gretig en trots vertelde hij hem alles en toen hij klaar was, keek hij Ryder triomfantelijk aan.

'Nog een rondje,' riep Ryder tegen de ober. Toen zei hij tegen Longman: 'Laten we het doen.'

In een poging net zo nonchalant te klinken als Ryder zei Longman: 'Natuurlijk, waarom niet?' Maar hij had zich plotseling duizelig gevoeld en later zou hij zich herinneren dat hij datzelfde gevoel altijd had wanneer hij op het punt stond met een vrouw naar bed te gaan.

Toch had hij zich nog kunnen terugtrekken. Hij had alleen maar nee hoeven zeggen. Hij zou weliswaar Ryders achting hebben verloren, maar het zou verder geen gevolgen hebben gehad. Maar het ging niet alleen om Ryder. Het was alsof hij tegen zijn leven opzag als tegen een sombere, smerige, grauwe muur: eenzaamheid, het scharrelen voor zijn brood, het gemis aan een echte vriend, man of vrouw. Met zijn eenenveertig jaar kon hij nog wel werk krijgen, maar in het gunstigste geval zou dat een opeenvolging zijn van nietsbetekenende bediendebaantjes zonder vooruitzichten. Zo was zijn leven verlopen sinds hij bij de ondergrondse weg was en het kon alleen maar erger worden. Wat hem ten slotte waarschijnlijk deed besluiten deze laatste, wanhopige poging te wagen om zijn levensomstandigheden te verbeteren, was de bittere herinnering aan een periode toen hij portier in een flatgebouw was geweest. Hij had deuren opengehouden voor mensen die hem nooit echt zagen, ook al verwaardigden sommigen zich hem te groeten; hij was naar buiten gespurt, de regen in, om fluitend taxi's te sommeren; hij had stevige matrones van hun pakjes ontlast; had honden uitgelaten voor bewoners die een dag weg waren of die eenvoudig niet naar buiten wilden met slecht weer; had ruziegemaakt met brutale koeriers; zatlappen naar buiten gewerkt die binnen waren gekomen om zich te warmen; glimlachend en buigend en aan de klep van zijn pet tikkend. Een mislukkeling, een bediende in een bruin apenpakkie.

Het was een herinnering die hem helder voor de geest stond en die hem op de been had gehouden in die maanden van voorbereiding, al had hij nooit het gevoel kwijt kunnen raken van een man die zich aan een kritieke operatie moet onderwerpen waarbij de kans dat hij het er levend van afbrengt even groot is als die om te sterven...

De stem van Joe Welcome brak de stilte in stukken, even angstwekkend als een plotselinge gewelddaad. Longman voelde dat hij onder zijn masker verbleekte. Aan de andere kant van de wagon had Welcome zich schrapgezet in de deur en hij stond de tunnel in te schreeuwen. Longman wist, was er zeker van dat Welcome zou schieten en dat er iemand, wie daar ook in die tunnel liep, zou sterven. Zo werd het schieten zelf bijna tot een anticlimax. Voordat de echo's waren weggestorven, stond Longman als een gek op de deur van de cabine te bonken.

Caz Dolowicz

Als een sombere rattenvanger van Hamelen stond de conducteur aan het hoofd van een rij passagiers die zich tot ver achter in de duisternis uitstrekte. Het was koel in de tunnel en het tochtte er, maar de conducteur stond te zweten, zijn bleke huid was roodgevlekt en over zijn voorhoofd liepen zorgelijke lijnen.

Dolowicz schreeuwde: 'Het kan me geen barst schelen, al waren ze met kanonnen gewapend.' Zijn stem weerkaatste tegen de wanden. 'Jij mag niet zonder toestemming de trein verlaten.'

'Ze dwongen me. Ik had geen keus.'

'Net als de kapitein die zijn schip verlaat, dat is precies hetzelfde.' Terwijl Dolowicz het verhaal van de conducteur aanhoorde, nam de druk op zijn borst snel toe en er kwam een nieuwe pijn bij in zijn hoofd en zijn maag, alsof iedere nieuwe ramp – het ontkoppelen van de trein, het wegrijden van de eerste wagon, het intimideren van de passagiers en de bemanning, het uitschakelen van de stroom – een eigen reactie opriep in een verschillend orgaan.

'Ze zeiden dat ze me zouden doodschieten...' De conducteur raakte zijn stem kwijt en keerde zich naar de passagiers als om daar bevestiging af te smeken. 'Ze hadden machinepistolen!'

Verschillende passagiers knikten somber en ergens achter uit de onregelmatige rij riep een stem: 'Laten we opschieten, laten we zorgen dat we uit deze rotzooi komen.' Andere stemmen namen dat refrein over en Dolowicz besefte dat er gevaar voor paniek bestond.

'Goed,' zei hij tegen de conducteur. 'Goed, Carmody. Je heet toch Carmody? Zorg dat je deze passagiers direct naar het perron brengt. Er staat een trein in het station. Vertel via de radio aan de Verkeersleiding wat je mij net hebt verteld. Zeg ze dat ik op weg ben om een onderzoek in te stellen.'

'Gaat u dáár naartoe?'

Dolowicz duwde de conducteur opzij en begon langs de spoorlijn te lopen. De rij van passagiers strekte zich verder uit dan hij had verwacht, het moesten er zowat tweehonderd zijn.

Ze riepen hem toe toen hij hen voorbijliep, klaagden over hun onderbroken reis, dreigden de stad een proces aan te doen, eisten hun geld terug. Een paar waarschuwden hem voorzichtig te zijn.

'Blijven lopen, mensen,' zei Dolowicz. 'Er is geen gevaar. De conducteur brengt u terug naar het station, het is niet zo ver. In beweging blijven, mensen, doorlopen maar, maakt u zich geen zorgen.'

Toen hij de laatste passagiers achter zich had gelaten, kon Dolowicz wat sneller opschieten. Zijn woede kwam weer op toen hij de negen wagons zag staan die afgekoppeld waren. Hun logge vormen, die maar half leefden bij de zwakke noodverlichting, stonden daar doelloos te staan. Een gasophoping drukte tegen zijn hart en bezorgde hem even een felle pijn. Hij concentreerde zich op een boer en zag kans er een halverwege zijn luchtpijp te brengen. Hij voelde zich wat beter, of dacht in elk geval dat hij zich beter voelde. Hij plooide zijn lippen en trok zijn buikspieren in, maar het hielp niet. De pijn kwam weer terug.

Hij ploeterde koppig verder met zijn hoofd naar beneden totdat hij, een honderd meter verder, opkeek en de zwakke verlichting in de eerste wagon van Pelham One Two Three zag. Hij zette een drafje in, maar moest bijna meteen weer normaal gaan lopen. Toen hij dichterbij kwam, zag hij dat de achterste kopdeur open was en dat er een man in stond, net een uitgeknipt silhouet. Hij bedacht dat hij voorzichtig zou moeten naderen, maar de waarschuwing flitste voorbij en maakte plaats voor een kille woede. Klootzakken! Waagden het om met hun vuile fikken aan zíjn trein te komen! Hij bleef lopen en masseerde ondertussen zijn linkerborst om de pijn te verlichten of het gas los te werken.

Vanuit de opening van de wagon klonk een stem door de tunnel: 'Blijf waar je bent, kerel.'

De stem klonk luid en de echo van de tunnelwanden vervormde de akoestiek. Dolowicz bleef stokstijf staan, niet uit gehoorzaamheid maar van dolle woede. Naar adem snakkend brulde hij: 'Wie denk jij godverdomme dat je bent om hier bevelen uit te delen?'

'Ik zei dat je daar moest blijven.'

'Ik heb schijt aan je,' schreeuwde Dolowicz. 'Ik ben de chef en ik kom aan boord.' Hij begon weer te lopen.

'Ik heb je gewaarschuwd om daar te blijven.' De stem klonk nu als een schreeuw met een dreiging van geweld.

Dolowicz wuifde afwerend met zijn hand.

'Ik heb je gewaarschuwd, stommeling!' Het klonk als een gil.

Dolowicz keek van een afstand van een meter of vijf naar hem op en op hetzelfde moment dat hij besefte dat de man iets in zijn richting stak zag hij de felle vlam, verblindend als zonlicht, en voelde hij een bijtende, intense pijn over de breedte van zijn maag. Nog één bewuste gedachte had hij, een opwelling van woede over deze nieuwe belediging die hij nog boven op zijn indigestie te verdragen kreeg.

De stotterende uitbarsting van het wapen, die in steeds herhaalde echo's van de wanden weerkaatste, hoorde hij allang niet meer. Hij was dood toen hij nog twee stappen achteruit wankelde, naar links tuimelde en over de gladgeschuurde rail ineenzeeg.

8

Artis James

STATIONSAGENT ARTIS JAMES WAS BUITEN op straat, juister gezegd: in de hal van een kantoorgebouw niet ver van station 28th Street. Hij was daar naartoe gegaan met het smoesje dat hij een pakje sigaretten ging kopen, maar hij probeerde eigenlijk zijn snor te drukken. Hij had behoefte aan een kletspraatje met Abe Rosen, die een sigarenkiosk in het gebouw had.

Artis James en Abe Rosen waren bevriend geraakt, aangetrokken door wederzijdse tegenstellingen, en hun vriendschap hield stand op een dieet van pesterijtjes, gebaseerd op met zorg afgewogen scheldwoorden over hun wederzijdse ras. Ze zagen altijd kans om het net niet tot grove belediging te laten komen.

Deze dag wisselden ze een kwartier lang milde beledigingen uit, zoals gewoonlijk, en toen nam Artis afscheid.

'Tot morgen, gannef,' zei Artis.

'Tot kijk, lelijkerd.'

Artis liep naar buiten het zonlicht in. Toen hij de stationstrappen afliep, kwam het niet bij hem op om het feit te betreuren dat hij de buitenlucht zou verlaten voor zolang zijn diensttijd duurde. De ondergrondse was zijn element, net als de wolken dat waren voor een piloot en de zee voor een zeeman. Hij was al bijna de poort door, met een groet naar de loketbediende, toen hij zich bedacht dat hij zijn radio had uitgezet. Hij schakelde hem in en er kwam bijna meteen een oproep door. Hij schraapte zijn keel en bevestigde de ontvangst.

'Waar heb jij verdomme gezeten?'

'Het spijt me, wachtmeester, ik had een oudje.'

'Dat is geen excuus om je radio uit te zetten.'

'Ik moest dat oudje in een taxi helpen,' zei James, glad van tong. 'Ze was echt heel oud en zo zwak dat ik haar bijna niet kon verstaan. Toen ik haar in de taxi zette, moest ik haar adres vragen en om haar te kunnen horen, moest ik de radio uitzetten.'

'Mooi verhaal. Maar goed, laat maar. Waar zit je nou?'

'28th, perron zuidelijke richting. Wil er net naartoe gaan.'

'Ga daar helpen de orde te handhaven. Er komt versterking aan. Druk op het perron?'

Artis zag een trein met gesloten deuren aan het perron staan. Aan de buitenkant stonden wat mensen met hun vuisten op de deuren en ramen te bonzen.

'Ik kan het wel aan,' zei Artis. 'Wat is er aan de hand?'

Even was het stil, toen zei de wachtmeester: 'Luister, hou je smoel strak. Er is een trein gekaapt. Kijk normaal. Er is hulp onderweg. Handhaaf de orde op het perron en zeg niet al te veel. Over en sluiten.'

Zodra Artis op het perron verscheen, werd hij omringd door passagiers die eisten dat de trein zijn deuren voor hen zou openen.

'Klein technisch probleempje,' zei Artis. 'Rustig blijven. We hebben het zo voor elkaar.'

'Wat voor technisch probleempje?' 'Is er iemand gewond?' 'Ze moesten die verrekte burgemeester voor het gerecht slepen.'

'Kalm nou, allemaal,' zei Artis. 'Een beetje geduld en –'

Aan de zuidkant van het station zag hij een hele pluk van mensen vanaf het ballastbed op het perron klimmen. Hij liet de passagiers in de steek en haastte zich er naartoe. Een stuk of zes mensen begonnen in schrille opwinding door elkaar te praten. Terwijl hij hen probeerde te kalmeren, zag hij aan het einde van het perron een jonge conducteur.

'De trein is gekaapt!' zei de conducteur schel. 'Waarschuw iemand! Gewapende mannen met machinegeweren –'

Artis hief zijn hand om het hysterische gepraat van de conducteur te stoppen. Hij verschoof de radio langs zijn schouderriem en hield hem bij zijn mond. 'Stationsagent Artis James roept de Centrale op. Stationsagent Artis James roept de Centrale.'

'We horen je, agent James.'

'Er komen zeker zo'n honderd passagiers van de rails af.'

De passagiers die hadden staan wachten tot de trein zijn deuren zou openen, drongen om hem heen en vermengden zich met de mensen die in de gekaapte trein hadden gezeten. 'Onmogelijk om het stil te houden. Ze maken me af als ik over een technisch mankement blijf zeiken. Kun je het niet laten omroepen?'

'Het Communicatiecentrum komt over een paar minuten met een mededeling. Hou ze maar rustig en zie iedereen van de zuidkant van het perron weg te krijgen.'

De conducteur stond tegen hem te schreeuwen: '...de spoorbaan af! Ik heb hem nog gewaarschuwd, maar –'

'Wacht even,' zei Artis in de radio en toen tegen de conducteur: 'Zeg dat nog eens.'

'De stationschef van Grand Central liep de spoorbaan af. Naar de trein.'

'Wachtmeester, de conducteur zegt dat een man die hij beschrijft als de stationschef van Grand Central de spoorbaan afgelopen is. Wacht even... Hoe lang geleden was dat, conducteur?'

'Dat weet ik niet,' zei de conducteur. 'Een paar minuten denk ik.'

De passagiers begonnen door elkaar te praten; sommigen waren het er niet mee eens, anderen bevestigden de schatting van de conducteur. 'Kalm aan,' zei Artis. 'Maak niet zo'n herrie.' Hij sprak in de radio. 'Een paar minuten geleden. Over.'

'Verdomme. Hij is hartstikke gek. Luister, James, je kunt hem beter achterna gaan. Probeer hem in te halen en terug te brengen. Schiet op, maar zorg ervoor dat je niet in contact komt met de misdadigers en doe zo voorzichtig mogelijk. Ik herhaal: doe zo voorzichtig mogelijk. Bevestigen.'

'Ik ga nu. Over en sluiten.'

Artis James was één keer eerder in diensttijd op het ballastbed geweest. Met een andere agent had hij achter drie jongens aangezeten die een portemonnee hadden gerold en er over de rails mee vandoor waren gegaan. De achtervolging was opwindend geweest en hij had zich gesteund gevoeld door zijn partner. De treinen waren natuurlijk door blijven lopen en dat gevaar had de opwinding alleen nog maar verhoogd. Uiteindelijk hadden ze de drie jongens met hun revolver in bedwang gekregen net toen ze probeerden een nooduitgang te forceren. Ze hadden hen bevend van angst teruggevoerd naar het station.

Maar hier was niet veel aan. De donkere tunnel was behekst met schaduwen en hoewel er geen gevaar bestond van lopende treinen, was hij op weg naar een bende zwaarbewapende misdadigers. En hoeveel hulp er dan ook onderweg mocht zijn, op dit moment was hij op zichzelf aangewezen. Het viel hem in dat als hij nog een paar minuten langer met Abe Rosen had staan kletsen, een andere gelukkige smeris dit baantje had kunnen krijgen. Maar hij schaamde zich over die ingeving en bij de gedachte aan de stationschef die zich in een dodelijk gevaar stortte, begon hij sneller te lopen. Voorbij de spookachtige, afgekoppelde wagons van Pelham One Two Three die bewegingloos op de rails stonden, begon hij te rennen met lange, verende stappen, geluidloos neerkomend op zijn tenen en de ballen van zijn voeten.

Hij hijgde toen hij de lichten van de eerste wagon van Pelham One Two Three in zicht kreeg. Even later kon hij een eind voor hem uit op de rails een vage gestalte onderscheiden. Hij begon weer te rennen, voorovergebogen om zich kleiner te maken, en vóór hem herkende hij nu duidelijk de logge gestalte van de stationschef. Plotseling klonken er stemmen in de tunnel, boos galmend. Hij bleef lopen, alleen nu nog voorzichtiger dan voorheen. Hij werkte zich naar voren van pilaar naar pilaar, iedere keer even dekking zoekend voordat hij weer verderging.

Hij stond achter een pilaar, zo'n twintig, vijfentwintig meter van de wagon, toen er een stotterend salvo door de tunnel galmde, zichzelf herhalend als in een echoput. Het vuur verblindde hem, zijn hart hamerde en hij perste zich tegen het metaal van de pilaar aan.

Het duurde wel bijna een minuut voordat hij het waagde om om de pilaar heen te kijken. Bij de achterkant van de wagon hing een lichte mist. Verschillende figuren keken door de tussendeur naar buiten. De stationschef lag languit op de spoorbaan. Hij dacht er heel even aan te proberen terug te trekken naar een veiliger plek, maar het gevaar om gezien te worden was te groot. In plaats daarvan draaide hij eerst de geluidsterkte van zijn radio terug, maakte het apparaat los en riep fluisterend de Centrale op.

'Verdomme, praat eens wat harder, ik kan je haast niet verstaan.'

Fluisterend legde hij uit waarom hij moest fluisteren en beschreef toen het neerschieten van de stationschef.

'Is hij dood denk je?'

Hij spande zich in om de stem van de wachtmeester te verstaan. Deze klonk onbewogen; hij verzamelde feiten. 'Hij ligt daar,' zei Artis, 'en ze hebben hem neergeschoten met een machinepistool, dus dan zal hij wel dood zijn.'

'Weet je het zeker?'

'Kan niet anders,' zei Artis. 'Wil je dat ik er naartoe ga om zijn pols te voelen?'

'Hou je gedeisd. Ga terug naar het station en wacht verdere instructies af.'

'Dat is het 'm nou juist,' fluisterde Artis dringend. 'Als ik me beweeg, kunnen ze me zien.'

'O. Blijf dan waar je bent tot er hulp komt. Maar onderneem niets, helemaal niets, zonder nadrukkelijke instructies. Bevestig dat.'

'Ik heb het gehoord. Blijven waar ik ben, geen actie ondernemen. Ja?'

'Oké. Over en sluiten.'

Ryder

Een dode soldaat, dacht Ryder terwijl hij door de achterdeur tuurde, er is aan de andere kant iemand gesneuveld. Het lichaam kon net zo goed een dikke pop zijn, staaroogjes stijf dicht, dikke handjes tegen de buik gedrukt waaruit rood zaagsel stroomde. Het hoofd lag over een rail heen en het groene licht van een seinlicht speelde over een naar boven gekeerde wang.

'Ik heb hem koud gemaakt,' zei Joe Welcome. Door de spleten in zijn masker gloeiden zijn ogen. 'De rotzak bleef maar doorlopen nadat ik hem had gewaarschuwd. Ik gaf hem de volle laag, recht in zijn buik.'

Ryder keek gespannen naar het lichaam. Bijna bij zichzelf zei hij: 'Hij is dood', en hij sprak uit lange ervaring.

'Zeker weten,' zei Welcome. 'Vijf, zes kogels recht in de roos.'

Ryder keek de rails af, langs het lijk heen – dat telde al niet meer mee; het vormde geen bedreiging meer, als het dat al ooit had gedaan. Hij zag de spoorbaan, de glimmende rails, de vuile muren, de pilaren waar iemand achter verborgen zou kunnen zitten. Niets bewoog, in de tunnel hing alleen de weer tot rust gekomen duisternis, hier en daar onderbroken door de heldere seinen, de lichten die de telefoons aangaven, de stroomkasten, de nooduitgangen.

'Ik ben met de actie begonnen,' zei Welcome. Hij ademde kort en oppervlakkig en het nylon werd telkens zijn mond in gezogen en bolde dan weer naar buiten. 'Ik heb de score geopend.'

Hij was helemaal opgewonden, dacht Ryder, zijn bloedmengsel was krachtiger geworden door het doden. 'Zeg tegen Steever dat hij naar achteren komt. Ik wil dat jij met Steever ruilt.'

'Waarom?' vroeg Welcome. 'Waarom verander je nu de plannen?'

'De passagiers weten dat jij er een hebt gedood. Ze zullen wat gemakkelijker aan te pakken zijn, omdat ze door jou geïntimideerd zullen zijn.'

Het nylon van Welcome verstrakte over een onzichtbare glimlach. 'Als je het maar weet.'

'Overdrijf niet,' zei Ryder toen Welcome de wagon in liep. 'Doe kalm aan, ze zullen zich wel netjes gedragen.'

Ryder richtte zijn blik weer op de tunnel. Steever verscheen achter hem en wachtte zwijgend tot hij iets zou zeggen.

'Neem jij het hier achter over,' zei Ryder. 'Ik wil Welcome dichter bij mij in de buurt hebben, dan kan ik een oogje op hem houden.'

Steever knikte en tuurde over zijn schouder naar de rails. 'Dood?'

'Misschien was het nodig. Ik heb het niet gezien. Maar zijn

vingers kunnen niet van de trekker afblijven.' Ryder gebaarde met zijn hoofd naar het voorste deel van de wagon. 'Die man die bloedt, heb jij die geraakt?'

'Ik moest wel,' zei Steever. 'Zal hij de mensen niet zenuwachtig maken, Welcome bedoel ik?'

'Ik ga met hen praten.'

'Gaat alles goed?' vroeg Steever.

'Op schema. Ik heb van tevoren al gezegd dat het in het begin langzaam zou gaan. Ze zijn daar aan de andere kant nog steeds beduusd. Maar ze komen er wel bovenop en dan gaan ze helemaal met ons mee.'

Steever knikte, tevredengesteld. Hij was een eenvoudig man, dacht Ryder, een goede soldaat. Alles liep naar wens of het liep niet naar wens, maar hij bleef hoe dan ook zijn opdracht uitvoeren. Hij vroeg geen garanties. Hij nam een risico en hij zou iedere afloop accepteren, niet omdat hij een gokker was, maar omdat zijn ongecompliceerde verstand precies wist waar het om ging bij dit werk. Je bleef leven of je ging dood.

Ryder liep naar voren. Tegen de middenpaal waar Steever had gestaan, stond Welcome nu met zijn voeten een eind uit elkaar. De passagiers deden hun best zoveel mogelijk de andere kant op te kijken. Longman stond in de hoek die werd gevormd door de kopdeur en de voorste rand van de cabinedeur en hij leek te zijn gekrompen. Het schieten had hem doodsbang gemaakt. Hij was waarschijnlijk zelfs bijna in paniek toen hij tijdens de schietpartij op de deur van de cabine stond te bonzen. Ryder had de schoten zelf ook gehoord, gedempt door de isolatie van de cabine, maar hij had er geen acht op geslagen, evenmin als op het bonzen van Longman, zolang hij zijn gesprek met de Verkeersleiding niet had beëindigd. Toen hij uit de cabine stapte en Longman aankeek, had hij direct gezien hoe het met hem stond. Het was verbazend hoe goed je een gezichtsuitdrukking door het nylon heen als het ware kon aanvoelen.

Hij ging links van Welcome staan en viel met de deur in huis: 'Een paar van jullie hebben om informatie gevraagd.' Hij zweeg en zag hoe de passagiers zich naar hem omdraaiden, sommige attent, andere verrast of bevreesd. 'De belangrijkste informatie is deze: jullie zijn gijzelaars.'

Hier en daar klonk gekreun en een onderdrukte gil van de moeder van de twee jongens, maar de meeste passagiers accepteerden het nieuws gelaten. Een paar mensen wisselden vragende blikken uit, alsof ze elkaar om raad vroegen nu ze niet zeker wisten hoe te reageren. Alleen de Afro-Amerikaan en de hippie leken onaangedaan. Het rechteroog van de man, dat om de rand van zijn bebloede zakdoek keek, had een starende, gedisciplineerde uitdrukking. De hippie zat verzaligd glimlachend naar zijn wiebelende tenen te kijken.

'Een gijzelaar,' zei Ryder, 'is een soort tijdelijke verzekering. Als wij krijgen wat we vragen, worden jullie ongedeerd vrijgelaten. Tot het zover is doen jullie precies wat wij zeggen.'

De zwierig geklede oude man zei met rustige stem: 'En als u niet krijgt wat u vraagt?'

De overige passagiers keken de andere kant op, alsof ze er niets mee te maken wensten te hebben. Hij had de vraag gesteld waarop niemand het antwoord wenste te horen. Ryder zei: 'We verwachten het te krijgen.'

'Wat vragen jullie?' vroeg de oude man. 'Geld?'

Welcome zei: 'Genoeg gekletst, ouwe. Hou je kop.'

'Wat zou het anders zijn?' zei Ryder tegen de oude man en onder zijn masker flitste even een glimlach.

'Geld dus.' De oude man knikte alsof hij de bevestiging hoorde van wat hij altijd al had gedacht. 'En als u het geld niet krijgt?'

Welcome zei: 'Ik kan hier een eind aan maken, ouwe vent, ik kan een kogel recht door je waffel jagen.'

De oude man bekeek hem eens goed. 'Vriend, ik stel enkel een paar verstandige vragen. We zijn toch redelijke mensen, waar of niet?' Hij keerde zich weer naar Ryder. 'Als u het geld niet krijgt, gaat u ons dan doodschieten?'

'We krijgen dat geld heus wel,' zei Ryder. 'Het enige waarmee u allen rekening dient te houden, is dat we niet zullen aarzelen te schieten als u probeert iets uit te halen. Denk daaraan.'

'Goed dan,' zei de oude man. 'Luister, onder ons gezegd, gewoon uit nieuwsgierigheid, hoeveel vraagt u eigenlijk? Kunt u niet een tipje van die sluier oplichten?' De oude man keek om zich heen, maar niemand vond het grappig; alleen hij lachte.

Ryder liep door het middenpad naar voren. Longman ging voor hem staan.

'Achteruit,' zei Ryder. 'Je staat in de vuurlijn.'

Longman schuifelde opzij, stak toen zijn hoofd naar voren en fluisterde: 'Ik geloof dat we daar een smeris hebben zitten.'

'Waarom denk je dat? Wie dan?'

'Kijk zelf maar. Heb je ooit iemand gezien die er zó als een politieman uitzag?'

Ryder zag hem ook. Hij zat naast de hippie, een omvangrijke logge man met een onverstoorbaar gezicht en dat soort gezetheid dat geen slapte betekent, maar kracht. Hij had een tweed jasje aan, droeg gemakkelijke schoenen, een gekreukeld hemd en een gevlekte ribfluwelen das. Niet direct onberispelijk gekleed, maar dat zei niets: het kon niemand iets schelen hoe een rechercheur zich kleedde.

'Laten we hem fouilleren,' fluisterde Longman. 'Als het een smeris is en hij heeft een pistool...' Zijn gefluister stierf weg in een schor geknerp.

Toen ze weken geleden de vraag hadden besproken over het fouilleren van passagiers, hadden ze besloten het niet te doen. De kans dat er iemand een pistool bij zich zou hebben, was gering en alleen een idioot zou proberen het te gebruiken tegen zo'n enorme overmacht. Er was meer kans op messen, maar die vormden geen bedreiging.

De man zag er onmiskenbaar uit als een ervaren rechercheur. 'Goed,' zei Ryder tegen Longman. 'Geef me dekking.'

De passagiers trokken overdreven ijverig hun voeten weg en deinsden van hem terug toen hij door het middenpad liep.

Hij hield voor de man stil. 'Ga staan.'

Langzaam kwam de man overeind, terwijl hij gespannen naar Ryders gezicht omhoogkeek. Naast hem zat de hippie zich vol overgave onder zijn poncho te krabben.

Tom Berry

Tom Berry ving het woord 'fouilleren' op, een vakterm die tot hem doordrong, terwijl een ander woord hem misschien zou zijn ontgaan. De lange vent, de leider, leek hem nauwkeurig op te nemen en een voorstel van de fluisteraar kort te overwegen. Hij voelde zich warm worden. Op de een of andere manier hadden ze hem in de gaten gekregen. De zware Smith & Wesson .38, met zijn lompe loop van vijf centimeter, zat stevig achter zijn riem en hij voelde het gewicht tegen zijn blote huid onder de beschermende poncho. En wat zou hij eraan gaan doen?

De vraag was dringend, de mogelijkheden gemakkelijk te overzien. Door je training en je instelling en je eed was je revolver iets heiligs geworden en je mocht niemand toestaan je die af te nemen. Je verdedigde hem alsof hij je leven was; hij wás je leven. Die revolver gaf je dus nooit uit handen, tenzij je zo'n lafaard was die ten koste van alles in leven wilde blijven. Goed, zo'n lafaard was hij dus. Hij zou toelaten dat ze zijn revolver en zijn penning vonden en ze beide afnamen, zonder zelfs maar een spier te spannen om zijn, eh, eer te verdedigen. Misschien zouden ze hem aftuigen, maar veel meer zouden ze niet doen. Het had geen zin om hem te doden als hij eenmaal ontwapend was. Een smeris zonder revolver vormde geen bedreiging, alleen maar iemand om uit te lachen.

Laat ze maar lachen. Het zou een beetje pijn doen, net als de minachting van zijn collega's, maar het zou niet dodelijk zijn. Minachting en uitlachen veroorzaakten wonden die door de tijd werden genezen.

En zo had hij dus wederom, standvastig in zijn principes, de schande verkozen boven de dood. Deedee zou het zo natuurlijk niet zien. Ze zou er misschien om een aantal redenen wel blij om zijn, waaronder, hoopte hij, ook de apolitieke reden dat ze erg veel om hem gaf. De mening van het korps in het algemeen en zijn districtscommandant in het bijzonder zou ondubbelzinnig zijn. Met algemene stemmen zouden ze hem liever dood zien dan onteerd.

Maar toen kwam de leider van de kapers op hem af en ineens hadden zijn aangeleerde reflexen – training, africhting, hersenspoeling, hoe je ze ook wilde noemen – lak aan zijn gezonde verstand en werd hij op en top een smeris. Hij liet zijn hand onder zijn poncho glijden en begon zich te krabben, waarbij hij zijn hand behoedzaam over zijn buik bewoog totdat de vingers de harde, houten greep van de .38 tegenkwamen. De leider torende boven hem uit, zijn stem klonk zowel onpersoonlijk als dreigend. 'Ga staan.'

Berry's vingers hadden het wapen al vast toen de man die links van hem zat opstond. En zo, terwijl hij langzaam zijn revolver losliet, wist Berry nog niet – en hoefde hij zich daar ook niet meer druk om te maken – of hij zijn revolver nou zou hebben getrokken of niet. Zijn agent-zijn, bedacht hij, knipperde aan en uit als een neonreclame op een Chinees restaurant.

Voor het eerst zag Berry hoeveel de staande man op een politieman leek. De leider hield zijn tommygun recht op de gesp van zijn broekriem, terwijl hij hem handig met één hand fouilleerde, aan zijn kleren rukte en trok en hem overal beklopte.

Toen hij ervan overtuigd was dat er geen wapen zat, pakte hij de portefeuille van de man, zei hem weer te gaan zitten en doorzocht toen snel de portefeuille. Hij wierp hem bij de man in de schoot en het rukje van zijn pols deed hem er, voor het eerst, bijna speels uitzien.

'Krantenman,' zei hij, 'hebben ze je ooit gezegd dat je eruitziet als een politieagent?'

Het gezicht van de man was rood en hij zweette, maar zijn stem klonk vast. 'Heel vaak.' 'Bent u verslaggever?' De man schudde zijn hoofd en zei op beledigde toon: 'Als ik door een achterbuurt loop, gooien ze stenen naar me. Nee, ik ben toneelcriticus.'

De leider leek geamuseerd. 'Nou, dan hoop ik dat u onze kleine voorstelling apprecieert.'

Berry onderdrukte een lach. De leider liep weg en trok zich terug in de cabine. Berry begon zich weer te krabben, zijn vingers bewogen bij zijn revolver vandaan, kropen schuin als een krab over zijn vochtige huid totdat ze onder de poncho tevoorschijn kwamen. Hij vouwde zijn handen over zijn borst en grijnsde schaapachtig naar zijn tenen.

Ryder

In de cabine dacht Ryder terug aan een heldere, zonnige dag die de onooglijkheid van de straten in de stad meer benadrukte dan versluierde. Hij liep te wandelen met Longman, die plotseling was blijven staan en bijna in een opwelling van wanhopige vertwijfeling de vraag eruit geflapt had die hem al weken dwars moest hebben gezeten.

'Waarom doet iemand zoals jij dit? Ik bedoel, je hebt hersens en je bent een stuk jonger dan ik, je zou een goeie baan kunnen hebben, een leven kunnen opbouwen...' Longman wachtte even om zijn woorden te benadrukken en zei toen: 'Jij bent geen echte misdadiger.'

'Ik ben een misdaad aan het beramen. Dan ben ik ook een misdadiger.'

'Nou ja, goed.' Longman ging daaraan voorbij. 'Maar ik zou wel eens willen weten waarom.'

Er waren meerdere antwoorden en elk daarvan zou gedeeltelijk waar zijn geweest, dat wilde zeggen: tevens gedeeltelijk onwaar. Hij had kunnen zeggen dat hij het om het geld deed, of om de sensatie, of vanwege de manier waarop zijn ouders waren gestorven, of omdat hij niet hetzelfde over dingen dacht als andere mensen... En waarschijnlijk was ieder van die antwoorden genoeg geweest voor Longman. Niet dat Longman stom was, hij wilde alleen maar iedere redelijke oplossing accepteren, liever dan met het mysterie te blijven zitten.

Maar in plaats daarvan zei hij: 'Als ik wist waarom, zou ik het waarschijnlijk niet doen.'

Die ontwijking leek Longman tevreden te stellen. Ze wandelden verder en de vraag kwam nooit meer naar voren. Maar Ryder was zich ervan bewust dat hij het antwoord zomaar uit de lucht had gegrepen, omdat het een plechtige, psychiatrische klank had, niet omdat hij erin geloofde of ook maar enige interesse had in de vraag of in het antwoord – zijn antwoord of dat van wie dan ook. Nu hij in de cabine stond (een afgezonderde plaats als een biechtstoel, figuurlijk gesproken halverwege tussen de buitenste aardkorst en de hel), hield hij zichzelf voor dat hij noch een psychiater was, noch een patiënt. Hij wist hoe zijn leven eruitzag en dat was voldoende. Hij voelde zich niet geroepen om zijn levenservaringen te analyseren, om de diepte van zijn leven te peilen. Het leven – van wie dan ook – kwam hem voor als een vrij kinderachtige grap die de dood met de mensen uithaalde en dat had je maar te accepteren. 'We zijn God een dood schuldig.' Hij herinnerde zich dat bij Shakespeare te hebben gelezen. Welnu, hij was een man die zijn rekeningen op tijd betaalde.

Een meisje had hem een keer gezegd, uit medelijden of in woede, dat er een ding aan hem ontbrak. Dat betwijfelde hij niet en hij vond dat ze het zelfs niet sterk genoeg had uitgedrukt. 'Een paar dingen' was juister geweest. Hij had geprobeerd bij zichzelf na te gaan wat voor ingrediënten er aan hem ontbraken, maar na een uur had hij er al geen belangstelling meer voor en hij had het hele idee laten schieten. Het kwam nu bij hem op dat een gebrek aan dwingende belangstelling in zichzelf waarschijnlijk een van die ontbrekende ingrediënten was.

Hij wist welke feiten zijn leven hadden bepaald en hij besefte dat ze hier of daar ook richting aan zijn leven hadden gegeven. Maar dat had hij dan toegelaten. Of je je nu met de stroom liet meedrijven of ertegenin worstelde, je bestemming was dezelfde: de dood. Het liet hem koud wat voor weg hij insloeg, behalve dan dat hij een mooi uitzicht prefereerde boven een kortere weg. Maakte dat hem tot een fatalist? Oké, dan was hij een fatalist.

Hij had veel geleerd over de waarde van het leven door het voorbeeld van zijn ouders, die binnen een jaar na elkaar bij ongelukken om het leven waren gekomen. Het ongeluk van zijn vader was een zware, glazen asbak die uit een raam was komen zeilen. Een nijdige vrouw had die naar haar man gegooid en die had gebukt. De asbak tuimelde naar beneden, raakte het hoofd van zijn vader en verbrijzelde zijn schedel. Het ongeluk van zijn moeder was kanker, een cellengroei die plotseling op hol was geslagen in het lichaam van een struise vrouw en haar na acht maanden van helse pijnen en afschuwelijke sloping had gedood.

Als zijn filosofie niet uit de dood van zijn ouders – hij zag die twee ongelukken niet als afzonderlijke voorvallen – was ontstaan, dan werd toch zeker het zaad ervoor gestrooid. Hij was toen veertien jaar en had het verlies aanvaard zonder er echt om te rouwen. Misschien kwam dat doordat hij al een ongewone gereserveerdheid had ontwikkeld uit de afwezigheid van liefde in het huwelijk van zijn ouders, die hij had aangevoeld en die ook min of meer tot uiting kwam in hun gevoelens ten opzichte van hun enige kind. Hij besefte dat sommige dingen die er aan hem 'ontbraken' een erfenis waren van zijn ouders, maar hij had hun dat nooit kwalijk genomen. Hij miste niet alleen de liefde, maar ook de haat.

Hij ging bij een tante wonen in New Jersey, een jongere zuster van zijn moeder. De tante was lerares en had een streng uiterlijk, een hoekige vrouw van achter in de dertig. Het bleek dat ze stiekem dronk en masturbeerde, maar buiten deze fouten die haar menselijk maakten, bleef ze formeel en afstandelijk. Volgens een grillige laatste wens van zijn moeder werd hij op een militaire school bij Bordentown ingeschreven en zag zijn tante maar zelden, alleen in de vakanties en zo nu en dan in het weekend. In de zomer stuurde ze hem naar een vakantiekamp voor jongens in de Adirondacks en ging zelf voor haar jaarlijkse vakantie naar Europa. Over het geheel genomen vond hij het prima zo; hij had toch al nooit veel affectie van zijn familie ondervonden.

Zijn school beschouwde hij als zinloos en zijn directeur, een gepensioneerde generaal, vond hij een ezel. Hij maakte weinig vrienden en geen enkele echte. Hij was niet groot genoeg om een vechtersbaas te zijn, maar ook niet zo klein dat hij voortdurend op zijn huid werd gezeten. In de eerste week raakte hij bij twee vechtpartijen betrokken en hij sloeg zijn tegenstanders met zo'n koude, nonchalante venijnigheid in puin, dat hij voor de rest van zijn schoolperiode nooit meer hoefde te vechten. Hoewel hij snel reageerde en voor zijn postuur erg sterk was, had hij geen belangstelling voor sport en hij deed er alleen aan mee wanneer het verplicht was. Qua intelligentie behoorde hij tot de bovenste tien procent van zijn klas. Sociaal gezien was hij een eenling, omdat hij het zelf zo wilde. Hij ging nooit mee met uitstapjes naar het plaatselijke bordeel en deed ook niet mee aan seksfeestjes met een welwillend plaatselijk meisje. Eén keer ging hij in zijn eentje naar een bordeel, maar hij kreeg geen erectie. Een andere keer werd hij door een meisje opgepikt dat met hem naar een parkeerplaats langs het meer reed en hem met succes verleidde – voor haar zelf dan. Met zijn erectie was het in orde, maar een zaadlozing lukte hem niet, wat het meisje heel goed uitkwam. En hij had een keer een homoseksuele belevenis waaraan hij net zo weinig plezier beleefde als aan zijn heteroseksuele, en daarna schrapte hij seks uit zijn agenda.

Niets in zijn militaire vakken op school – of zelfs in dienst bij de basisopleiding of bij de officiersopleiding – deed hem vermoeden wat zijn vak zou worden, totdat hij de oorlog in werd gestuurd. Dat was in Vietnam, in de rustige tijd toen de Amerikanen 'adviseurs' waren en het er niet naar uitzag dat ze nog eens ooit zouden aangroeien tot meer dan een half miljoen manschappen. Hij had de rang van tweede luitenant en was als adviseur toegevoegd aan een majoor die honderd man aanvoerde in een vaag omschreven opdracht naar een gehucht een paar kilometer ten noordwesten van Saigon. Ze vielen in een hinderlaag op een stoffige weg, die aan weerszijden dichtbegroeid was, en ze zouden tot de laatste man zijn uitgeroeid als de vijand – Vietconggguerilla's: kleine mannetjes in bezwete truien en kakibroeken – beter gedisciplineerd was geweest. Maar toen de Vietnameenheid zich terugtrok (ze draaiden zich om en gingen er in paniek vandoor), kwam de vijand uit zijn hinderlaag en achtervolgde hen in open terrein.

De majoor en een andere officier waren bij het eerste salvo gesneuveld en de overgebleven twee officieren waren versuft en wisten niet wat ze moesten doen. Met behulp van een sergeant die wat Engels sprak, kreeg Ryder zijn troepen weer in bedwang en organiseerde een verzetsbeweging. Spoedig daarna deed Ryder een tegenaanval en kwam daarbij tot de ontdekking dat hij geen vrees kende. Juister was eigenlijk dat de gedachte aan de dood hem niet verlamde van schrik of op enige andere manier zijn competentie beïnvloedde. De vijand werd op de vlucht gejaagd, dat wil zeggen dat ze spoorloos verdwenen, maar ze lieten voldoende doden en gewonden achter zodat de hele episode toch een soort overwinning was voor de Vietnamezen.

Daarna had hij nog vaak aan het hoofd van kleine gevechtspatrouilles gevochten. Hij vond het niet direct plezierig om te doden, maar het gaf hem een zekere voldoening te ontdekken dat hij er goed in was. Aan het einde van zijn diensttijd in Vietnam werd hij teruggeplaatst naar Amerika en aangesteld als instructeur in een infanteriekamp in Georgia. Daar bleef hij tot hij uit dienst werd ontslagen.

Hij ging terug naar het huis van zijn tante, waar het een en ander veranderd was: zijn tante dronk minder en in plaats van te masturberen had ze nu een of andere minnaar, een wat oudere advocaat die uiterlijk op een bok leek en kennelijk erg bekwaam was. Eigenlijk alleen omdat hij niets anders te doen had en niet omdat hij nieuwsgierig of geïnteresseerd was, gebruikte Ryder zijn opgespaarde soldij om een reis door Europa te maken. In België ontmoette hij, in een bar in een achterbuurtje, een Duitser met een luide, opgewekte stem en een grimmig gezicht die hem aanwierf als huurling voor de strijd in Congo.

Met uitzondering van een korte dienstperiode in Bolivia verdiende hij een dikke boterham in Afrika – dan hier, dan daar, dan voor de ene, dan voor de andere kant, de ene politieke gezindheid of de andere – en hij was redelijk tevreden. Hij leerde vechten in afwisselend terrein en deed ervaring op in het

aanvoeren van troepen die varieerden in moed en bekwaam-
heid. Alles bij elkaar raakte hij drie keer gewond: tweemaal oppervlakkig en één keer ernstig toen een speer dwars door hem
heen ging en gelukkig zijn meest vitale organen miste. Een
maand later was hij weer aan het front.

Toen de markt voor huurlingen kelderde, bleef hij een tijdje in Tanger hangen. Er waren mogelijkheden voor smokkel
(hasjiesj eruit, sigaretten erin), maar daar ging hij niet op in;
in die tijd zag hij nog een duidelijke grens tussen vechten voor
geld of meedoen aan iets illegaals. Hij ontmoette een Jordaniër
die hem een dienstverband voor koning Hoessein beloofde,
maar daar kwam uiteindelijk niets van terecht. Na een tijdje
ging hij terug naar Amerika. Daar ontdekte hij dat zijn tante en
de oude advocaat hun affaire hadden omgezet in een huwelijk.
Hij pakte het weinige dat hij had bijeen en verhuisde naar Manhattan.

Een paar weken nadat hij begonnen was land te verkopen,
raakte hij verzeild in een verhouding met een vrouw die niets
wilde weten van zijn onroerend goed, maar die hem graag in
haar bed verwelkomde. Ze was een gretige, zelfs een schrokke-
rige partner, maar hoewel hij technisch wel het een en ander
presteerde, bleef seks voor hem toch iets wat hij niet dringend
nodig had. De vrouw beweerde dat ze van hem hield en misschien deed ze dat ook wel, maar veel plezier beleefde hij er niet
aan om een tevoren bekend aantal verschillende lichaamsope-
ningen te exploreren. Op de dag dat hij werd ontslagen, hield
hij op de dame te bezoeken. Geen van beide voorvallen bracht
hem van streek.

Hij zou niet kunnen verklaren waarom hij de vriendschap
van Longman had geaccepteerd, behalve dan dat het hem werd
aangeboden en dat het te veel moeite was om te weigeren. Hij
had er ook geen verklaring voor waarom hij in Tanger had geweigerd het avontuur in de misdaad te zoeken, terwijl hij er

zich hier in Manhattan wel in stortte. Misschien trokken de strategische en tactische problemen hem aan. Misschien had zijn verveling een hoogtepunt bereikt, wat in Tanger nog niet het geval was geweest. Bijna zeker omdat het geld een einde zou maken aan de noodzaak zijn brood te verdienen op een manier die hem niet zinde. Bijna nog zekerder omdat het grote risico hem aantrok. Maar uiteindelijk was de motivatie niet belangrijk, alleen de actie die eruit voortkwam.

9

Clive Prescott

DE BAAS VAN INSPECTEUR PRESCOTT, hoofdinspecteur Durgin, belde de Verkeersleiding om het nieuws over Dolowicz te melden. Prescott reikte over Corrells schouder en nam de telefoon aan. Correll sloeg zijn hand voor zijn ogen en zakte kreunend in zijn stoel terug. 'Ik ga naar 28th Street,' zei de hoofdinspecteur. 'Al geloof ik niet dat ze ons veel te doen zullen geven. De politie bedoel ik. De echte politie. Die houden dit mooi voor zichzelf.'

Correll ging plotseling rechtop zitten en stak zijn armen boven zijn hoofd in een smekend gebaar naar de hemel.

'Alles gaat omhoog langs de hiërarchische weg. Bij ons van hoofdcommissaris Costello naar de directeur. Bij hen naar de hoofdcommissaris en naar de burgemeester... Wat is dat voor rotzooi?' Correll richtte zich met schorre, hartstochtelijke stem tot het hoge plafond, vervloekte de moordenaars van Casimir Dolowicz en riep in één adem zowel de wraak van God af als die van zichzelf.

'De verkeersleider,' zei Prescott. 'Ik neem aan dat Dolowicz een vriendje van hem was.'

'Zeg dat 'ie zijn kop houdt, ik kan niets verstaan.'

Van alle kanten in de Centrale kwamen de mannen naar Correll toe, die plotseling rustig werd en snikkend in zijn stoel ineenzakte. 'Blijf waar je bent, Clive,' zei de hoofdinspecteur. 'Blijf in contact met de trein totdat we een andere manier van communicatie hebben geregeld. Zeggen ze nog iets?'

'De laatste paar minuten is het stil geweest.'

'Zeg dat we contact hebben met de burgemeester. En dat we meer tijd nodig hebben. Mijn god, wat een stad! Nog vragen?'

'Ja,' zei Prescott. 'Ik zou graag mee in actie willen komen.'

'Dat is geen vraag. Je blijft waar je bent.' De hoofdinspecteur brak het gesprek af.

De groepen uit de andere delen van de Centrale – verkeersleiders en dienstleiders van de andere afdelingen – waren aangekomen. Ze rolden hun sigaren tussen hun lippen, omringden het paneel en keken onbewogen neer op Correll. De buien van Correll – dat had Prescott al lang ontdekt – waren heftig maar van korte duur, en hij hield nu op met snikken en begon woedend op zijn bureau te slaan.

'Heren,' zei Prescott. 'Heren.' Een tiental gezichten draaiden zich naar hem toe en de sigaren trilden tussen de smalle lippen. 'Heren, deze plek is nu in feite een politiepost en ik moet u vragen hier weg te gaan.'

'Caz is dood,' zei Correll droevig. 'Neergemaaid in de bloei van zijn leven.'

'Heren,' zei Prescott.

'De dikke Caz is ons ontvallen,' zei Correll.

Prescott keek streng naar de groep rond het paneel. Zijn blik ontmoette nietszeggende ogen, rollende sigaren en toen slenterden ze weg, nog steeds zwijgend.

Prescott zei: 'Probeer eens of je de trein kunt oproepen, Frank.'

Correll veranderde weer van stemming. Zijn pezige lichaam verstijfde en hij schreeuwde: 'Ik weiger mijn handen vuil te maken met tegen die rotzakken te praten.'

'Goed dan,' zei Prescott. 'Laat mij dan maar hier zitten, dan kan ik mijn werk doen.'

Correll sprong op. 'Hoe denk je dat ik de dienst aan de gang kan houden als je me mijn paneel afneemt?'

'Gebruik de bedieningspanelen van de dienstleiders maar. Ik weet dat het lastig is, Frank, maar het is wel te doen.' Prescott gleed in de stoel van Correll. Hij boog naar voren en zette de microfoon aan. 'Verkeersleiding roept Pelham One Two Three. Verkeersleiding roept Pelham One Two Three.'

Correll sloeg met zijn hand tegen zijn voorhoofd. 'Ik had nooit gedacht het nog eens te zullen beleven dat praten met moordenaars belangrijker is dan een ondergrondse gaande houden waar het leven van de stad van afhangt. Hoe kun je dat in godsnaam gerechtigheid noemen?'

'Meld u, Pelham One Two Three, meld u...' Prescott sloot de microfoon af. 'We moeten het leven van zestien passagiers zien te redden. Dat is belangrijk voor ons, Frank.'

'De passagiers kunnen oprotten! Wat willen zij voor die verrekte vijfendertig cent die ze betalen, verdomme! Het eeuwige leven?'

Hij speelde toneel, dacht Prescott, maar slechts gedeeltelijk. Hij was een fanaticus en alle fanatici hadden oogkleppen voor. Achter Correll zag hij de dienstleiders van de A-afdeling als razenden in de weer met alle binnenkomende oproepen van verbaasde machinisten overal langs de lijn. Het waren er zo veel dat ze allang hadden opgegeven alle gesprekken in het logboek te noteren.

'Als ik het voor het zeggen had,' zei Correll, 'dan zou ik daar naar binnen stormen met geweren en traangas en manschappen –'

'Je hebt het godzijdank niet voor het zeggen,' zei Prescott. 'Waarom ga je geen noodschema uitwerken en laat je het politiewerk gewoon aan de politie over?'

'Ook al zoiets. Ik moet op de chef wachten. Die zit in vergadering. Wat valt er nou verdomme nog te vergaderen? Ik moet ten noorden en ten zuiden van het dode blok mijn treinen aan de gang houden. Maar dan zit ik nog steeds met een gat van meer dan een kilometer, waarin ik vier lijnen mis, precies midden in de stad. Als je me nu stroom kon geven op twee lijnen, al was het maar op één lijn –'

'We kunnen je geen stroom geven.'

'Je bedoelt dat die moordenaars niet willen dat je me stroom geeft. Word je daar niet misselijk van, dat een stelletje maffe piraten je bevelen geeft? Het is je reinste piraterij!'

'Probeer je kalm te houden,' zei Prescott. 'Je krijgt je spoorlijn over een uur of zo weer terug, misschien een paar minuten meer of minder – of een paar mensenlevens.'

'Een uur!' schreeuwde Correll. 'Besef je niet dat het zo langzamerhand spitsuur is? Spitsuur met een heel blok onbruikbaar? Dat wordt een puinhoop!'

'Pelham One Two Three,' sprak Prescott in de microfoon. 'Ik roep Pelham One Two Three.'

'Hoe weet je nu of die klootzakken niet bluffen? Of ze er niet op rekenen dat wij zuinig omgaan met mensenlevens?'

'Zuinig op mensenlevens,' zei Prescott. 'Jij bent me er een, Correll, jij bent me er echt een.'

'Ze zeggen dat ze de passagiers zullen pakken, maar misschien bluffen ze alleen maar.'

'Net zoals ze bluften met Dolowicz?'

'O, mijn god.' Corrells emoties sloegen om en zijn ogen liepen vol tranen. 'Dikke Caz. Een pracht van een vent. Ouwe Caz. Een spoorwegman van de ouwe stempel. Pat Burdick zou trots op hem geweest zijn.'

'Als hij recht op die pistolen is ingelopen dan was 'ie gewoon stom,' zei Prescott. 'En wie is Pat Burdick?'

'Pat Burdick? Een legende. De grootste van de oude verkeersleiders. De verhalen over hem... Ik zou je er tientallen kunnen vertellen.'

'Een andere keer misschien.'

'Op een zekere dag,' zei Correll, 'stond om tien voor vijf ergens een trein stil. Tien minuten voor vijf! Vlak voor het spitsuur!'

'Ik ga nog eens kijken of ik hem kan bereiken,' zei Prescott.

'De machinist meldde per telefoon – dit was lang voordat we radiotelefoons hadden – dat er een dode op de rails lag, precies voor zijn trein. Pat zegt: "Weet je zeker dat 'ie dood is?" "Natuurlijk weet ik dat zeker," zegt de machinist. "Hij is al zo stijf als een plank." En toen gilde Pat: "Zet 'm dan verdomme tegen een pilaar aan en zorg dat je je trein weer in beweging krijgt. We pikken 'm na het spitsuur wel op!"'

'Verkeersleiding aan Pelham One Two Three...'

'Zo'n soort spoorwegman was Caz Dolowicz dus ook. Weet je wat Caz op dit moment zou zeggen? Hij zou zeggen: "Let niet op mij, Frank, ouwe jongen, zorg maar dat je die spoorlijn op gang houdt.' Zo zou Caz het willen.'

'Pelham One Two Three aan Verkeersleiding. Pelham One Two Three aan inspecteur Prescott in de Verkeersleiding.'

Prescotts vinger schoot naar de zendknop. 'Prescott hier. Ik luister, Pelham One Two Three.'

'Ik sta op mijn horloge te kijken, inspecteur. Het is twee uur zevenendertig. U hebt nog zesendertig minuten.'

'De klootzakken,' zei Correll. 'Vuile moordenaars.'

'Hou je kop,' zei Prescott. Hij sprak in de microfoon: 'Wees redelijk. We werken mee. Jullie hebben ons niet genoeg tijd ter beschikking gesteld.'

'Zesendertig minuten. Hebt u dat?'

'Ja, maar de tijd is te kort. Je hebt met een bureaucratie te maken. Die werkt maar langzaam.'

'Tijd dat hij wat sneller leert werken.'

'Het is ingewikkeld. Wij hebben hier niet zomaar ergens één miljoen dollar liggen.'

'U hebt nog niet eens toegezegd dat u het zult betalen. Dat geld, daar is wel aan te komen, als je het maar hard genoeg nodig hebt.'

'Ik ben een gewone politieagent, ik heb geen verstand van zulke zaken.'

'Zie dan maar dat u iemand vindt die dat wel heeft. De klok blijft tikken.'

'Ik neem contact op zo gauw ik iets meer weet,' zei Prescott. 'Heb een beetje geduld. En doe niet nog iemand kwaad.'

'Nog iemand? Wat bedoelt u met "nog iemand"?'

Dat was stom, bedacht Prescott, zij wisten niet dat iemand getuige was geweest van het neerschieten van Dolowicz. 'De mensen op het station hebben schoten gehoord. We hebben aangenomen dat u iemand hebt doodgeschoten. Een van de passagiers misschien?'

'We hebben op de spoorbaan iemand doodgeschoten. Ieder ander die we daar zien, gaat eraan. Én een passagier. Blijf daar aan denken. Voor iedere overtreding van de voorwaarden schieten we een gijzelaar dood.'

'De passagiers hebben er niks mee te maken,' zei Prescott. 'Laat hen met rust.'

'Nog vijfendertig minuten. Laat me weten wanneer u nieuws hebt over het geld. Bevestig dit.'

'Oké. Ik zeg het nog een keer: laat die mensen met rust.'

'We pakken er zo veel als noodzakelijk is.'

'Ik ben zo weer terug,' zei Prescott. 'Over en sluiten.'

Hij liet zich terugvallen in de stoel en voelde zich helemaal slap van verbeten woede.

'Mijn god!' zei Correll. 'Als ik dat gezemel van jou hoor tegen die rotzakken, dan schaam ik me ervoor dat ik Amerikaan ben.'

'Donder op,' zei Prescott. 'Ga met je treintjes spelen.'

De burgemeester

De burgemeester lag in bed in zijn privéwoning, op de tweede verdieping van Gracie Mansion, met een lopende neus, een barstende hoofdpijn, botten die hem overal pijn deden en een temperatuur van 39,3 – genoeg kwalen om te insinueren dat hij mogelijk slachtoffer was geworden van een samenzwering van zijn talrijke vijanden in en buiten de stad. Maar hij zag in dat het op vervolgingswaanzin leek om de Andere Kant ervan te verdenken dat ze griepbacillen op de rand van zijn cocktailglas hadden gesmeerd. Bovendien ontbrak het hen aan de verbeeldingskracht om zo'n truc te bedenken.

De vloer naast zijn bed lag vol met zakelijke paperassen die hij zonder te lezen opzij had gelegd in een aanval van chagrijnigheid waarop hij, vond hij zelf, nu wel recht had. Hij maakte zich geen zorgen dat het werk voor de stad zou blijven liggen, want daar zou er wel iemand anders naar kijken. Hij wist zelfs dat vanaf vanmorgen vroeg een hele groep van zijn assistenten in de twee grote officiële kamers op de eerste verdieping bezig waren met staatszaken. En dat ze voortdurend de telefoons naar het stadhuis bezet hielden waar hun werk werd uitgevoerd (in sommige gevallen zelfs dubbelop) door nog weer andere assistenten. De telefoon naast het bed van de burgemeester was aangesloten, maar hij had opdracht gegeven dat er geen gesprekken mochten worden doorverbonden, behalve wanneer er een nationale ramp zou gebeuren, bijvoorbeeld als Manhattan de zee in zou drijven, iets waarvoor hij soms bad dat het mocht gebeuren.

Het was de eerste ochtend sinds hij het ambt had aanvaard, uitgezonderd een enkele vakantie op een warme, zonnige plek of een heel enkele keer dat een grote rel of een staking van gigantische omvang hem de hele nacht aan het werk had gehouden – dat hij zijn villa niet om precies zeven uur had verlaten om naar het stadhuis te gaan. Hij voelde zich als een spijbelaar die niet wist wat hij met zijn tijd moest doen. Toen hij ergens op de rivier, onder zijn venster, een boot hoorde toeteren, drong het plotseling tot hem door dat zijn voorgangers – rechtschapen en voortreffelijke mannen – al dertig jaar dat toeteren hadden gehoord. Voor de burgemeester was dat een uitermate filosofische gedachte. Hij mocht dan een intelligente en belezen man zijn (de Andere Kant was het met dat eerste niet eens en kleineerde dat tweede), toch had hij weinig gevoel voor de romantiek van de geschiedenis; ook voor het huis waarin hij woonde bij de gunst van zijn kiezers toonde hij weinig belangstelling.

Hij wist, maar alleen omdat hij zijn huiswerk had gedaan, dat de villa in 1897 door Archibald Gracie was gebouwd als een privéwoning, dat het een redelijk, zij het geen opvallend, voorbeeld was van de Federalistenstijl en dat er in de kamers beneden een Trumbull, een Romney en een Vanderlyn hingen, geen van drieën representatief voor het beste werk van de kunstenaars, maar in ieder geval schilderijen van naam. De expert betreffende het gebouw en wat erin stond was zijn vrouw, die ooit kunst of architectuur had gestudeerd, hij wist niet meer precies wat, en die hem het weinige dat hij wist had bijgebracht.

Geleidelijk aan sukkelde hij in slaap en droomde niet-politieke, erotische dromen. Toen de telefoon rinkelde was hij net met een monnik in een alpenklooster in Zwitserland aan het zoenen (met open mond en hete, zoekende tong). Hij worstelde zich los uit de begerige greep van de monnik (die naakt was onder zijn pij) en deed een greep in de richting van de telefoon. Hij pakte de haak en grauwde één enkel rochelend en onverstaanbaar woord. De stem aan de andere kant van de lijn kwam vanuit een van de kamers beneden en behoorde aan Murray Lasalle, een van de viceburgemeesters, de primus inter pares, de man die door de pers meestal de 'bougie in de gemeenteadministratie' werd genoemd.

Lasalle zei: 'Het spijt me Sam, ik kan het niet helpen.'

'In hemelsnaam, Murray, ik lig hier dood te gaan.'

'Stel het dan nog even uit. Er is een vervelend akkefietje aan de gang.'

'Kun jij dat niet afhandelen? Jij hebt die rellen in Brownsville toch ook geregeld? Ik voel me echt ellendig, Murray. Mijn hoofd bonst, ik krijg geen adem, ieder bot in mijn lijf doet me pijn –'

'Natuurlijk kan ik het afhandelen, net zoals ik ieder rotkarwei in deze stinkende rotstad kan klaren, maar ik wil het niet.'

'Laat me je nooit horen zeggen dat je niet wilt. Dat woord komt in het woordenboek van een viceburgemeester niet voor.'

Lasalle, die zelf ook verkouden was – alleen niet zo dramatisch als zijn baas – zei: 'Ga mij nou geen lessen geven in de politiek. Laat dat uit je hoofd, Sam, want anders, zo ziek als je bent, ga ik je eraan herinneren –'

'Ik maak maar een grapje,' zei de burgemeester. 'Ik mag dan nog zo ziek zijn, ik heb meer gevoel voor humor dan jij hebt of ooit zult krijgen. Kom op met je ramp. Ik hoop voor jou dat het een grote is.'

'O, dat is het zeker,' zei Lasalle smullend. 'Je kunt 'm niet per ongeluk over het hoofd zien.'

De burgemeester sloot zijn ogen voor de komende onthulling als tegen de verblindende zon. 'Kom op, vertel het me. Je hoeft de spanning er niet zo in te houden.'

'Oké. Een bende kerels heeft een ondergrondse trein gekaapt.' Hij overstemde de burgemeester en bleef doorpraten. '...een ondergrondse trein gekaapt. Ze houden zestien burgers en de machinist als gijzelaars en ze willen ze niet laten gaan, tenzij de stad hun één miljoen dollar losgeld betaalt.'

Even, in zijn koorts, dacht de burgemeester dat hij nog

droomde, dat zijn geest het alpenlandschap ontvlucht was en nu was beland in een meer vertrouwde nachtmerrie in zijn eigen land. Hij knipperde met zijn ogen en wachtte tot de droom zou vervagen. Maar de krakende stem van Murray Lasalle klonk helemaal echt.

'Verdomme, heb je me wel gehoord? Ik zei dat een stel kerels een ondergrondse trein gekaapt hebben en dat ze gijzelaars –'

'Verdikkie,' zei de burgemeester. 'Verdikkeme, potverdorie.' Hij was nogal beschermd opgevoed in zijn jeugd en hij had nooit geleerd overtuigend te vloeken. Lang geleden was hij er al achter gekomen dat je vloeken, net als vreemde talen, het beste op jeugdige leeftijd kunt leren, maar omdat hij vond dat het erbij hoorde, bleef hij proberen het onder de knie te krijgen. 'Potjandorie. Verdraaid. Waarom bedenken de mensen zulke dingen om mij te pesten? Is de politie er al bij?'

'Ja. Ben je zover dat we dit verstandig kunnen bespreken?'

'Kunnen we ze die verrekte trein niet laten houden? We hebben er nog genoeg. Die ene zullen we vast niet missen.' Hij hoestte en nieste. 'De stad heeft geen miljoen dollars.'

'Nee? Zorg dan maar dat je ze krijgt. Haal ze maar ergens vandaan. Al moet je je spaarpot ervoor leeghalen.'

'Verdikke,' zei de burgemeester. 'Verdikke en verdomme.'

'Ik wil dat je helder kunt denken tegen de tijd dat ik boven kom.'

'Ik heb nog niet besloten om het te betalen. Eén miljoen dollar. Laten we er maar over praten.' Murray was altijd te snel in zulke zaken; hij vertrouwde maar al te graag op zijn intuïtie, die uitsluitend op politiek ingesteld was. 'Misschien kunnen we het op een andere manier oplossen.'

'Er is geen andere manier.'

'Weet jij hoeveel sneeuw je deze winter kunt ruimen met één miljoen dollar? Ik wil een gedetailleerder overzicht over de situatie en de meningen van anderen – de commissaris van politie, die klootzak die zich bezig dient te houden met het Vervoerswezen, de wethouder van financiën –'

'Dacht je dat ik hier had zitten niksen? Ze zijn allemaal onderweg hiernaartoe. Maar het is tijdverspilling. Na een heleboel ouwehoeren gaan we het toch op mijn manier doen.'

'– en Susan.'

'Waar hebben we Susan in godsnaam voor nodig?'

'Om de rust in huis te handhaven.'

Met een dreun werd de haak erop gegooid.

De pot op met Murray Lasalle. De boom in met Murray Lasalle. Hij was briljant en hij kon werken als een paard en hij was zijn gewicht in meedogenloosheid waard, maar hij moest leren zijn arrogante ongeduld aan te passen aan langzamere christelijke geesten. Nou ja, misschien was dit de gelegenheid om hem te leren dat andere mensen ook beslissingen konden nemen. En dat zou hij wel eens laten zien, zo ziek als hij was.

De hoofdcommissaris van politie

Vanaf de achterbank van de grote dienstwagen die over de FDR Drive naar het centrum reed, sprak de hoofdcommissaris met de wijkcommandant die zich op de plaats van de misdaad bevond.

'Hoe ziet het er daar uit?' vroeg de commissaris.

'Eén grote puinhoop,' zei de wijkcommandant. 'Zoals gewoonlijk zijn ze kennelijk uit de lucht komen vallen. Ik schat het op zo'n twintigduizend toeschouwers en er komen er steeds meer bij. Ik doe een gebedje dat het gaat hagelen.'

De commissaris boog opzij om een stukje te kunnen zien van de heldere blauwe lucht boven de East River. Hij ging direct weer recht zitten. Hij was een door en door eerlijke en in-

telligente man die van wijkagent tot deze functie was opgeklommen en hoewel hij besefte dat die luxueuze, zwarte dienstauto nu eenmaal bij zijn rang hoorde, voelde hij zich nooit op
zijn gemak in dat ding, alsof hij zo afstand wilde nemen van
ongepaste luxe.

'Heb je dranghekken geplaatst?' vroeg hij de wijkcommandant.

'Jazeker. En spierkracht wordt geleverd door de Tactische Politie. We houden stand en we proberen wat er nu nog bijkomt
de zijstraten in te duwen. Letterlijk. We maken niet echt vrienden.'

'En het verkeer?'

'Ik heb een agent geplaatst op ieder kruispunt tussen 34th
Street en 14th, en tussen 5th Avenue en 2nd. Ik denk dat er ergens anders moeilijkheden van zullen komen, maar het gebied
waar het om gaat is onder controle.'

'Wie is je plaatsvervangend commandant?'

'Daniels van Speciale Operaties. Hij spuugt vuur. Hij wil de
tunnel in en die rotzakken in hun kraag grijpen. Dat wil ik ook.'

'Geen sprake van,' zei de commissaris scherp. 'Blijf gereed
om in te grijpen, neem tactische posities in en wacht verdere
instructies af. Meer niet.'

'Jawel, meneer, dat doen we op het moment ook. Ik wilde alleen maar zeggen dat het me tegen de borst stuit.'

'Met jouw borst heb ik niks te maken. Zijn alle nooduitgangen bewaakt?'

'Aan beide zijden van de straat tot aan Union Square toe. Ik
heb zo'n vijftig man in de tunnel, ten noorden en ten zuiden
van de trein, goed verborgen. Ze dragen allemaal kogelwerende vesten en zijn bewapend met machinepistolen, handgranaten, traangas; de hele mikmak. Ook een stuk of zes scherpschutters met infraroodvizieren. We zijn op oorlogssterkte
daar beneden.'

'Zorg ervoor dat iedereen er goed van is doordrongen dat er geen initiatief mag worden genomen. Die lui schrikken er niet voor terug om te doden. Dat hebben ze bewezen door die spoorwegman dood te schieten. We nemen al hun bedreigingen serieus.'

'Bevelen begrepen, meneer.' De wijkcommandant zweeg even. 'Weet u, meneer, een paar van de scherpschutters hebben gerapporteerd dat ze in de wagon mensen zien rondlopen. Een paar die ten zuiden van de trein zitten, zeggen dat de kaper in de cabine goed zichtbaar is en gemakkelijk kan worden geraakt.'

'Nee, verdomme. Wil je al die passagiers uit laten moorden? Ik herhaal: we nemen al hun bedreigingen serieus.'

'Jawel, meneer.'

'Zorg dat je daaraan denkt.' De commissaris zocht naar herkenningspunten langs de rivier om te zien hoever de auto was opgeschoten. De chauffeur slalomde met loeiende sirene door het verkeer als een rugbyspeler door een rij verdedigers. 'Heb je de passagiers ondervraagd die ze hebben laten gaan?'

'Ja, meneer, zo veel als we er te pakken konden krijgen. De meesten zijn in de menigte verdwenen of zijn er stilletjes vandoor gegaan. De anderen spreken elkaar tegen bij hun getuigenis. Maar de conducteur, een aardige Ierse jongen, werkt goed mee. We weten met hoevelen ze de trein gekaapt hebben en hoe –'

'Hoeveel zijn het er?'

'Vier. Niet meer dan vier, met nylonkousen als maskers en bewapend met Thompson machinepistolen, zo te zien. Gekleed in zwarte regenjassen en zwarte hoeden. Volgens de conducteur zijn ze goed georganiseerd en vertrouwd met het reilen en zeilen bij de ondergrondse.'

'Je zou iemand kunnen laten zoeken in de dossiers van ontslagen employees bij het Vervoerswezen. Al hebben we daar op dit moment niet veel aan.'

'Ik zal de Vervoerspolitie vragen ermee te beginnen. Van hen zijn er hier ook een paar honderd. Inclusief hun commissaris in eigen persoon.'

'Ik wil dat je hem met alle respect behandelt.'

'De communicatie verloopt moeizaam. Bij de Verkeersleiding van het Vervoerswezen hebben ze de enige directe verbinding met de gekaapte wagon. Mijn plaatsvervanger heeft zijn commandopost ingericht in de cabine van een stilstaande trein in station 28th Street en hij kan daar de radio gebruiken om met de Verkeersleiding te spreken, maar niet met de gekaapte wagon. Het is een normale radiotelefoon: hij kan horen wat de Centrale tegen de kapers zegt, maar niet omgekeerd. Ik heb de Verkeersleiding aan de kapers laten vragen of zij rechtstreeks met ons willen praten via een megafoon in de tunnel, maar dat hebben ze botweg geweigerd. Ze houden meer van ingewikkeld.'

De commissaris zette zich schrap toen zijn auto de weg langs de rivier verliet. De sirene joeg links en rechts auto's uiteen, als opgeschrikte vogels. 'We draaien nu de weg af. Is er verder nog iets?'

'Er is weer gewaarschuwd door de kapers dat de tijd opschiet. Ze blijven er aan vasthouden. Drie uur dertien.'

'Wie onderhoudt het contact met hen?'

'Een inspecteur van de Vervoerspolitie. Lijkt competent, volgens mijn plaatsvervanger. Waarom zouden die lui geen megafoons willen gebruiken?'

'Ik denk dat het psychologisch is. Ons laten zien wie de baas is. Ik ga sluiten nu, Charlie. Hou alles rustig en ik neem contact met je op zogauw er een beslissing is genomen.'

De dienstauto draaide de oplopende laan in die langs Carl Schulz Park loopt. Hij minderde nauwelijks vaart bij het witte wachthuisje, waar de twee dienstdoende agenten in de houding gingen staan en salueerden. Boven aan de helling reed de

auto een brede oprijlaan in, naast de villa, waar over een uitgestrekt grasveld heen de rivier zichtbaar was en nog verderop
Hellgate Bridge.

De chauffeur bracht de auto slingerend tot stilstand achter
drie andere zwarte dienstauto's. De commissaris sprong eruit
en liep op een drafje naar de veranda aan de voorkant van het
huis.

10

JOURNALISTEN EN FOTOGRAFEN ARRIVEERDEN SLECHTS een paar minuten na de politie bij Park Avenue South en 28th Street. Verschillende politie-eenheden waren zelfs nog onderweg. Op hun speciale, zelfverzekerde manier slaagden zij erin door de barricades heen te komen van dranghekken, auto's, bereden politie en de pezige wijkagenten die voor het merendeel de opvallende, hemelsblauwe helmen van de Tactische Politie droegen. De journalisten zochten zich een weg naar de ingangen van de metrostations die op twee hoeken van de afgesloten zone lagen. Ze probeerden naar binnen te gaan, maar de politie hield hen tegen. Ze wrongen zich door de menigte op de trottoirs heen, staken Park Avenue over en probeerden het bij de stations aan de andere kant. Toen ze daar ook niet in konden, staken ze Park Avenue nogmaals over en begonnen politieofficieren aan te spreken.

'Hoe ziet het er op het ogenblik uit, inspecteur?'

'Ik ben geen inspecteur, ik ben brigadier. Ik weet van niks.'

'Heeft het stadsbestuur besloten om het losgeld te betalen?'

'Ligt het lijk van de spoorwegman nog steeds daarbinnen?'

'Hoe weet u dat hij dood is?'

'Wie leidt de hele operatie?'

'Ik ga geen vragen beantwoorden,' zei de brigadier. 'Ik weet de antwoorden niet.'

'Hebt u opdracht gekregen om niets te zeggen?'

'Ja.'

'Wie heeft die gegeven?'

'Die opdrachten waren niet voor de pers bedoeld.'

'Wie heeft die opdrachten gegeven?'

'Dat deed ik zelf. En nou opdonderen.'

'Hoe heet u, brigadier?'

'Brigadier Midnight.'

'Mike, maak een plaatje van brigadier Midnight.'

Radioverslaggevers met geluidsrecorders op hun rug en microfoons in de hand beschermend boven hun hoofden geheven,
vochten zich een weg door de menigte en concentreerden hun
vuur op 'de gewone man'.

'Agent, hoe groot schat u de menigte?'

'Heel groot.'

'De grootste die u ooit bijeen hebt gezien op de plaats van
een misdaad?'

De man van de Tactische Politie hield met gespannen rug-
en schouderspieren een uitstulping in de rijen toeschouwers
in bedwang en hij gromde als antwoord: 'Ziet er wel naar uit.
Maar je weet nooit met zo veel mensen. Het kan ook best van
niet.'

'Zou u het beschrijven als een onrustige menigte?'

'In vergelijking met sommige moet ik zeggen dat ze rustig
zijn.'

'Wat u nu doet is misschien niet zo spannend als misdadigers vangen, maar het is toch een erg zware en belangrijke taak
voor de politie. Mijn complimenten voor het goed uitvoeren
van dit karwei. En hoe heet u, meneer?'

'Melton.'

'U hebt zojuist geluisterd naar agent Milton van de TP – dat
wil zeggen de Tactische Politie –, hier op de plaats waar de on-

dergrondse gekaapt is op het kruispunt van de 28th Street en Park Avenue South. Dank u wel, agent Milton, die hier meehelpt de menigte in bedwang te houden. Er staat hier nog een meneer, naast mij, ik geloof dat het een rechercheur in burger is die ook helpt met de toeschouwers tegenhouden. Meneer, heb ik het goed dat u een rechercheur in burger bent?'

'Nou, dat geloof ik niet.'

'U bent geen rechercheur?'

'Nee.'

'Maar desondanks helpt u toch de politie met deze enorme menigte in bedwang houden?'

'Ik hou niemand in bedwang; zij houden mij in bedwang. Ik wou dat ik hier verdomme uit kon en naar huis kon gaan.'

'Ik begrijp het, meneer. Mijn fout. Dank u zeer. U ziet eruit als een rechercheur in burger. Zou u mij willen zeggen wat u dan wel doet?'

'Sociale dienst.'

'Ik zag u aan voor een rechercheur, zoals u weet. Ik wens u succes, meneer, in uw pogingen om hier uit te komen en thuis te komen.'

Met één enkele uitzondering kondigden de televisiezenders het nieuws over de kaping aan, seconden nadat ze het bericht op hun telex hadden gekregen. De meeste onderbraken hun soap, film of quiz voor de melding en hervatten daarna hun programma. Sommige wilden hun trouwe middagkijkers liever niet storen en lieten een langzaam voortkruipende tekststrook onder over het scherm lopen. Eén zender had pech en bleef vijfenveertig seconden bij de andere achter, omdat ze midden in een reclamespot zaten toen het bericht doorkwam.

De nieuwsafdelingen stuurden haastig ploegen met mobiele apparatuur de stad in. Universal Broadcasting System liet de grootste en best uitgeruste ploeg van allemaal los met Stafford

Bedrick, hun populaire nieuwslezer, in eigen persoon. Meestal versloeg Bedrick alleen de belangrijkste gebeurtenissen – inauguraties van presidenten, moordaanslagen op het niveau van ambassadeurs of hoger –, maar hij had zich hiervoor vrijwillig aangemeld, omdat hij de dramatische mogelijkheden ervan aanvoelde.

Sommige cameraploegen zochten een plaatsje in kantoren die uitzicht boden op de plaats van de misdaad en maakten door de ramen foto's van de menigte, van het omringende uitzicht op de stad met zijn bakstenen muren die koud glansden in het heldere zonlicht, van de honderden politieauto's, en – met telelenzen – van verschillende interessante gezichten en knappe meisjes. Intussen bewogen andere ploegen en verslaggevers zich op straatniveau. De meesten hielden zich bezig met interviews van de toeschouwers, omdat ze er niet in slaagden door te dringen tot de commandopost van de politie, die gevestigd was op een parkeerplaats naast de ingang tot de ondergrondse.

'En u, meneer –' De bekende verslaggever van het stadsnieuws in de uitzending van zes uur stak zijn microfoon in het gezicht van een man met drie onderkinnen, een sigaar in zijn mond en een stapeltje gokformulieren in zijn druk gebarende rechterhand. 'Hebt u commentaar op het drama dat zich precies hier onder het trottoir afspeelt?'

De man streek over zijn kinnen en keek recht in de camera. 'Is er iets waarover u speciaal mijn commentaar wilt horen?'

'Laten we het hebben over het onderwerp van de veiligheid in de ondergrondse. Er zijn mensen die de ondergrondse een jungle noemen. Wat vindt u daarvan?'

'Jungle?' De man met de sigaar sprak met het rijpe accent van de straat. 'Ik wil maar zeggen, het is een jungle. Een jungle!'

'Waarom is het een jungle?'

'Het stikt er van de wilde beesten.'

'Maakt u regelmatig gebruik van de ondergrondse, meneer?'

'Iedere dag, als u dat regelmatig wilt noemen. Wat moet ik anders doen – komen lopen uit Brooklyn?'

'Bent u bang tijdens die dagelijkse ritten?'

'Wat dacht u?'

'Zou u zich veiliger voelen wanneer de politie vierentwintig uur per dag in de treinen en op de perrons patrouilleerde?'

'Minstens vierentwintig uur.'

De man draaide zich om naar de massa gezichten achter hem, wachtend op bijval, en liet daarbij zijn gokformulieren vallen. De camera volgde alle details terwijl hij ze in het woud van benen bij elkaar graaide. De microfoon werd laag gehouden om zijn zwoegend gekreun op te pikken. Maar tegen de tijd dat hij omhoogkwam, was hij zijn plaats kwijtgeraakt aan een magere jongen met enorme ogen die toevallig door de menigte naar voren was geperst.

'En u meneer, mogen we u vragen wat u van de ondergrondse vindt?'

De jongen mompelde met neergeslagen ogen: 'Kannermeedoor.'

'Volgens uw mening kanner... kan het ermee door. Dan mag ik aannemen dat u het niet eens bent met de meneer die vindt dat de ondergrondse gevaarlijk is?'

'O, gevaarlijk genoeg.'

'Vies, somber, onvoldoende gekoeld of verwarmd?'

'Jawel, meneer.'

'Druk?'

De jongen rolde met zijn ogen. 'Man, precies wat je zegt.'

'Om dus kort samen te vatten –'

'Kannermeedoor.'

'Dank u, meneer. Ja, jongedame?'

'Ik heb u eerder gezien. Was dat niet bij die grote brand in Crown Heights, vorig jaar?'

De jongedame was een vrouw van middelbare leeftijd met een torenhoog, blond suikerspinnenkapsel. 'Ik vind het een schandaal.'

'Bedoelt u iets specifieks?'

'Alles.'

'Kunt u niet wat specifieker zijn?'

'Wat is er nu nog specifieker dan alles?'

'Oké. Dank u wel.' De verslaggever had er weinig zin meer in. Hij wist dat de meeste van zijn interviews eruit zouden worden gegooid om plaats te maken voor reportages die rechtstreekser met de zaak te maken hadden, al zouden de redacteuren er misschien hier of daar een korte shot uit halen om wat humor door de ernst van het verslag te mengen. 'U, meneer, wilt u hier misschien komen staan?'

'Hallo, Wendell. Goed als ik je Wendell noem?'

'Meneer, de kapers eisen één miljoen dollar voor de vrijlating van de gijzelaars. Welk standpunt moet het stadsbestuur volgens u innemen?'

'Ik ben de burgemeester niet. Maar als ik de burgemeester was – God verhoede het – áls ik de burgemeester was, zou ik de stad een stuk beter besturen dan de burgemeester.' Hij fronste zijn wenkbrauwen onder een koor van toejuichingen en boegeroep. 'Het eerste wat ik zou doen, als ik burgemeester was, is de sociale dienst afschaffen. En daarna zou ik de straten veiliger maken. Daarna zou ik de tarieven van het vervoer omlaagbrengen. En daarna...'

Wendell verdraaide een geeuw in een wat geforceerde glimlach.

Stafford Bedrick wist hoe hij met zijn beroemde gezicht en stem precies gedaan kon krijgen wat hij wilde. Hij gebruikte ze als een soort voorhoede, als laserstralen van zijn persoonlijkheid, en ze sneden zich een weg recht naar het centrum van het gebeuren, naar de commandopost van de politie op de parkeerplaats. Zijn gevolg sjouwde achter hem aan als lastdieren, beladen met camera's, kabels en microfoons.

'Hoofdinspecteur? Ik ben Stafford Bedrick. Hoe maakt u het?'

De wijkcommandant draaide zich bliksemsnel om, maar hij kon zijn woede nog net inhouden toen hij meteen een gezicht herkende dat hem bijna nog vertrouwder was dan dat van zichzelf. Bijna automatisch keek hij waar de camera stond en glimlachte.

'U weet het waarschijnlijk niet meer,' zei Bedrick met doorzichtige bescheidenheid, 'maar we hebben elkaar een paar keer eerder ontmoet. Toen die klootzakken die Rus in brand probeerden te steken voor hun consulaat. En ik geloof toen de president de Verenigde Naties toesprak.'

'Jazeker,' zei de wijkcommandant en hij schakelde uit voorzorg zijn glimlach uit. De hoofdcommissaris zag niet graag dat je te familiair was met de media, hij beschouwde dat als een verfijnde vorm van corruptie. 'Ik ben bang dat ik het momenteel nogal druk heb, meneer Bedrick.'

'Stafford.'

'Stafford.'

'Ik ben me ervan bewust dat dit geen ideale gelegenheid is voor een interview, hoofdinspecteur. Ik hoop dat genoegen nog eens te mogen smaken in de toekomst in mijn vaste programma *Topgesprekken*, maar misschien kunt u ter geruststelling zeggen dat de politie al het mogelijke doet om de levens van de onfortuinlijke gijzelaars te beschermen.'

'We doen al het mogelijke.'

'De kwestie die momenteel het meest urgent is, wordt natuurlijk een paar kilometer verderop afgehandeld, in Gracie Mansion. Denkt u, hoofdinspecteur, dat er uiteindelijk zal worden besloten om het losgeld te betalen?'

'Dat moeten zij beslissen.'

'Wanneer u, als politieman, de beslissing zou moeten nemen, zou u dan het losgeld betalen?'

'Ik doe wat me wordt opgedragen.'

'Discipline gaat natuurlijk hand in hand met plicht. Zou u commentaar willen leveren, meneer, op het toenemende gerucht dat deze misdaad het werk is van een politieke groepering, een soort revolutionaire daad?'

'Dat gerucht heb ik nog nooit gehoord.'

'Inspecteur!' De geüniformeerde chauffeur van de wijkcommandant riep hem vanuit de auto. 'Radio, meneer, de hoofdcommissaris.'

De wijkcommandant draaide zich met een ruk om en rende naar de wagen, dicht op de hielen gezeten door Bedrick en zijn ploeg. Hij stapte in, sloeg het portier dicht en draaide het raampje omhoog. Terwijl hij naar de radio reikte, zag hij dat een camera tegen het raam werd gedrukt. Hij draaide zijn brede rug ernaartoe en ging met zijn gezicht naar het andere raampje zitten. Daar verscheen ook een camera.

Binnen vijf minuten nadat de kaping op de televisie en de radio bekend was gemaakt, werd de nieuwsafdeling van de *New York Times* gebeld door een man die zich voorstelde als Broeder Williamus, minister van Sabotage van BRAM, een afkorting voor Black Revolutions of America Movement. Met volle, rollende en een licht dreigende stem zei de minister van Sabotage: 'Ik wens u mede te delen dat de kaping van die ondergrondse sneltrein, weet je wel, een revolutionaire sabotagedaad is van BRAM. Weet je wel? Door snel en meedogenloos toe te slaan, weet je wel, heeft een stormtroep van BRAM dit middel aangegrepen om aan de blanke vertrappers onze vastberadenheid duidelijk te maken, weet je wel, en het doel van onze beweging, om de gewone man te raken waar het hem het meeste pijn doet, namelijk in zijn portemonnee. Het geld dat door deze revolutionaire daad van onteigening wordt verkregen, zal worden gebruikt om de revolutionaire aspiraties van BRAM te bevorderen jegens de Zwarte Broeders, waar zij ook mogen leven, weet je wel, en de bevrijding naderbij te brengen van de Zwarte Man. En Vrouw. Snap je?'

De redacteur die het telefoontje had aangenomen, vroeg Broeder Williamus om enkele bijzonderheden te verschaffen die het grote publiek tot dusver onbekend waren, om te bewijzen dat zijn organisatie inderdaad verantwoordelijk was voor de kaping.

'Val dood, man, als ik je bijzonderheden vertel, dan weten jullie net zoveel als ik.'

Zonder die bijzonderheden als bewijs, zei de redacteur, kan iedereen die misdaad wel opeisen.

'Ieder ander die zegt dat hij het heeft gedaan, is een verrekte leugenaar. En beginnen jullie nou niet met dat gezeur over een "misdaad". Het is een daad van je reinste politieke revolutionisme.'

'Oké, minister,' zei de redacteur. 'Hebt u daar nog iets aan toe te voegen?'

'Alleen nog dit: BRAM spoort alle zwarte broeders in het hele land aan om dezelfde politieke daad na te streven en zélf een ondergrondse te kapen, weet je wel, om het blanke kapitalisme eronder te krijgen. Mits er natuurlijk een ondergrondse is.'

Direct daarna kwam er nog een telefoontje. De beller sprak met een zwaar accent dat op griezelige maar volkomen authentieke wijze een combinatie was van Brooklyn en Harvard Yard. 'Macht aan het volk! Namens het Centrale Comité van de revolutionaire beweging van studenten en werklieden, de SWAM, Students and Workers of America Mobilization, deel ik u mede dat de kaping van die ondergrondse het werk is van SWAM. Bovendien is het enkel de openingszet, het inleidende gevecht, van een blauwdruk voor revolutionaire terreur, die is opgesteld door het Centrale Comité van SWAM, om de laffe honden te terroriseren van de onderdrukkende en uitbuitende zwijnenklasse die de baas speelt in Amerika en om ze eronder te krijgen.'

'Bent u bekend met BRAM?' vroeg de redacteur.

'Bram? Bram Stoker, van die film *Dracula*?'

'BRAM is ook een of andere revolutionaire beweging. Een van hun officiële zegslieden heeft zojuist opgebeld en de verantwoordelijkheid voor de kaping van de ondergrondse opgeëist.'

'Met alle broederlijke respect en eerbied, maar hij liegt dat 'ie barst. Ik herhaal: dit is een revolutionaire daad van SWAM, de eerste daad van een terroristisch antizwijnenprogramma –'

'Natuurlijk. Ik moet u vragen, net zoals ik de vorige zegsman heb gevraagd, om uw aanspraak te staven met bijzonderheden over de overval die nog niet bekend –'

'Een valstrik!'

'Moet ik uit uw antwoord opmaken dat u dat niet kunt?'

'Jullie zijn verraderlijk slim, jullie zwijnen van jakhalzen van de laffehondenpers. Gaat u mijn verhaal gebruiken?'

'Misschien. Dat zal mijn baas beslissen.'

'Je baas! Man, zie je dan niet in dat je al even erg geëxploiteerd wordt als de werkman en de boer? Alleen zit de ijzeren vuist hier in een zijden handschoen. Gebruik toch je verstand, man, zie toch in dat je in hetzelfde schuitje zit, maar dan met iets meer privileges dan je broeders in de fabriek en op het land.'

'Dank u voor uw telefoontje, meneer.'

'Je hoeft mij geen "meneer" te noemen, man. Je hoeft niemand "meneer" te noemen! Gebruik je verstand –'

Alles bij elkaar ontving de *Times* ruim tien telefoontjes van mensen die dit soort aanspraken maakten, de *News* ook zoiets en de *Post* wat minder. Bovendien werd iedere krant overstroomd door mensen die de kapers in niet mis te verstane bewoordingen afschilderden, aanwijzingen gaven betreffende hun identiteit en plannen aan de hand deden om hen te over-meesteren; mensen die om informatie verzochten over fami-lieleden en dierbaren die mogelijkerwijs als passagiers in die trein zaten; mensen die hun mening ten beste gaven over de vraag of het stadsbestuur het losgeld al dan niet moest betalen, of over de filosofische, psychologische en sociologische moti-vaties van de kapers en bovenal over de verdorvenheid van de burgemeester.

De telefooncentrale in het stadhuis werd overstroomd. Pr-medewerkers, kantoorbedienden en secretaresses werden aan-gewezen om al die telefoontjes af te handelen. Ze kregen op-dracht om zich nergens op te laten vastpinnen en, boven alles, te vermijden dat de opbellers geïrriteerd raakten tot nadeel (het bijvoeglijk naamwoord 'verder' werd tactvol weggelaten) van de burgemeester.

'Als de stad die boeven betaalt, is dat een vrijkaartje voor ie-dere bandiet en halve gare in de stad om iets te kapen. Ik ben een belastingbetaler met een eigen huis en ik wil niet dat mijn geld wordt gebruikt om misdadigers in de watten te leggen. Geen cent voor losgeld! Als de burgemeester toegeeft, is hij mijn stem en die van mijn gezin voor eeuwig kwijt.'

'Ik begrijp dat de burgemeester de vraag van het losgeld in overweging heeft. Wat heet overweging? Wat is er belangrij-ker: mensenlevens of een paar onnozele dollars? Als een van die passagiers wordt gedood of gewond raakt, kun je die mooie burgemeester van ons vertellen dat ik niet meer op hem zal stemmen, en bovendien de rest van mijn leven eraan zal wij-den om iedereen duidelijk te maken wat voor monster hij is!'

'Roep de Nationale Garde op. Stuur ze naar binnen met ba-jonetten en laat ze dat tuig uitroeien! Ik meld me vrijwillig, ook al word ik volgende maand vierentachtig. In mijn tijd gebeur-den zulke dingen niet! Ik ga trouwens nooit met de onder-grondse. Ik hou meer van frisse lucht.'

'Zou u alstublieft na kunnen gaan of mijn broer in die trein zit? Hij zei dat hij misschien vandaag zou komen. Hij gaat meestal om ongeveer halftwee van huis weg. Ik voel het aan mijn water dat hij in die trein zit. Zoiets zal hem natuurlijk weer gebeuren, zijn hele leven heeft 'ie al pech gehad. Als u dus eens zou willen kijken of hij in die trein zit, niet dat ik er minder zorgen door zal hebben, hij zou ook onder een vrachtwagen kunnen –'

'God zegene de burgemeester. Wat hij ook zal beslissen, ik vind hemt een geweldige kerel. Zeg hem dat ik voor hem bid.'

'Ik ben een Young Duke, weet je wel? Als er soms Puerto Ricaanse broeders in die trein zitten, dan eisen wij dat het stadsbestuur hun vergoeding betaalt voor verwondingen die ze oplopen. De Puerto Ricaanse mensen worden al genoeg onderdrukt, ze hoeven niet ook nog eens de vernedering te ondergaan van in die veel te dure metro te moeten rijden. En als het mocht blijken dat er Puerto Ricaanse broeders onder de kapers zijn, dan eisen de Young Dukes dat hun volledige amnestie wordt verleend. Over deze eisen kan niet worden onderhandeld!'

'Ik beweer niet dat de kapers van een etnische minderheid zijn, maar als negenennegentig procent van alle misdaden in deze stad door buitenlanders worden gepleegd, is het logisch dat er negenennegentig procent kans is dat de kapers dat ook zijn!'

'Geef dit door aan de politie. Ze hoeven alleen maar de tunnel van de ondergrondse onder water te zetten...'

11

De burgemeester

ONDER NORMALE OMSTANDIGHEDEN ZOU DE burgemeester het prettig hebben gevonden zich boven het strijdgewoel verheven te voelen, terwijl zijn ondergeschikten debatteerden over de verdiensten van een bepaald onderwerp, ieder gezeten op zijn eigen stokpaardje van bevooroordeeldheid en eigen voordeel. Maar nu hij dreigde te verdrinken in zijn onstuitbaar vloeiende eigen vocht, nu hij zich duizelig voelde door de koorts, was hij bang dat hij niet meer juist kon oordelen en dat hij een foutieve beslissing zou nemen, dat wil zeggen: een die politiek gezien onjuist was. Niet dat hij zo weinig om zijn principes gaf als dit doet vermoeden, want hij zou ongetwijfeld – zoals altijd – zijn politieke eigenbelang temperen met normaal fatsoen. Een menselijke zwakheid die hij onmogelijk kon afzweren.

Naast de hoofdcommissaris van politie, de wethouder van financiën, de directeur van het Vervoerswezen, de voorzitter van de gemeenteraad en Murray Lasalle, stonden ook zijn vrouw en zijn dokter aan zijn bed.

Met een kussen in zijn rug, snuivend en snotterend, vocht de burgemeester om zijn ogen open te houden en zijn aandacht bij het onderwerp te houden. Hij stond toe dat Murray Lasalle de vergadering voorzat met zijn bekende mix van scherpe intelligentie, ongeduld en achterbuurttaal.

'Waar het om gaat,' zei Lasalle, 'en we kunnen er geen tijd

aan verspillen, waar het om gaat is of we het losgeld gaan betalen of niet. Al het andere – of we het geld hebben of niet, of we het volgens de wet wel of niet mogen doen, waar we het geld vandaan halen, of we al dan niet de kapers te grazen kunnen nemen en het geld weer terugkrijgen – al dat andere is van ondergeschikt belang. En we kunnen er ook niet eindeloos over praten, anders zitten we met zeventien of meer lijken opgescheept. Ik zal iedereen snel zijn woordje laten doen, alles bij elkaar vijf minuten, en dan zullen we een beslissing nemen. Akkoord?'

De burgemeester luisterde maar met een half oor naar het debat. Hij wist dat Lasalle allang een beslissing had genomen en dat hij van hem verwachtte dat hij die zou ondersteunen. Het kwam niet vaak voor, maar nu vielen politiek voordeel en zijn nobelste instincten samen. Hij zou meer geprezen dan bekritiseerd worden. De *Times* zou het op humanitaire gronden roerend met hem eens zijn. De *News* zou het met tegenzin goedkeuren, maar het toch klaarspelen om hem de schuld te geven dat het incident was voorgevallen. Zoals altijd zou Manhattan het met hem eens zijn, Queens zou tegen zijn. De rijken zouden ja zeggen, de taxichauffeur zou nee zeggen, de simpele zielen zouden geen mening hebben. Het was altijd hetzelfde. Hij wist zeker dat de stad al partij zou hebben gekozen over de kwestie of hij eigenlijk wel griep mocht hebben of niet.

Hij snoot bulderend zijn neus in een papieren zakdoekje dat hij daarna op de grond gooide. De dokter bekeek hem professioneel, zijn vrouw met walging.

'Hou het kort,' zei Murray Lasalle. 'Een minuut per persoon en dan gaat de zaak naar de burgemeester voor een beslissing.'

'Je kunt een dergelijke belangrijke beslissing niet binden aan een willekeurig aantal seconden,' zei de wethouder van financiën.

'Ben ik het mee eens,' zei de voorzitter van de gemeenteraad. Net als de vorige spreker stond hij bekend als 'geen vriend van de burgemeester', een aanduiding die dwars door alle politieke partijen heen liep.

'Luister,' zei Lasalle, 'terwijl wij hier zitten te mekkeren, tellen die moordenaars daar beneden in dat vuile stinkhol de minuten af totdat ze gijzelaars gaan neerschieten.'

'Vuil stinkhol?' zei de directeur van het Vervoerswezen. 'Je spreekt over de langste, drukste en veiligste ondergrondse in de hele wereld.'

Het Vervoerswezen was een gecompliceerde, gezamenlijke operatie van stad en staat, en de directeur was in hart en nieren het type van de gouverneur. Hij was niet erg populair in de stad en de burgemeester wist dat hij minstens een deel van de schuld op hem kon schuiven als er iets mis mocht gaan.

'Laten we maar beginnen,' zei Lasalle en hij knikte naar de hoofdcommissaris.

'Kijk, wij zijn volledig gemobiliseerd,' zei de hoofdcommissaris. 'Ik kan die tunnel in trekken met genoeg vuurkracht en chemische middelen om hen uit te roeien. Maar ik zou niet in kunnen staan voor de veiligheid van de passagiers.'

'Met andere woorden,' zei Lasalle, 'je bent ervoor dat we betalen.'

'Ik vind het verschrikkelijk om in zoiets toe te moeten geven aan een stelletje misdadigers,' zei de hoofdcommissaris, 'maar als de onschuldigen samen met de schuldigen worden afgeslacht...'

'Stem,' zei Lasalle.

'Ik onthou me.'

'Verdomme.' Lasalle wendde zich tot de directeur. 'Jouw beurt.'

'Het gaat mij alleen om de veiligheid van de passagiers.'

'Stem,' zei Lasalle.

'Een weigering om te betalen gaat ons het vertrouwen van

onze passagiers kosten. We zullen de komende tijd toch al minder inkomsten hebben. We moeten het losgeld betalen.'

'Waarvan betalen?' vroeg de wethouder. 'Gaat dat van jouw budget af?'

De directeur glimlachte zuur. 'Ik sta droog. Ik heb geen cent meer.'

'Ik ook niet,' zei de wethouder. 'Ik raad de burgemeester aan om zich financieel niet vast te leggen zolang we niet weten waar het geld vandaan moet komen.'

'Ik neem aan dat jij tegen stemt,' zei Lasalle.

'Ik heb mijn filosofie hierover nog niet uiteengezet,' zei de wethouder.

'Geen tijd voor filosofie,' zei Lasalle.

'Maar ik ben er zeker van dat er tijd zal zijn voor haar filosofie.' De wethouder knikte stijfjes met zijn hoofd in de richting van de vrouw van de burgemeester, die ooit over hem had gesproken als 'een Scrooge zonder enige hoop op genade'.

Met opgetrokken lip gaf de vrouw van de burgemeester antwoord met een accentje dat ze had opgepikt in haar tijd als stagiaire op de kunstacademie en dat ze, beter dan haar man, had leren beheersen: 'Dat moest er nog bij komen.'

'Dank u, mevrouw,' zei Lasalle. Hij knikte naar de voorzitter van de gemeenteraad. 'Jouw beurt.'

'Ik stem tegen om de volgende redenen '

'Oké,' zei Lasalle. 'Eén onthouding, één voor en twee tegen. Ik stem voor en dan hebben we twee tegen twee. Sam?'

'Wacht even,' zei de voorzitter. 'Ik wil mijn beslissing toelichten.'

'Geen tijd,' zei Lasalle. 'Er staan mensenlevens op het spel.'

'Ik wil per se mijn redenen uiteenzetten,' zei de voorzitter. 'Ten eerste ben ik voor recht en orde. Ik ben er voor om misdadigers de oorlog te verklaren en niet om hen met grote sommen geld in de watten te leggen.'

'Dank u, meneer de voorzitter,' zei Lasalle.

'Ik heb nog iets te zeggen.'

'Verdomme,' zei Lasalle. 'Weten jullie niet dat we aan een tijdslimiet gebonden zijn waar mensenlevens van afhangen?'

'Het tweede wat ik wil zeggen is dit,' zei de voorzitter van de gemeenteraad. 'Als we deze misdadigers betalen, krijgen we net zo'n situatie als in de luchtvaart. Als je toegeeft aan die gangsters, gaat straks iedereen er met een ondergrondse trein vandoor. Hoe vaak kunnen we ons één miljoen dollar veroorloven?'

'Die we toch al niet hebben,' zei de wethouder.

'En dus, meneer de burgemeester,' zei de voorzitter, 'dring ik er bij u op aan om tegen te stemmen voor wat betreft het betalen van het losgeld.'

'Zoals ik al zei,' zei Lasalle, 'twee voor, twee tegen en één onthouding. Dan ligt de beslissende stem bij de burgemeester.'

'En als het eens drie tegen één tegen was geweest?' vroeg de wethouder.

'Dan zou de beslissende stem nog steeds bij de burgemeester liggen,' zei Lasalle botweg. 'Sam, wil jij alsjeblieft de zaak afronden?'

De burgemeester moest onverwacht hard niesen, waarbij hij een dunne nevel de kamer in sproeide. Het deed hem plezier iedereen in elkaar te zien krimpen. 'Ik dacht dat jij de zaak al had afgérond, Murray.'

'Geen geintjes, alsjeblieft,' zei Lasalle met half dichtgeknepen ogen. 'Als je je ook maar iets zou aantrekken van die arme, gevangen medeburgers –'

'Laat me niet lachen,' zei de burgemeestersvrouw. 'Een burger is in jouw ogen alleen maar een stem.'

De burgemeester kreeg een hoestbui waarin hij bijna stikte. De dokter bekeek hem aandachtig en zei: 'Deze man verkeert in een toestand waarin hij niet onder druk gezet mag worden. Ik zal dat niet toestaan.'

'Jezus,' zei Lasalle. 'Vrouwen en pillendraaiers. Sam, besef je niet dat je niet anders kunt doen? We moeten die gijzelaars daar veilig en wel uit halen. Moet ik je eraan herinneren –'

'Ja, ja, de verkiezingen. Ik weet het wel,' zei de burgemeester. 'Ik hou er alleen niet van dat jij hier zo'n beetje iedereen het mes op de keel zet. Een beetje democratie zou je niet misstaan.'

'Wees nou wijzer,' zei Lasalle. 'We proberen een stad te besturen en dat heeft geen flikker met democratie te maken.' Hij keek nadrukkelijk op zijn horloge. 'Sam, schiet eens een beetje op.'

De burgemeester keerde zich naar zijn vrouw. 'Schat?'

'Menselijkheid, Sam, menselijkheid gaat voor alles.'

'Ga je gang, Murray,' zei de burgemeester. 'Zorg dat het losgeld wordt betaald.'

'Dat heb ik tien minuten geleden al gezegd.' Lasalle wees naar de hoofdcommissaris. 'Laat doorgeven aan die boeven dat we betalen.' Tegen de wethouder zei hij: 'Met welke bank doen we het meest zaken?'

'Gotham National Trust. Ik vind het heel erg, maar ik zal bellen.'

'Ík zal wel bellen. Iedereen naar beneden. Laten we opschieten.'

'Menselijkheid,' zei de vrouw van de burgemeester tegen haar man. 'Je zit vol met dat spul, schat.'

'Hij zit er inderdaad vol mee,' zei Lasalle.

Ryder

Zelfs met het licht in de cabine uitgeschakeld wist Ryder dat hij een gemakkelijk te raken doelwit vormde. Hij twijfelde er niet aan of er waren politiemannen in de tunnel, verborgen en waakzaam, en sommigen van hen, die op het brede voorraam mikten, zouden hem duidelijk in het vizier hebben. Maar tenzij de politie besloot om het uit te vechten in plaats van het losgeld te betalen – in dat geval zou hij enkel als eerste van vele anderen sterven – of tenzij een van de scherpschutters toegaf aan een irrationele impuls, liep hij geen groter risico dan de andere drie in hun wat meer afgeschermde posities. Hij werd gedekt door de omstandigheden en dat gaf hem een redelijke bescherming. Net als in de oorlog vroeg hij niet meer en wilde hij ook niet minder accepteren.

Hij moest niets hebben van romantische of idealistische denkbeelden over oorlog. Beschrijvingen als 'tot de laatste man stand gehouden', 'zij vochten met volledig voorbijzien van hun veiligheid' of 'tegen een overweldigende meerderheid' klonken hem in de oren als de zielige oorlogskreten van verliezers. Hij kende de klassieke voorbeelden, bijna alle oorlogen uit de oudheid, bijna alle voorbeelden van slechte voorbereiding, idiote trots of misrekening. Als je standhield tot de laatste man, wilde dat zeggen dat je werd uitgeroeid; volledig voorbijzien van veiligheid vermeerderde onnodig je aantal slachtoffers; vechten tegen een overweldigende meerderheid hield in dat je jezelf klem had gemanoeuvreerd. Hij was bereid het idee om zijn kleine stoottroep op te offeren als een tactisch voordeel te accepteren, maar nooit vanwege de roem.

Zijn 'stoottroep': een ironisch verzinsel voor het groepje mislukkelingen die hij eigenlijk zomaar tegen het lijf was gelopen. Behalve Longman kende hij hen eigenlijk nauwelijks; het waren pionnen die waren gekozen om de lege plekken in te vullen. In feite was het nog de vraag of hij Longman had gerekruteerd of Longman hem. Een beetje van allebei misschien, met dit verschil dat hij zich vrijwillig had aangeboden en dat Longman slechts schoorvoetend had ingestemd. Longman was gefascineerd, maar zijn vrees had de overhand. De combinatie van gefascineerd zijn en hebzucht woog echter zwaarder dan zijn vrees en dat had hem doen besluiten mee te doen – en mee te blijven doen.

Eigenlijk, besefte Ryder, had hij Welcome en Steever gerekruteerd als tegenwicht voor Longman, die intelligent was, fantasie had en een lafaard was. Hij had hen gevonden via de man die hem zijn wapens had verkocht, net als hij zelf een vroegere huurling die gedwongen was geweest ermee op te houden nadat hij zwaar gewond was geraakt. Nu handelde hij in wapens, had een opslagplaats in een achterbuurt van Newark en een heel klein kantoortje aan Pearl Street. Zijn dekmantel was een zaak in leder en huiden en in zijn kantoor waren aanwezig – behalve een bureau van honderd jaar oud – een telefoon, wat briefpapier en rekken van de vloer tot het plafond, vol verschrompelde huiden die hij eens in de maand afstofte om de schijn op te houden.

Machinepistolen kon hij gemakkelijk leveren. Als je ze maar hard genoeg nodig had, kon hij aan tanks komen, pantserwagens, houwitsers, landmijnen en zelfs een onderzeeër die plaats bood aan twee personen, compleet met torpedo's. Toen de zaak was beklonken voor het verkopen en leveren van vier Thompson-machinepistolen en nog wat kleinigheden, had de handelaar een fles whisky tevoorschijn gehaald en de twee hadden nog eens een paar oude veldslagen doorgesproken (inclusief enkele waarbij ze aan tegengestelde kanten hadden gevochten). Op een gegeven moment was de telefoon gegaan en na een korte woordenwisseling had de handelaar opgehangen en in wanhoop gezegd: 'Een van mijn jongens. Zo gek als een deur.'

Ryder had enkel ongeïnteresseerd geknikt, maar de handelaar was erop doorgegaan.

'Ik wou dat iemand hem van me kon overnemen en me de moeite bespaarde om hem koud te moeten maken,' zei de handelaar met galgenhumor. Toen keek hij Ryder bedachtzaam aan en zei: 'Misschien wil jij dat wel doen?'

'Wat doen?'

'Ik weet niet... Het schoot me zomaar te binnen: je koopt vier Thompsons, maar heb je je personeel al uitgezocht?'

Ryder zei dat hij dat nog niet had gedaan en dat hij openstond voor suggesties. Dat was typisch iets voor hem, dacht hij nu, dat hij eerst voor de wapens had gezorgd en niet voor de mensen.

'Misschien heb je dan interesse voor deze idioot?'

'Je schildert hem nou niet direct af als een interessante aanwinst.'

'Ik ben een eerlijk mens, waar of niet?' De handelaar zweeg even en toen Ryder zonder te reageren naar hem bleef staren, haalde hij zijn schouders op en ging verder. 'Deze jongen is niet op zijn plaats. Hij zit daar in Jersey de baas te spelen over mijn opslagplaats, maar hij verveelt zich te pletter. Hij houdt meer van actie, geen woorden maar daden. Als ik een klus had, als ik een wapen nodig had, of een soldaat, dan zou ik hem meteen huren. Als ik bijvoorbeeld een machinepistool had en ik had er een schutter bij nodig, dan zou ik geen moment aarzelen om hem erachter te zetten. Lef voor twee.'

'Maar wel gek.'

'Een beetje maar. Ik zeg gek bij wijze van spreken. Ik bedoel niet krankzinnig of zo. Maar wild. Ongeremd, misschien. Hij heeft lef en is spijkerhard en...' Hij zocht naar een woord en sprak het uit met een blik van verbazing. 'En eerlijk. Eérlijk.'

Ryder glimlachte. 'Denk jij dat ik eerlijk werk ga doen met die tommies?'

'Wat je ermee gaat doen gaat mij niets aan. Maar als je in de markt bent voor een schutter, is die jongen net wat je zoekt. Met eerlijk bedoel ik dat hij geen verrader is, hij zal niemand erbij lappen. Dat vind je tegenwoordig niet zo gemakkelijk meer. Heb je daar wat aan?'

'Het is een overweging, tenzij hij te eerlijk is.'

'Niemand is te eerlijk,' zei de handelaar botweg. 'Luister, het kan toch geen kwaad als je eens naar hem kijkt?'

Ryder had hem de week daarna bekeken. De jongen was brutaal en hard en eigenlijk veel te gespannen, maar Ryder zag die kwaliteiten niet als ernstige nadelen. De belangrijkste vraag was of hij bevelen kon opvolgen en daar was Ryder nooit helemaal achter gekomen. Ten slotte begon hij over de Organisatie. 'Ik heb begrepen dat je daar weg bent gegaan om voor jezelf te beginnen. Maar je werkt nu toch voor iemand?'

'Wie heeft je dat verteld, de baas?' De jongen keek minachtend. 'Da's een hoop gelul. Ik ben daar weggegaan omdat het een stelletje ouwe zakken zijn en ze zijn zo ouderwets als de pest. Ik hoop dat wat jij van plan bent niet ouderwets is.'

'Zo zou ik het niet willen noemen. Ik geloof eigenlijk dat het nog nooit eerder is gedaan.'

'Nog nooit vertoond?'

'En het is gevaarlijk,' zei Ryder, terwijl hij de jongen aandachtig gadesloeg. 'Het kan je je leven kosten.'

Welcome haalde zijn schouders op. 'Ik verwacht niet dat je een zak geld aanbiedt voor iets waarbij je geen gevaar loopt.' Hij vestigde zijn felle, glanzende ogen op Ryder en zei agressief: 'Mij maak je niet bang. Zelfs de Organisatie heeft me niet bang kunnen maken.'

Ryder knikte. 'Ik geloof je. Kun je bevelen opvolgen?'

'Hangt ervan af wie ze geeft.'

Ryder kromde zijn wijsvinger en raakte er zijn eigen borst mee aan.

'Ik zal het je eerlijk zeggen,' zei Welcome. 'Ik kan het je zo niet beloven. Ik ken je niet, begrijp je.'

'Zit wat in,' zei Ryder. 'Laten we er over een paar dagen nog eens over praten.'

'Jij bent zo'n kouwe kikker,' zei Welcome. 'En ik heb een grote bek. Maar kouwe kikkers hoeven geen slechteriken te zijn.

De baas heeft me een paar dingen over jou verteld. Je hebt de nodige ervaring. Daar heb ik respect voor.'

De week daarop, na een tweede gesprek dat Ryder toch niet helemaal geruststelde, nam hij Welcome aan. Ondertussen had hij Steever ontmoet en op Steever was hij veel geruster. Hij was hem ook aanbevolen door de wapenhandelaar.

'Er kwam een vent langs voor werk. Het is stil in de zaak en ik had niets voor hem. Praat eens met hem. Volgens mij is hij een goede soldaat.'

In het kastensysteem van de onderwereld was Steever een zware, in tegenstelling tot iemand als Longman, die geclassificeerd zou staan als een slimme. Ryder had zijn achtergrond zorgvuldig onderzocht. Hij kwam oorspronkelijk uit het Midden-Westen, was via kruimeldiefstallen en spierballenwerk opgeklommen naar gewapende overvallen en had één keer gezeten; niet toevallig, want die ene keer had hij het buiten zijn klasse gezocht en oplichting geprobeerd. Daarna was hij nog zeven of acht keer gearresteerd en twee keer voor de rechtbank gesleept, maar hij was verder niet meer veroordeeld. Ryder had over Steever geen enkele twijfel of hij bevelen zou opvolgen.

'Als alles goed gaat,' zei Ryder, 'hou je er een honderdduizend dollar aan over.'

'Da's niet mis.'

'Je verdient het ook wel. Er zit een hoop risico aan vast.'

'Logisch,' zei Steever en daarmee had hij bedoeld: natuurlijk, ik verwacht niet dat ik iets voor niets krijgt.

En zo had hij zijn legertje, al liet het te wensen over.

Murray Lasalle

Murray Lasalle liet zijn secretaresse het nummer van de bank voor hem opzoeken, maar hij waarschuwde haar dat hij zelf wilde bellen. Dit was niet de tijd voor protocols, hoewel hij onder normale omstandigheden de waarde ervan inzag en zich er ook aan hield. Zijn secretaresse, een veteraan in de ambtenarij, voelde zich op haar teentjes getrapt door die aantasting van haar rechten en dat gevoel werd nog versterkt toen Lasalle op de rand van een bureau ging zitten in de historische benedenkamer die vroeger de salon van Archibald Gracie was geweest, en haar dringend vroeg om op te sodemieteren.

Lasalle draaide het nummer met ongeduldige rukken van zijn vinger en zei tegen de telefoniste dat het kantoor van de burgemeester aan de lijn was, dat dit zeer dringend was en dat hij onmiddellijk moest worden doorverbonden met de president van de raad van bestuur. Hij werd verbonden met de secretaresse van de president.

'De president is in gesprek op een ander toestel,' zei de secretaresse. 'Hij zal graag met u spreken zodra hij –'

'Het kan me niks schelen of hij graag met me spreekt of niet. Ik wil direct, nu op dit moment, met hem praten.'

De secretaresse liet zich niet van de wijs brengen door zijn onbehouwenheid. 'Hij is bezig met een intercontinentaal gesprek, meneer. Ik weet zeker dat u daar begrip voor hebt.'

'Spreek me niet tegen, dametje. Het betreft een kwestie van leven en dood, zeventien mensenlevens, minstens. Roep hem dus onmiddellijk aan de telefoon en spreek me niet meer tegen.'

'Dat mag ik niet doen, meneer.'

'Luister, als je niet als de sodemieter zijn kantoor in gaat en hem roept, zal ik je laten vervolgen voor misdadige obstructie van de wet.'

'Een ogenblikje meneer.' Voor het eerst klonk er aarzeling in de stem van de secretaresse. 'Ik zal zien wat ik voor u kan doen.'

Hij wachtte en trommelde op het bureau. Toen klonk er een geaffecteerde stem in zijn oor: 'Murray! Hoe gaat het ermee, ouwe jongen? Met Rich Tompkins spreek je. Wat is het probleem, Murray?'

'Verrek, hoe krijg ik jou nou? Ik heb naar de baas gevraagd, verdomme, en niet naar die klootzak van een persvoorlichter.'

'Murray!'

Protest, angst en een smeekbede om genade lagen in die twee lettergrepen, precies zoals Lasalle had verwacht: hij had hem onder de gordel geraakt. Rich Tompkins was vicepresident en hoofd van de pr-afdeling van Gotham National Trust, een belangrijke en waardige betrekking, wat vooral was gelegen in het voorkomen dat zaken die schadelijk waren voor het smetteloze beeld dat paste bij een bank, bij het publiek bekend raakten. Hij was een conservatieve zuil in de bankgemeenschap, stond goed bekend, maar hij had vroeger een scheve schaats gereden: vijf waanzinnige maanden na zijn studie op Princeton en voordat hij aan zijn echte carrière was begonnen, had hij als persagent voor de film gewerkt. In zijn wereldje was zoiets niet geaccepteerd en hij leefde permanent in angst dat zijn bezwarende geheim zou uitlekken en alles teniet zou doen: salaris van honderdduizend, villa in Greenwich, jacht, lunches met de baas van de Effectenbeurs... Hij had met een studiebeurs op Princeton gestudeerd en had geen fundament van voorouders die een goede naam of veel geld hadden. Als hij zijn positie en zijn extraatjes niet meer had, bestond hij eenvoudig niet meer.

Murray Lasalle zei ongevoelig: 'Wat doe jij aan deze telefoon?'

'O, dat is gemakkelijk te verklaren,' zei Tompkins gretig.

'Verklaar het dan.'

'Nou ja, ik was in het kantoor van de president toen mevrouw Selwyn binnenkwam; ze vertelde me... Kan ik helpen, Murray? Als er ergens iets is waarmee ik kan helpen...'

In drie zinnen legde Lasalle de situatie uit. 'Dus, tenzij jij persoonlijk kunt zorgen dat er één miljoen dollar wordt overgemaakt, zorg je maar dat je nu direct dat gelul van die ouwe zak onderbreekt. Onmiddellijk. Heb je me verstaan?'

'Murray...' De stem van Tompkins klonk bijna als een jammerklacht. 'Dat kan niet. Hij praat met Burundi.'

'Wie is die verrekte Burundi?'

'Dat is een land. In Afrika.'

'Zegt me niks. Zorg dat hij kapt en met mij praat.'

'Murray, je begrijpt het niet. Wij financieren hen.'

'Wie is hen?'

'Dat zei ik al: Burundi. Het hele land. Zie je nu dat ik niet –'

'Ik zie alleen maar een voormalige filmsukkel die het functioneren van het stadsbestuur dwarsboomt. Ik ga je geheim verklappen, Rich, maak je daar geen enkele illusie over. Zie dat je hem binnen dertig seconden voor mij te pakken krijgt of ik laat het hele zaakje ontploffen.'

'Murray!'

'Het aftellen is begonnen.'

'Wat kan ik hem zeggen?'

'Zeg maar dat hij tegen Burundi zegt dat er een zeer dringend lokaal gesprek op hem wacht en dat hij hen zal terugbellen.'

'Mijn hemel, Murray, het duurt vier dagen voordat je verbinding hebt! Hun telefoonaansluitingen zijn zeer onderontwikkeld.'

'Nog vijftien seconden en dan ga ik de kranten bellen. Republic Pictures, Vera Hruba Ralston, koppelaar gespeeld voor actrices die New York bezochten en zo nodig moesten –'

'Ik roep hem voor je. Ik weet niet hoe, maar ik regel het wel. Blijf aan de lijn!'

Het wachten duurde zo kort dat Lasalle zich voorstelde dat Tompkins dwars door de kamer gesprongen was en het gesprek met Burundi midden in een woord had afgebroken.

'Goedemiddag, meneer Lasalle.' De stem van de president klonk ernstig en afgemeten. 'Ik heb begrepen dat er iets ernstigs aan de hand is in de stad?'

'Er is een ondergrondse trein gekaapt. Er worden zeventien mensen gegijzeld: zestien passagiers en de machinist. Als we niet binnen een halfuur één miljoen dollar betalen, worden ze alle zeventien doodgeschoten.'

'Een ondergrondse,' zei de president. 'Wat een origineel idee.'

'Jawel, meneer. U begrijpt dat er haast bij is, meneer? Is het een probleem om zo veel contant geld voor elkaar te krijgen?'

'Via de Federal Reserve Bank helemaal niet. Wij zijn lid, natuurlijk.'

'Goed. Wilt u er dan voor zorgen dat wij met de grootst mogelijke spoed dat geld krijgen?'

'Krijgen? Hoe moet ik dat "krijgen" opvatten, meneer Lasalle?'

'Lenen,' zei Lasalle met scheller wordende stem. 'Wij willen één miljoen lenen. De stad New York.'

'Lenen. Welnu, ziet u, meneer Lasalle, daar komen een aantal formaliteiten bij kijken. Toestemming bijvoorbeeld, handtekeningen, afbetaling, tijdsduur van de lening en misschien een paar andere kleinigheden.'

'Daar hebben we allemaal geen tijd voor, neemt u me niet kwalijk, meneer de president.'

'Maar dat "allemaal", zoals u dat noemt, is belangrijk. Ik moet ook verantwoording afleggen, moet u goed begrijpen. De directeuren en de aandeelhouders van de bank zullen vragen –'

'Luister eens, jij stomme zakkenwasser,' schreeuwde Murray en toen hield hij even in, met ontzag vervuld over zijn eigen onbeschoftheid. Maar het was te laat voor een excuus of om het terug te nemen en dat was bovendien helemaal niet zijn stijl. Hij denderde voort en zijn stem klonk openlijk dreigend: 'Wil je zaken met ons blijven doen? Ik kan zo naar een andere bank gaan, denk daaraan. En dat is nog maar het begin. Ik zal jullie van haver tot gort napluizen en ik weet zeker dat ik ergens wel wat vind.'

'Niemand,' zei de president, traag in zijn stomme verbazing, 'niemand heeft me ooit zo genoemd.'

Hier lag een gelegenheid om het uitvoerig goed te maken, maar Lasalle ging onbarmhartig door: 'Laat ik u dan eens wat vertellen, meneer de president. Als u nu niet meteen wat aan dat geld doet, gaat iedereen u zo noemen.'

Prescott

Het besluit dat op Gracie Mansion was genomen, was door de hoofdcommissaris doorgegeven aan de wijkcommandant. Van de wijkcommandant ging het naar diens tweede man, assistant-hoofdinspecteur Daniels in de cabine van Pelham One Two Three aan het perron van station 28th Street en van hem naar Prescott bij de Verkeersleiding. Prescott riep Pelham One Two Three op. 'We stemmen erin toe het losgeld te betalen,' zei hij. 'Ik herhaal, we zullen het losgeld betalen. Bevestig dit.'

'Ik heb u verstaan. Ik zal u nu verdere instructies geven. U moet die letterlijk opvolgen. Bevestig dit.'

'Oké,' zei Prescott.

'Drie dingen. Ten eerste: het geld moet worden betaald in biljetten van vijftig en van honderd, op de volgende manier: vijfhonderdduizend dollar in biljetten van honderd en vijfhonderdduizend dollar in biljetten van vijftig. Herhaal dit.'

Prescott herhaalde de opdracht langzaam en duidelijk.

'Dat zijn dus vijfduizend biljetten van honderd dollar en tienduizend van vijftig dollar. Een totaal van vijftienduizend biljetten. Ten tweede: deze biljetten moeten worden verzameld in stapeltjes van ieder tweehonderd biljetten met een elastiek over de lengte en over de breedte. Bevestig dit.'

'Vijfduizend van honderd, tienduizend van vijftig, stapeltjes van tweehonderd, over lengte en breedte met elastiek gebundeld.'

'Ten derde: alle biljetten moeten gebruikte biljetten zijn en mogen geen opeenvolgende serienummers hebben. Bevestig dit.'

'Allemaal oude biljetten,' zei Prescott, 'en geen opeenvolgende serienummers.'

'Dat is alles. Als het geld er is, moet u opnieuw contact met me opnemen voor verdere instructies.'

Prescott riep Pelham One Two Eight op.

'Ik heb het al opgevangen uit jouw herhalingen,' zei de plaatsvervangend commandant, 'en de boodschap is onderweg naar de burgemeester.'

Maar Prescott herhaalde de opdracht voor het geval de leider van de kapers meeluisterde. Hij zou er waarschijnlijk geen bezwaar tegen hebben dat de politie meeluisterde, maar ze konden beter niet het risico lopen dat hij er een punt van zou maken.

De hoofdinspecteur zei: 'Roep ze weer op en probeer meer tijd te krijgen.'

Prescott riep Pelham One Two Three op en toen de leider antwoordde zei hij: 'Ik heb uw instructies doorgegeven, maar we hebben meer tijd nodig.'

'Het is twee uur negenenveertig. U hebt nog vierentwintig minuten.'

'Wees nou redelijk,' zei Prescott. 'Het geld moet worden geteld, op stapeltjes gelegd, helemaal de stad in worden gebracht... Het is fysiek eenvoudig niet mogelijk.'

'Nee.'

De vlakke, onverzettelijke stem gaf Prescott een gevoel van hulpeloosheid dat hem een ogenblik verdoofde. Aan de andere kant van het vertrek kwam Correll, kennelijk bezig een noodschema uit te werken, handen tekort. Hij is eigenlijk net zo'n rotzak als die kapers, dacht Prescott, alleen maar bezig met zíjn zaakjes en de passagiers kunnen verrekken. Hij hervond zijn zelfbeheersing en keerde zich weer naar het paneel.

'Luister,' zei hij, 'geef ons nog vijftien minuten. Wat heeft het voor zin om onschuldige mensen te doden als het niet nodig is?'

'Niemand is onschuldig.'

Allemachtig, dacht Prescott, hij is een of andere gek. 'Vijftien minuten,' zei hij. 'Is het de moeite waard om al die mensen af te slachten enkel voor vijftien minuten?'

'Al die mensen?' De stem klonk verrast. 'Als jullie ons er niet toe dwingen zijn we helemaal niet van plan om ze allemaal te doden.'

'Nee, natuurlijk niet,' zei Prescott en hij dacht: dat is de eerste menselijke of bijna-menselijke emotie in die koude stem. 'Geef ons dan die extra tijd.'

'Want als we ze allemaal zouden doodschieten,' zei de stem rustig, 'dan zouden we onze macht kwijt zijn. Maar als we er een of twee, of zelfs vijf doodschieten, dan blijven er nog genoeg over zodat we de duimschroeven kunnen aandraaien. U zult één passagier verliezen voor iedere minuut over de gestelde tijdslimiet. Verder geen discussie meer.'

Prescott aarzelde, op de grens van blinde woede, wanhoop en bereidheid om zichzelf te vernederen op iedere mogelijke manier, maar hij wist dat alles, wat hij ook zou doen, kapot zou slaan tegen een onverzettelijke wil. En dus, vechtend om zijn stem te beheersen, veranderde hij van onderwerp. 'Wil je ons toestemming geven om de stationschef op te pikken?'

'Wie?'

'De man die jullie hebben neergeschoten. We zouden graag een brancard sturen om hem weg te halen.'

'Nee. Dat kunnen we niet toestaan.'

'Misschien leeft hij nog. Misschien lijdt hij pijn.'

'Hij is dood.'

'Maar dat weet je niet zeker.'

'Hij is dood. Maar als u erop staat willen we nog wel wat kogels op hem afschieten om hem uit zijn lijden te helpen.'

Prescott legde zijn armen op het paneel over elkaar en liet langzaam zijn hoofd zakken. Toen hij het weer ophief, stroomden de tranen over zijn wangen en hij wist niet of het kwam door woede of door medelijden of door een hartbrekende combinatie van beide. Hij propte een zakdoek in elkaar, duwde die stevig om beurten tegen zijn ogen en riep toen de plaatsvervangend commandant op. 'Geen verlenging. Hij weigert bot. Hij zal een passagier doodschieten voor iedere minuut die wij te laat zijn. En hij meent het.'

De hoofdinspecteur zei: 'Ik geloof eenvoudig niet dat we dat kunnen halen.'

'Drie uur dertien,' zei Prescott. 'Daarna kunnen we beginnen de passagiers af te turven, één voor iedere minuut.'

Frank Correll

Opgefokt, lawaaierig en lenig van paneel naar paneel huppelend ontwierp Frank Correll een noodschema dat de metrolijn voor algehele verlamming moest behoeden.

Treinen op de Lexington Avenue-lijn die vertrokken van Dyre Avenue en East 180th Street in de Bronx werden omgeleid naar de westelijke sporen op 149th Street en Grand Concourse.

Treinen die al waren gevorderd tot de zuidzijde van 149th werden omgeleid naar de westelijke sporen op Grand Central.

Ten zuiden van 14th Street werden enkele treinen omgeleid naar Brooklyn; andere werden naar de lus gestuurd rond het stadhuis of South Ferry en die kwamen zo weer in het noorden terecht bij station Bowling Green, waar ze vastliepen. Er werden bussen opgetrommeld om passagiers naar andere lijnen in de binnenstad te brengen.

Het overhevelen van treinen naar de westelijke sporen vereiste uitgebreide voorzorgen om die lijnen niet overbelast te laten raken. Het was een slordige improvisatie, maar het voorkwam tenminste de catastrofe van een volledige stilstand. 'Net zoals de post moet worden bezorgd,' riep Frank Correll, 'net zoals de voorstelling door moet gaan, zo moet de metro blijven rijden.'

Murray Lasalle

Murray Lasalle vloog met twee treden tegelijk de deftige trap op en ging de kamer van de burgemeester binnen. De burgemeester lag op zijn buik, zijn pyjamabroek was naar beneden getrokken en zijn blote achterwerk stak omhoog, terwijl de dokter het behoedzaam naderde met een injectienaald. Het was een welgevormd en praktisch kaal achterwerk en Lasalle dacht: als burgemeesters werden gekozen op grond van hun achterste, dan kon deze burgemeester wel voor altijd aanblijven. De dokter stak toe met zijn spuitje. De burgemeester kermde, keerde zich op zijn rug en trok zijn pyjamabroek op.

Lasalle zei: 'Kom uit bed en trek je kleren aan, Sam, we gaan de stad in.'

'Je bent knettergek,' zei de burgemeester.

'Komt helemaal niets van in,' zei de dokter. 'Belachelijk.'

'Niemand heeft jou wat gevraagd,' zei Lasalle. 'Ik neem hier de politieke beslissingen.'

'Meneer de burgemeester is mijn patiënt en ik kan niet toestaan dat hij uit bed komt.'

'Nou, dan zie ik wel een dokter te krijgen die het wel toestaat. Je bent ontslagen. Sam, hoe heet die dokter in het Flower Hospital ook al weer? Die vent die dankzij jouw invloed geneeskunde kon gaan studeren?'

'Deze man is heel erg ziek,' zei de dokter. 'Zijn leven kan in gevaar komen –'

'Ik zei dat je kon opsodemieteren.' Lasalle keek de dokter woedend aan. 'Sam, die dokter Revillion, die ga ik nu opbellen.'

'Laat hem hier verdomme wegblijven. Ik heb mijn buik vol van dokters.'

'Hij hoeft hier helemaal niet te komen. Hij kan wel een diagnose stellen over de telefoon.'

'Murray, verreknogantoe,' zei de burgemeester, 'ik ben zo ziek als een hond. Wat heeft het voor zin?'

'Wat heeft het voor zin? Zeventien burgers verkeren in levensgevaar en de burgemeester geeft zo weinig om hen dat hij niet eens even zijn gezicht wil laten zien?'

'Wat heeft het voor nut mijn gezicht te laten zien? Om me te laten uitjouwen misschien?'

De dokter liep om het bed heen en pakte de pols van de burgemeester vast. 'Laat dat,' zei Lasalle scherp. 'Jij bent vervangen door dokter Revillion.'

'Hij is nog niet eens dokter,' zei de burgemeester. 'Ik geloof dat hij pas vierdejaars is.'

'Luister, Sam, je hoeft daar alleen maar even naartoe te gaan, een paar woorden tegen de kapers te zeggen via een megafoon en dan kun je meteen weer terug en in bed kruipen.'

'Zullen ze naar me luisteren?'

'Ik betwijfel het. Maar het moet gebeuren. De Andere Kant zal er ook zijn. Wil je soms dat zij een megafoon pakken en gaan pleiten voor het leven van de burgers?'

'Zij zijn niet ziek,' zei de burgemeester hoestend.

'Denk aan je reputatie,' zei Lasalle. 'Ze zullen geen goed woord voor je over hebben.'

De burgemeester ging met een ruk overeind zitten, zwaaide zijn benen over de rand van het bed en tuimelde voorover. Lasalle ving hem op terwijl de dokter, na een eerste instinctieve beweging, stokstijf bleef staan.

De burgemeester hief met moeite zijn hoofd op. 'Dit is krankzinnig, Murray. Ik kan niet eens op mijn benen staan. Als ik de stad in ga, word ik alleen maar zieker.' Hij sperde zijn ogen wijd open. 'Ik zou zelfs dood kunnen gaan.'

'Een politicus kan ergere dingen meemaken dan alleen maar doodgaan,' zei Lasalle. 'Ik help je wel even met je broek.'

12

Ryder

RYDER OPENDE DE DEUR VAN de cabine. Longman stapte opzij om hem erdoor te laten en legde zijn trillende hand op zijn arm. Ryder trok zich er niets van aan en liep naar het midden van de wagon. Achterin zat Steever met zijn rug tegen de metalen zijwand. Zijn wapen was schuin op de spoorbaan gericht. In het midden stond Welcome met zijn voeten uit elkaar en zijn machinepistool in één hand. Een vent die zelfs stoer deed terwijl hij stilstond, dacht Ryder.

Hij koos positie vóór Welcome, maar een beetje opzij van hem om het schootsveld vrij te laten.

'Even opletten allemaal.'

Hij zag hoe de gezichten zich naar hem keerden, langzaam en onwillig of in een bijna spastische reactie op zijn stem. Slechts twee van de passagiers keken hem aan: de oude man ernstig en aandachtig, en de Afro-Amerikaan uitdagend boven zijn bebloede zakdoek uit. De machinist was bleek en zijn lippen bewogen zonder geluid. De hippie zat dromerig en schaapachtig te glimlachen. De moeder van de twee jongens bleef hen dwangmatig aanraken alsof zij hun vormen in haar geheugen wilde prenten. Het meisje met de soldatenhoed zat rechtop, een houding die erop berekend was om haar borsten naar voren te brengen en de welving van haar dijen te accentueren. De alcoholiste zat te zeveren, haar speeksel was ziekelijk verkleurd.

'Ik heb verder nieuws voor u,' zei Ryder. 'Het stadsbestuur heeft besloten om voor uw vrijlating te betalen.'

De moeder trok haar kinderen dicht tegen zich aan en kuste hen vurig. De uitdrukking van de Afro-Amerikaan bleef onveranderd. De oude man bracht zijn kleine, goedverzorgde handen op elkaar in een geluidloos applaus dat geen spoor van ironie vertoonde, of leek te vertonen.

'Als alles verder volgens plan verloopt, zult u ongedeerd vrijgelaten worden.'

De oude man zei: 'Wat bedoelt u met "volgens plan"?'

'Dat het stadsbestuur woord houdt.'

'Oké,' zei de oude man. 'Toch zou ik, zuiver uit nieuwsgierigheid, willen weten om hoeveel geld het gaat.'

'Eén miljoen dollar.'

'Per persoon?'

Ryder schudde zijn hoofd. De oude man keek teleurgesteld. 'Dat komt neer op zestigduizend per persoon ongeveer. Zijn wij niet meer waard?'

'Hou je bek, ouwe.' De stem van Welcome, maar hij klonk mechanisch, zonder interesse. Ryder zag waarom: hij stond met het meisje te flirten. Haar opgedirkte houding was enkel voor Welcome bedoeld.

'Meneer.' De moeder boog zich naar voren, terwijl ze de twee jongens tegen elkaar perste. Ze kronkelden van schaamte. 'Meneer, laat u ons gaan zodra u het geld hebt?'

'Nee, maar wel spoedig daarna.'

'Waarom niet meteen?'

'Geen vragen meer,' zei Ryder. Hij zette een stap achteruit naar Welcome en zei fluisterend: 'Hou op met dat geflirt.'

Welcome deed nauwelijks moeite om zachter te spreken toen hij zei: 'Maak je geen zorgen. Ik zou zonder moeite dit stelletje sukkels in bedwang kunnen houden en tegelijk die griet kunnen naaien.'

Ryder fronste zijn voorhoofd maar zei niets. Hij ging terug naar de cabine, ontweek de bezorgde blik van Longman en ging naar binnen. Er zat nu niets anders op dan te wachten. Hij verspilde geen tijd met speculeren of het geld binnen de gestelde tijd zou worden afgeleverd of niet. Hij kon er nu niets meer aan doen. Hij nam zelfs de moeite niet om op zijn horloge te kijken.

Tom Berry

Zodra de leider terugging naar de cabine, zette Tom Berry hem uit zijn gedachten en dacht weer aan Deedee – vooral aan de eerste keer dat hij haar had ontmoet en in het algemeen aan de manier waarop ze zijn hoofd op hol had gebracht. Daarvóór had hij ook wel eens vage gedachten gekoesterd die een politieman niet hoorde te koesteren, maar daar was hij nooit op door gegaan. Deedee had bereikt dat hij ernstig was gaan nadenken over alles wat hij tot dan toe voetstoots had aangenomen.

Hij liep nu al drie maanden wijkdienst in burger in East Village. Het was vrijwilligerswerk en God weet waarom hij er zich aan gewaagd had, behalve dan dat hij zich stierlijk had verveeld bij zijn dienst in een patrouillewagen met zijn partner, zo'n nazitype met een stierennek, die bijna iedereen haatte en die fel vóór oorlog was.

Berry had dus zijn haar laten groeien tot aan zijn schouders, zijn baard laten staan, een voorraadje poncho's, hoofdbanden en kralen aangeschaft en had zich begeven tussen de baardapen, motormuizen, straatzwalkers, verslaafden, homo's, studenten, radicalen, lijmsnuivers, weggelopen tieners en de slinkende hippiebevolking van East Village.

De hele ervaring was geschift en bizar geweest, maar hij had zich nooit verveeld. Hij had Deedee ontmoet tijdens zijn eerste dienstweek, toen zijn instructies luidden om te acclimatiseren en zich met de gewoontes van het gezelschap vertrouwd te maken. Hij stond de etalage van de boekwinkel op St Mark's Place te bestuderen toen zij de winkel uit kwam en bleef kijken naar de uitstalling. Ze droeg een spijkerbroek en een T-shirt en zag er verder uit als alle non-conformisten: lang haar tot over haar schouders, geen beha, geen make-up. Maar het haar was glanzend en schoon, de spijkerbroek en het T-shirt waren gewassen (toen baseerde hij zijn eerste indruk nog op zulke dingen), haar figuur was soepel en slank, open gelaatstrekken die bijna mooi te noemen waren.

Ze merkte dat hij haar bekeek. 'De boeken staan in de etalage, schatje.' Haar stem miste de rauwheid van de straat en ze sprak haar woorden zacht en keurig uit.

Hij lachte. 'Ik was volop bezig met de boeken totdat jij voorbij kwam. Jij bent veel mooier.'

Ze fronste. 'Jij bent ook knap, maar ik heb niet geprobeerd jou te vernederen door dat te zeggen, of wel soms?'

Hij herkende de feministische redeneertrant. 'Ik ben niet zo'n mannelijke chauvinist. Echt niet.'

'Je denkt misschien van niet, maar je hebt jezelf verraden.'

Ze liep weg in de richting van 2nd Avenue. Zonder speciale reden slenterde hij achter haar aan. Ze fronste voor de derde keer toen hij naast haar kwam lopen.

Hij zei: 'Trakteer me op een kop koffie, alsjeblieft.'

'Rot op.'

'Ik heb geen rooie cent meer.'

'Ga de stad maar in om te bedelen.' Ze nam hem scherp op. 'Heb je honger?'

Hij zei van wel. Ze nam hem mee naar een cafetaria en kocht een sandwich voor hem. Ze nam zonder meer aan dat hij tot de Beweging behoorde – die vormeloze 'speurtocht naar een betere wereld'-stroom van jonge mensen die soms politiek was, soms sociaal, soms seksueel en vaak een combinatie van al die facetten – en terwijl ze kletsten, werd ze steeds wanhopiger over zijn onbekendheid met de verschillende aspecten van de Beweging.

Hij vond haar tegelijkertijd charmant en vervelend en hij wilde haar wantrouwen niet wekken, hoewel ze daar geen last van leek te hebben; ze was alleen maar een beetje verontwaardigd dat hij zo slecht was ingelicht. Toen zei hij maar: 'Luister, ik ben er net pas in gestapt, ik begin nog maar pas te leren waar het in de Beweging allemaal om gaat.'

'Had je een normale baan?'

'Bij een bank, je kunt het geloven of niet,' zei hij vlotweg. 'Ik had er de balen van en kreeg mezelf eindelijk zover dat ik het overboord gooide en mijn steentje bij ging dragen.'

'Nou, je weet nog niet zo best om wat voor steentje het precies gaat, hè?'

'Maar ik wil leren,' zei hij en hij wendde zijn gezicht van haar af, terwijl de situatie eigenlijk meer vroeg om een diepe, veelbetekenende blik in de ogen van een meisje. Over haar stak hij in elk geval heel snel een en ander op. 'Ik wil er werkelijk meer van weten.'

'Nou, ik kan je wel helpen.'

'Dat vind ik fijn,' zei hij ernstig. 'Vind je me nu wat aardiger?'

'Aardiger dan wat?'

'Dan daarnet.'

'O,' zei ze verrast, 'ik vond je best wel aardig.'

De volgende dag ontmoetten ze elkaar weer en begon zij aan zijn ideologische opvoeding. De week daarop nam ze hem mee naar haar kamer en ze rookten samen een stickie en gingen met elkaar naar bed, al half op elkaar verliefd. Hij moest een paar goocheltoeren uithalen om te voorkomen dat ze zijn revolver zag. Maar een paar dagen later was hij onvoorzichtig en ze zag dat hij het wapen achter zijn broekband stak toen hij zich aankleedde.

'Dit? Het klinkt misschien raar, maar ze hebben me een keer behoorlijk te pakken genomen...' Haar ogen waren wijd opengesperd in sprakeloze teleurstelling, terwijl ze naar de korte loop van de .38 wees en vroeg: 'Wat doe jij met een smerissenrevolver?'

Hij had kunnen proberen nog verder te improviseren, maar hij had het lef niet om tegen haar te liegen. 'Ik ben... Zie je, Deedee, ik ben toevallig een smeris.'

Ze verraste hem door hem op zijn kaak te timmeren – een klap met dichtgeknepen vuist die hem uit zijn evenwicht bracht en toen liet ze zich op de vloer zakken en met haar hoofd in haar armen begon ze te huilen alsof haar hart brak. Later, na wederzijdse beschuldiging, een scheldpartij, aanklacht, bekentenis en plechtige liefdesverklaring hadden ze besloten om niet uit elkaar te gaan en Deedee bezwoer in het geheim – al hield ze het niet lang geheim – dat ze zich aan de bevrijding van een smeris zou gaan wijden.

Longman

Longman was nooit overtuigd geweest van de noodzaak om een strikte tijdslimiet vast te stellen voor de levering van het losgeld. En hij had zich heftig verzet tegen het inzetten van mensenlevens als strafmaatregel.

'We moeten intimideren,' had Ryder gezegd, 'en we moeten overtuigend klinken. Zo gauw ze niet meer geloven dat het ons ernst is met wat we zeggen, zijn we verloren. We intimideren ze door een strikte tijdslimiet vast te stellen en we overtuigen ze wanneer we dreigen te zullen doden.'

Bij de krankzinnige plannenmakerij voor deze onderneming had Ryder altijd gelijk gehad. Al zijn argumenten hadden direct met het succes van de onderneming te maken en op die manier kon je niet twijfelen aan de logica van zijn redenering, hoe bloeddorstig die ook mocht zijn. Hij koos ook niet altijd wat Longman als de 'radicale' kant van de onderneming beschouwde. Over het geld, bijvoorbeeld, had hij veel conservatiever gedacht dan Longman zelf, die ervoor was geweest om vijf miljoen dollar te eisen.

'Te veel,' had Ryder gezegd. 'Daar kunnen ze voor terugschrikken. Eén miljoen is een som die de mensen kunnen overzien. Daar zit een bekende klank aan.'

'Dat is maar een veronderstelling. Je weet niet of ze geen vijf miljoen willen betalen. Als je het mis hebt, dan laten we een heleboel geld schieten.'

Het was een van de zeldzame keren geweest dat Ryder had geglimlacht om wat Longman zei. Maar hij had voet bij stuk gehouden. 'Het is het risico niet waard. Je loopt kans dat je er met vierhonderdduizend uit springt, belastingvrij. Meer geld zul je nooit nodig hebben. Het is een heel wat beter dan een werkeloosheidsuitkering.'

De zaak was daarmee afgedaan, maar na het gesprek bleef Longman zich toch afvragen hoe belangrijk het geld voor Ryder was: of het niet eigenlijk ondergeschikt was aan het avontuur, de opwinding, de uitdaging van het leiderschap. Hetzelfde kon je je ook afvragen over Ryders verleden als huurling. Zou iemand zijn leven wagen in een gevecht als hij niet werd gedreven door een andere – dringender – reden dan alleen maar geld?

Ryder was zeker niet zuinig geweest bij de aanschaf van wat hij noemde het materiaal. Hij had alles zelf gefinancierd zonder Longman te vragen om de kosten te delen of ook maar één keer te spreken over vergoeding als hun actie was geslaagd.

Longman wist dat de vier machinepistolen een smak geld hadden gekost, om maar te zwijgen over de munitie, de pistolen, de granaten, de geldvesten, de speciaal vervaardigde regenjassen, de metalen constructie die hij op Ryders initiatief ontworpen had en die ze het Hulpstuk waren gaan noemen.

Longman werd zich bewust van Welcome en het meisje met de soldatenhoed. Ondanks de waarschuwing van Ryder was er niets veranderd. Als je kon zeggen dat twee mensen met een meter of vijf tussen hen in elkaar stonden te naaien, dan was het dat wat Welcome en het meisje nu aan het doen waren. Het was raar en opwindend tegelijk. Niet dat hij zo preuts was. Hij had het ook allemaal gedaan, volgens het boekje en buiten het boekje, eerst met dat kreng van een ex-vrouw van hem en meer recent met welwillende hoeren, als hij geld had. Alles had hij gedaan, rechttoe rechtaan of met toeters en bellen, en hij had er plezier in gehad, maar verdomme niet in het openbaar!

Anita Lemoyne

Anita Lemoyne liet een diepe, gepassioneerde blik los op de engerd om zijn vuurtje aan het branden te houden, voordat ze op haar kleine, gouden polshorloge keek. Zelfs al kon ze deze zelfde minuut uit deze verrekte trein komen en al liep ze zich rot en kleedde ze zich uit onder het lopen, dan zou ze nog niet op tijd in het bed van die tv-eikel kunnen komen om, zoals hij dat noemde, een boterhammetje te worden in zijn hoerensandwich.

Het leven was klote en de stad was klote. Als ze naging wat ze moest ophoesten alleen al om de huur te betalen in die deftige flat waar ze woonde (om nog maar te zwijgen over de dikke fooien aan portiers en makelaars en smerissen)... Als ze op een of andere manier de kans kreeg, zou ze wegtrekken uit de stad en een huisje zoeken met een tuintje in de voorsteden of zelfs helemaal op het platteland. Tuurlijk, en hoe zou ze rondkomen? Een uithangbord aan het huis om boerenpummels te lokken? Neuken tussen de bloeiende struiken terwijl het fluisteren van de takken zich mengde met het gekreun van de boeren en haar eigen berekende gilletjes van extase? Mooie droom. Er waren geen boeren. In de voorsteden naaiden ze elkaars vrouwen en op het platteland naaiden ze schapen in de zomer en speelden de hele winter door poker totdat de sneeuw smolt en ze weer achter hun schapen aan konden jagen.

Die engerd had het nog steeds op haar gemunt; zijn ogen puilden zowat door de spleten in zijn masker naar buiten. Hij stond zichzelf op te fokken en er vlogen vonken van hem af van de – hoe noemden ze dat ook al weer? – vierelditeit. Eén ding was zeker: je moest wel knap gestoord zijn als je aan een meid stond te denken terwijl je volop bezig was een ondergrondse trein te kapen.

En zijzelf dan: wat had het voor zin dat ze daar met haar benen zat te wiebelen alsof ze geil werd alleen al door naar hem te kijken?

Nou ja, zij was een prof en ze kon er niks aan doen dat ze op een professionele manier reageerde. Bovendien was dit een angstige toestand en het zou geen kwaad kunnen als ze die geile engerd te vriend hield. Ze vermoedde niet dat ze haar opzettelijk kwaad zouden doen, maar er konden best eens ongelukken gebeuren met al die wapens in de buurt. Natuurlijk, ze was een onschuldig toeschouwer, maar ze had al te veel foto's gezien op de voorpagina van de *News* van onschuldige toeschouwers die op de stoep in hun eigen bloed lagen, terwijl een of andere smeris zich er medelijdend overheen boog en aan z'n stomme kont stond te krabben. Ik wil geen onschuldige toeschouwer zijn, dacht ze, ik wil eruit! Als ik er baat bij zou hebben, zou ik die engerd naaien. Op ditzelfde moment, met publiek erbij, zou ik op de vloer voor hem neerknielen...

Ze keek hem in paniek aan en vormde met haar mond een rode, suggestieve cirkel. De engerd begreep de boodschap. Van voren, precies onder de riem, begon zijn regenjas omhoog te kruipen als een tent.

Welcome

Joe Welcome herinnerde zich een meisje dat eens ooit tegen hem had gezegd: 'Ik heb nog nooit een vent ontmoet die zo vaak klaar staat als jij.' En dat was een echte hete griet, dat meisje. Je hoefde alleen maar even aan haar kutje te denken en daar lag ze al op haar rug met haar benen gespreid. Hij dacht eraan terug hoe ze een keer uit bed vielen en de keuken in gingen en tegen de tijd dat die griet klaar was met koffie maken en naar de tafel kwam, zat hij in haar stoel en ging zij boven op een grote verrassing zitten.

Ieder moment, dacht Welcome, en iedere plek ook. Vloer, bed, plafond, hal, donker steegje, zittend, staand of fietsend. Of midden onder het kapen van een ondergrondse trein!

Deze zelfde seconde, met een machinepistool in zijn hand, zowat een miljoen smerissen in de tunnel en een moeilijke ontsnapping in het vooruitzicht, was hij er klaar voor. De griet met die gekke hoed kon zien dat hij er klaar voor was en die mond van haar zei: stop er eens wat in, schat. Het was krankzinnig om zelfs maar te denken wat hij op dit moment dacht, maar zei iedereen niet dat hij krankzinnig was? Hij was zo geil als de pest. En wat was er verkeerd aan een gezonde vent die geil was? Zo was de natuur nou eenmaal!

Op ditzelfde moment, nu zijn pik pijn deed en die griet er praktisch om smeekte, zou hij uit elkaar klappen als hij het niet kwijt kon. Hoe? Waar? Verdomme, overal. Hij kon haar meenemen naar de andere kant van de wagon en haar daar gewoon op een bank leggen. Laat de passagiers maar kijken. Ze zouden van hem eersteklas werk te zien krijgen. Ryder zou woest worden. Maar Ryder stond in de cabine, dus de pot op met Ryder. Die kon van hem toch al de pot op. Hij had hem al eerder de baas gekund, toen hij zei dat hij met hem meedeed, en dat zou hij weer kunnen, wanneer hij maar wilde. Als Ryder het wilde proberen, dan was hij er klaar voor. Wanneer hij maar wilde.

Komo Mobutu

De wond van Mobutu was gestopt met bloeden, al sijpelde het nog wat in zijn doorweekte zakdoek. Hij voelde een tikje op zijn arm. De ouwe zak naast hem bood hem een grote, opgevouwen zakdoek aan.

'Neem deze maar,' zei de oude man.

Mobutu duwde de zakdoek weg. 'Ik heb er zelf een.' Hij hield de bloederige lap omhoog en de oude man werd bleek, maar gaf niet op.

'Toe nou. Neem mijn zakdoek. We zitten allemaal in hetzelfde schuitje.'

'Ouwe, jij vaart in jouw schuitje en ik in mijn schuitje. Zit nou niet te zaniken over dezelfde schuitjes.'

'Nou goed dan, dan zijn we maar schepen die elkaar 's nachts voorbij varen. Neem nou die zakdoek. Wees een brave jongen.'

'Ik accepteer geen afdankertjes.'

'Afdankertjes die dank ik af,' zei de oude man. 'Deze zakdoek heb ik misschien een maand geleden gekocht.'

'Rot op, ouwe.'

Mobutu duwde zijn zakdoek tegen zijn kapotte voorhoofd.

Hij was te nat om nog iets op te kunnen nemen. Hij keek naar de dik geplooide zakdoek van de oude man. Die had hij vast en zeker gekocht van de winst, gezogen uit het bloed van zwarte broeders en zusters. Die zakdoek was dus eigenlijk van hém. Een vergoeding waar hij op zijn minst recht op had.

'Verdomme,' zei Mobutu en hij pakte de zakdoek aan.

13

De stad: ondergronds incident

HET ZUIDELIJKE PERRON VAN STATION 28th Street was het toneel van wat men later een 'mini-rel' zou gaan noemen. De wijkcommandant had, kort nadat hij op het toneel was verschenen, een ploeg agenten de trappen af gestuurd om het perron te ontruimen. Tien minuten later kwamen ze terug gestrompeld, zwetend, boos en met verfomfaaide uniformen; een van hen hinkte zwaar, bij een andere stroomde het bloed van een kapotgekrabt gezicht en een derde zoog op een beet in zijn hand. De passagiers hadden niet alleen geweigerd om te gaan – op een paar volgzamen na –, maar ze waren gaan schelden, hadden de bevelen overschreeuwd met honend geroep, zich verzet toen ze naar de uitgang werden gedrongen en waren ten slotte tot geweld overgegaan. De ploeg had zes burgers gearresteerd van wie ze er weer vier waren verloren op weg naar de straat, als gevolg van het geduw en getrek van de menigte. Een van de overgebleven arrestanten was een dame die een klap op haar oog had gekregen van een agent, nadat zij hem tegen zijn schenen had geschopt; de tweede, een jongeman met een vlasbaardje en een grote bos krullerig haar, had een klap met een wapenstok gehad – waarom werd niet gezegd – en was half bewusteloos, kwijlde en had waarschijnlijk een hersenschudding.

De menigte, zo ging de hoofdagent die rapport uitbracht verder, was gewelddadig en niet te beteugelen. Er waren een aantal ramen gebroken in de trein die aan het perron stond en er waren meer voorbeelden van vandalisme: affiches waren van de muur getrokken, banken ondersteboven gegooid, wc-papier uit de toiletruimte als confetti rondgestrooid. De plaatsvervangend commandant die door het lawaai de radio in de cabine niet kon verstaan, was woedend en had de wijkcommandant met verschuldigde eerbied verzocht om een ploeg naar beneden te sturen die groot genoeg was om iedere verrekte burger van dat verrekte perron af te sodemieteren.

De wijkcommandant beval een groep van vijftig agenten van de Tactische Politie en tien rechercheurs het station in te gaan. Met wapenstokken in de vuisten trok de politie in op de dicht opeengepakte mensenmassa op het perron en ze waren er na vijf minuten in geslaagd om de menigte in de richting van de uitgang te dringen. Daar ontstond echter een opstopping van passagiers die hun geld terug eisen. In de worstelpartij die daaruit ontstond, raakten een onbekend aantal passagiers en minstens zes agenten gewond.

De inspecteur die de leiding had, worstelde zich door alles heen naar het loket en beval de loketbediende, een oudere man met grijs, piekerig haar, om aan iedere passagier een penning uit te reiken. De bediende weigerde en eiste een officiële bekrachtiging van het bevel. De inspecteur trok zijn dienstpistool, richtte het door de tralies van het loket op de grijze bediende en zei: 'Hier is je officiële bekrachtiging en als je niet gauw begint met die penningen uit te reiken, schiet ik die rotkop van je van dat rotlijf van je!'

Een aantal burgers en agenten raakte gewond in het gedrang om in de rij te komen voor het teruggeven van de penning (ruim tien ernstig genoeg voor medische behandeling en vier moesten er worden opgenomen), maar een kwartier later werden de laatste passagiers de trappen naar de straat op geduwd. Op het dienstpersoneel na was er niemand meer op het perron, behalve (maar dat wist de politie niet) drie mannen, volslagen vreemden voor elkaar, die ijverig bezig waren een meisje van veertien jaar te verkrachten in het damestoilet.

Centrale verkeersleiding

Bij het Communicatiecentrum van de Verkeersleiding bleven ze tapes inspreken met berichten die erop gericht waren om de passagiers van de perrons te verwijderen in het gebied waar de stroom was uitgeschakeld. Ze werden omgeroepen via de luidsprekers op de stations en drongen er bij de passagiers op aan het perron te verlaten en langs andere routes te reizen: 'Een klein stukje lopen naar de BMT, de IND of de West Side-lijnen!' 'U kunt gebruikmaken van de bussen, geheel gratis!' Bij iedere boodschap klonk de aansporing: 'Wilt u alstublieft de stations te verlaten, in opdracht van de politie van de stad New York.'

Hoewel een aantal mensen er gehoor aan gaven en de buitenlucht opzochten, weigerde de meerderheid een vin te verroeren. ('Zo zijn ze nou eenmaal,' zei de chef van de Vervoerspolitie tegen de wijkcommandant. 'Vraag me niet hoe dat komt, zo zijn ze nou eenmaal.') Om een herhaling te voorkomen van de veldslag bij station 28th Street deed de politie geen pogingen om nog meer perrons met geweld te ontruimen. In plaats daarvan gingen ze posten bij de ingangen om te voorkomen dat er nieuwe passagiers naar beneden zouden gaan. Deze maatregel bleek afdoende, behalve bij station Astor Place, waar een groep passagiers onder geïnspireerd leiderschap de ingang bestormde, de wachtposten overmeesterde en de trappen naar het perron af draafde.

De stad: Oceanic Woolens Building

In de hal van het Oceanic Woolens Building (de naamgevende firma was al lang geleden geëmigreerd naar het zuiden voor goedkopere arbeidskrachten, maar de naam stond onuitwisbaar boven de indrukwekkende entree gebeiteld), had Abe Rosen het nog nooit van zijn leven zo fantastisch druk gehad. Toeschouwers stroomden vanaf de straat de hal in en stonden vier rijen dik voor zijn stalletje. Even snel als zijn voorraad snoep uit de uitstalling verdween, trok hij nieuwe dozen open en verkocht zijn nieuwe voorraad zo uit de doos. Binnen een halfuur was hij compleet door zijn sigaretten heen, ook de minder gevraagde merken. Toen begonnen zijn sigaren te lopen (sigarettenrokers namen ze in plaats van sigaretten) en ten slotte, omdat er niets anders meer te koop was, zijn kranten en tijdschriften.

Er was bijna geen doorkomen meer aan in de hal, omdat vele toeschouwers daar bleven hangen: rokend, snoepend, kranten en tijdschriften lezend en tientallen geruchten over de kaping verzinnend en rondstrooiend.

Uiteindelijk kreeg Abe Rosen ze allemaal te horen.

'Er zijn net tien ambulances met loeiende sirenes weggescheurd. Het schijnt dat ze de derde rail per ongeluk weer hebben aangezet en dat er een paar passagiers op het spoor liepen. Als je dat door je heen krijgt, zo'n miljoen volt...'

'Terroristen zijn het. De smerissen hebben ze de tunnel in gejaagd en nu hebben ze een trein gevorderd...'

'Die agent buiten die zei me net dat ze hen een ultimatum hebben gesteld. Als ze zich om drie uur niet hebben overgegeven, gaat de politie de tunnel in om ze te grazen te nemen...'

'Ze hebben het erover dat ze de luchttoevoer in de tunnel willen afsnijden, weet je wel, de compressoren uitzetten. Als ze het dan benauwd krijgen, komen ze vanzelf naar buiten kruipen...'

'Weet je hoe ze gaan ontsnappen? De riolen, ze hebben een plattegrond van de riolen en ze weten precies waar de hoofdriolen aansluiten op de ondergrondse...'

'Ze vragen één miljoen voor iedere passagier. Ze hebben er twintig, dus dat is mooi twintig miljoen! Het stadsbestuur is aan het onderhandelen om er een half miljoen per stuk van te maken...'

'De burgemeester? Vergeet het maar rustig. De enige kant die hij ooit op gaat is de binnenstad in. Als deze trein nou bijvoorbeeld was gekaapt tussen 125th en Lenox Avenue...'

'Ze hoeven alleen maar een troep dobermanns los te laten en ze de trein in te jagen. Zelfs als ze de helft van die honden kapotschieten, zal de andere helft hen de strot afbijten. En het mooie is dat je alleen maar hondenlevens verspeelt!'

'Ze gaan de Nationale Garde inschakelen. De enige vraag is nog hoe ze daar beneden een tank naar binnen kunnen krijgen...'

Abe Rosen zei op alles: 'Ja, ja, ja.' Hij geloofde niets en twijfelde aan niets. Tegen drie uur was hij helemaal uitverkocht – elk pakje sigaretten, elke sigaar, rol snoep, krant, tijdschrift, tot zijn laatste doosje vuursteentjes. Hij zat op zijn gammele houten kruk met niets om handen, verbijsterd en niet wetend wat hij moest doen. Drie uur en niets anders te doen dan bedroefd zijn hoofd te schudden tegen de mensen die naar zijn stalletje bleven komen om iets te kopen. Door de deuren van de hal zag hij een gedeelte van de enorme menigte die geduldig stond te wachten op god-weet-wat – een lijk dat op een brancard naar buiten werd gedragen met een laken over het gezicht en hulpeloos er onderuit stekende voeten; het geluid van schieten; iemand met bloed op zijn gezicht...

Plotseling dacht hij aan Artis James. Die was teruggekeerd naar zijn dienst ongeveer net op het moment toen het allemaal begon. Zou Artis erbij betrokken zijn? Nee, antwoordde hij bij zichzelf, wie had er nou met duizenden smerissen nog een stationsagent nodig? Hoogstwaarschijnlijk hadden ze hem op wacht gezet bij de snoepautomaten.

Abe keek verveeld toe hoe een man uit de lift kwam, stil bleef staan en stomverbaasd naar de chaos in de hal keek. De man liep naar zijn stalletje toe.

'Wat is er aan de hand, joh?'

Abe schudde verwonderd zijn hoofd. *Wat is er aan de hand.* Nog geen halve straat verder gebeurt de misdaad van de eeuw en deze stomme gozer wist niet wat er aan de hand was.

'Weet ik veel.' zei Abe, schouderophalend. 'Een optocht of zoiets.'

Clive Prescott

Inspecteur Prescott was de beste basketballer geweest in de historie van zijn school in het zuiden van Illinois, maar hij was net niet goed genoeg voor de profs. Hij was pas bij een late selectie, hij had hard gewerkt in zijn proefperiode, maar ze hadden hem laten schieten toen het seizoen begon.

Hij was in wezen een doener, zoals hij het zou hebben genoemd als hij het niet zo aanmatigend had gevonden, een man van actie. Zijn bureaubaan op het hoofdkantoor beviel hem niet, hoewel hij inzag dat er heel wat privileges aan vast zaten. De laatste tijd had hij overwogen om naar iets anders uit te kijken, al betekende dat een lager salaris, maar hij wist dat het hopeloos was vanwege zijn vrouw, zijn twee kinderen en zijn pensioen.

Hij zat aan het paneel van de verkeersleider en staarde naar de constellatie van flikkerende lichtjes. Hij had medelijden met zichzelf en met de gijzelaars op Pelham One Two Three. Tot op zekere hoogte zag hij zichzelf als verantwoordelijk voor beiden. Hij had bijvoorbeeld zo'n acht centimeter langer moeten zijn en een betrouwbaarder passeerschot moeten hebben; hij had ook de leider van de kapers moeten kunnen ompraten om de tijdslimiet te verlengen. Er bleven nog zo'n twaalf minuten over en het geld was nog niet eens onderweg. Ze hadden geen enkele kans dat ze het haalden. En hij twijfelde er niet aan of de kapers zouden woord houden en als strafmaatregel een paar passagiers doden.

Aan de andere kant van het vertrek was Correll een en al drukte en beweging, hier en daar een trein rangerend, machinisten en Torenmannen afblaffend, gillend tegen een opzichter van de bussen, hysterisch en gelukkig. Een tevreden man, dacht Prescott zuur, een man die opging in zijn werk, die in tegenspoed tot grote hoogten kon stijgen. 'Zet hem maar tegen een pilaar tot na het spitsuur...' De ware gelovigen werden waarlijk gezegend door de Heer. Maar de actieve ook, bedacht hij. Hij sprong overeind, ijsbeerde zonder aan iets speciaals te denken drie keer om het paneel heen, ging toen ineens weer zitten en riep Pelham One Two Eight op, aan het perron in station 28th Street.

Hoofdinspecteur Daniels zei kortaf: 'Ja, wat is er?'

'Meneer, ik wil graag weten of het geld al onderweg is.'

'Nog niet. Ik zal je wel berichten.'

'Goed,' zei Prescott. 'Het is dus onderweg. Ik zal het doorgeven aan Pelham One Two Three. Over.'

'Ik zei "nog niet", verdomme.'

'Jawel, meneer,' zei Prescott. 'En nu gaat het er enkel nog maar om hoelang het duurt voordat het de stad door is?'

'Luister,' zei de hoofdinspecteur geïrriteerd. 'Ik zeg net dat het geld nog niet –' Hij zweeg abrupt en Prescott dacht: de rotzak heeft eindelijk door dat Pelham One Two Three kan wel kan horen wat er vanuit de Verkeersleiding wordt gezegd, maar niet wat er binnenkomt. 'Oké,' zei de hoofdinspecteur. 'Ik geloof dat ik snap wat je van plan bent. Ga je gang.'

Prescott riep Pelham One Two Three op. 'Inspecteur Prescott hier. Het geld is onderweg.'

'Ja.'

De stem van de leider klonk vlak, de betekenis van zijn bevestiging was voor tweeërlei uitleg vatbaar, zodat Prescott niet kon opmaken of hij het gesprek had afgeluisterd of niet. Maar dat deed er niet toe.

'Wij werken mee,' zei Prescott. 'Zoals je ziet. Maar het is fysiek onmogelijk om in elf minuten door het stadsverkeer te komen. Heb je me verstaan?'

'Tien. Tien minuten.'

'Het is niet dat we niet willen, het is gewoon de toestand van het stadsverkeer. Wil je ons een uitstel van tien minuten geven?'

'Nee.'

'We maken zoveel mogelijk haast,' zei Prescott. Hij hoorde de smekende klank in zijn stem en wist dat de woede er vlak onder school. 'Alles wat we nodig hebben, is een beetje meer tijd. Werk nou een beetje mee.'

'Nee. De tijd is voorbij om drie uur dertien.'

De vlakke onverzettelijkheid in de stem klonk dodelijk. Maar Prescott bleef proberen. 'Oké. Het is uitgesloten dat we het geld bij jullie krijgen om drie uur dertien. Maar stel dat we het dan bij de ingang van het station hebben. Wil je de tijdslimiet niet veranderen van aflevering bij jullie tot aankomst aan het station? Wil je dat dan op zijn minst voor ons doen? Over. Over, alsjeblieft.'

Na een wachttijd die zo lang duurde dat Prescott al had besloten om weer op te roepen, kwam de stem van de leider plotseling weer over de luidspreker. 'Goed. Ik stem er in toe. Maar verder geen concessies meer. Hebt u dat begrepen?'

Prescott ademde in één keer uit en kreeg een zure smaak in zijn mond. 'Oké. Als er niets anders is, zou ik dit graag willen doorgeven.'

'Verder niets meer. Roep me op zodra het geld er is voor verdere instructies. Over en uit.'

Ik ben dus in actie gekomen, dacht Prescott, en ik heb een paar minuten extra gekregen. De enige moeilijkheid is dat het niet veel zal uithalen. Zelfs met dit nieuwe schema zou het geld onmogelijk om drie uur dertien bij het station kunnen zijn.

Artis James

Artis James van de Vervoerspolitie was niet op zijn gemak, fysiek niet, maar ook mentaal niet. Zoals hij daar op een afstand van twintig meter van de achterkant van de gekaapte wagon achter een pilaar geperst stond, was hij voldoende gedekt, maar hij had geen enkele ruimte om zich te bewegen. Afgezien daarvan begon hij het een beetje griezelig te vinden. Het was donker in de tunnel en de wind die erdoorheen blies droeg allerlei ingebeelde fluisteringen met zich mee.

En niet al dat gefluister was ingebeeld. Hij wist dat er achter hem in de tunnel politie zat – zo'n twintig, dertig, vijftig man, gewapend met zware revolvers, scherpschuttersgeweren, machinepistolen en al die wapens waren op de wagon gericht, of om het anders te zeggen: allemaal zo'n beetje in zijn richting. Verder wist hij niet of zij waren gewaarschuwd dat hij hier zat. Dat was het soort detail dat de hoge heren meestal over het hoofd zagen bij hun zorg over de algemene toestand. Daarom drukte hij zich stevig tegen het met vuil bedekte, onverzettelijke staal van de pilaar en probeerde zich doodstil te houden. Een klotesituatie. Hij moest er niet alleen voor zorgen dat de kapers hem niet zagen, maar ook oppassen dat hij geen verdachte bewegingen maakte voor de smerissen achter hem. Je kon nooit weten: een of andere verdomde commando zou best eens kunnen proberen hem van achter te besluipen en zijn keel af te snijden, om – zoals ze dat op tv noemden – een waarschuwingskreet te voorkomen. Onder zijn rechterpols, die tegen zijn zij geperst zat, voelde hij de langwerpige vorm van de sigaretten die hij van Abe Rosen had gekocht en plotseling kreeg hij een ondraaglijke zin om rook in zijn longen te zuigen. Toen kwam het bij hem op dat hij, als het slecht afliep, nooit meer zou kunnen roken en het drong tot hem door wat het betekende om dood te zijn: niet meer te kunnen eten, of met een vrouw naar bed te gaan, of eens lekker naar de plee te kunnen... Het hele idee kwam hem zo pijnlijk voor dat hij het met een plotseling, afwerend gebaar van zich af wuifde en zich kapot schrok toen hij besefte dat hij zijn hand had laten zien. Er gebeurde niets, maar hij beefde ervan. Waarom kwam niemand hem hier helpen in dit niemandsland?

De burgemeester

Met gierende banden schoot de auto van de hoofdcommissaris de oprijlaan van de villa af en een van de agenten die op wacht stonden moest achteruit springen in een struik met rododendrons om niet overreden te worden. De commissaris zat vlak achter de chauffeur, Murray Lasalle zat in het midden en de burgemeester, in een deken gewikkeld, aan het andere raampje. Toen de auto East End Avenue op reed, nieste de burgemeester daverend en de spettertjes dansten in het zonnige interieur van de auto. 'Gebruik een zakdoek,' zei Lasalle. 'Je steekt ons allemaal aan!'

De burgemeester veegde zijn neus af met de deken. 'Dit is gekkenwerk, Murray.'

'Ik doe geen gekke dingen,' zei Lasalle minachtend. 'Ik heb een goede reden voor alles wat ik doe.'

'Naar beneden gaan in die vochtige, tochtige tunnel, is dat geen gekkenwerk?'

'Pak je maar lekker warm in,' zei Lasalle.

De hoofdcommissaris sprak via zijn mobilofoonverbinding. De burgemeester vroeg Lasalle: 'Wat doet hij?'

'Hij meldt dat we eraan komen. Luister, het enige wat je hoeft te doen – en dat is nog het minste – is een megafoon pakken en een waardig pleidooi om genade houden.'

'Stel dat ze op me schieten.'

'Dan ga je maar achter een pilaar staan. Ze hebben trouwens geen enkele reden om op jou te schieten.'

Zo ziek als hij was, zag de burgemeester kans om nog grappig te zijn: 'Je bedoelt: zij komen niet uit onze stad?'

'Hou je nou maar kalm,' zei Lasalle. 'Doe gewoon wat je moet doen en dan brengen we je weer naar huis en kun je weer in bed kruipen. Denk maar dat het een benefietvoorstelling is.'

'Als ik nu maar overtuigd was dat het iets zou uithalen...'

'Dat zal het.'

'Voor de gijzelaars?'

'Nee,' zei Lasalle, 'voor jou.'

Wijkcommandant

Vanuit de commandopost van de wijkcommandant op de parkeerplaats bij de zuidwestelijke ingang naar station 28th Street leek de mensenmassa op een gigantische eencellige, waarvan het protoplasma heftig in beroering was, maar dat nog net niet aan splitsing toe was. Met al zijn roerigheid bleef het nog steeds een massaal geheel. De wijkcommandant bleef op zijn horloge kijken, soms openlijk, soms stiekem. De minuten tikten onstuitbaar verder. 'Drie uur drie,' zei de wijkcommandant. 'Nog tien minuten, en ze moeten zelfs nog beginnen.'

'Als ze iemand doodschieten,' zei de chef van de Vervoerspolitie, 'dan ben ik er voor om met man en macht naar binnen te gaan en de hele zaak uit te roeien.'

'Ik ben er voor om te doen wat ons wordt opgedragen,' zei de wijkcommandant, 'of ik dat nou leuk vind of niet. Als zij er een doodschieten, zijn er nog zestien over. Als wij aan het schieten gaan, loop je kans dat ze allemaal worden doodgeschoten. Wil jij de verantwoording nemen voor een dergelijke beslissing?'

'Tot dusver,' zei de chef van de Vervoerspolitie, 'heeft nog niemand mij gevraagd om enige beslissing te nemen.'

De brigadier die aan de verslaggever zijn naam had opgegeven als brigadier Midnight, ging recht voor de wijkcommandant staan en salueerde. Zijn gezicht was vuurrood. 'Meneer,' zei hij kwaad, 'wat doen we hier eigenlijk?'

De wijkcommandant zei: 'We staan hier te wachten. Hebt u een andere idee?'

'Meneer, ik vind het vervelend dat ik me zo verdomd hulpeloos voel. Het is ook de pest voor het moreel van de manschappen om te zien hoe die klootzakken –'

'Och, hou toch op, brigadier,' zei de wijkcommandant vermoeid.

Het rood op de wangen van de brigadier breidde zich uit en werd zichtbaar in zijn ogen. Hij zond de wijkcommandant een dodelijke blik toe, draaide zich toen abrupt om en elleboogde zich tussen de mensen door de commandopost uit.

'Ik neem het hem niet kwalijk,' zei de wijkcommandant. 'Hij is misschien niet zo verstandig, maar hij is tenminste een kerel. Maar dit is de tijd niet voor kerels; het is de tijd voor onderhandelaars.'

'Meneer...' Een hoofdagent die achter in de auto van de wijkcommandant zat, met zijn voeten op het trottoir, stak de portofoon naar hem uit. 'De hoofdcommissaris, meneer.'

De wijkcommandant pakte de portofoon en de stem van de hoofdcommissaris zei: 'Wat is de stand van zaken?'

'We wachten tot het geld hier komt. Het is nog niet eens weg en ik zie het hier ook niet op tijd arriveren. De volgende zet is voor hun.' Hij zweeg even. 'Tenzij ik een andere opdracht krijg.'

'Die krijg je niet,' zei de commissaris botweg. 'We zijn naar jullie onderweg. De burgemeester is bij me.'

'Geweldig,' zei de wijkcommandant. 'Ik zal de toeschouwers nog even voor hem vasthouden.'

De commissaris had even moeite met zijn ademhaling. 'Als hij aankomt, wil hij persoonlijk een beroep doen op de kapers.'

Met afgemeten stem zei de wijkcommandant: 'Verder nog iets van uw dienst, commissaris?'

'Dat is alles,' zei de commissaris moeilijk. 'Dat is helemaal alles, Charlie.'

De Federal Reserve Bank

Hoewel er over zulke onbeduidende zaken geen notulen worden bijgehouden, lijdt het weinig twijfel of het was in de zestigjarige geschiedenis van de Federal Reserve Bank nog nooit voorgekomen dat de president van een belangrijke aangesloten bank als de Gotham National Trust de president van de Federal Reserve Bank had opgebeld over zo'n onbenullig bedrag als één miljoen dollar. Onder normale omstandigheden komen verzoeken voor levering van contant geld, vaak veel hoger dan dat bedrag, langs de normale kanalen binnen, ongeveer als een normale rekeninghouder geld opneemt. De aangesloten bank stuurt een autorisatie – niet veel ingewikkelder dan het doorsnee formuliertje bij een bank om de hoek, al zijn de cijfers astronomisch hoog – die ondertekend is door een directeur van de bank. De Federal Reserve Bank telt het geld, stopt het in linnen zakken en draagt het officieel over aan de gepantserde vervoersdienst die door de aangesloten bank is ingeschakeld.

Dat is eigenlijk alles en daarom noemt de Fed zich ook populair 'een bank voor banken'. Op een meer officieel niveau functioneert de Fed natuurlijk als een verlengstuk van de regering dat de geldstroom moet controleren om de nationale economie in evenwicht te houden. Grof gezegd komt het erop neer dat het de geldtoevoer groter wordt in tijden van recessie en werkloosheid en afneemt in perioden van welvaart en inflatie.

De Fed laat zich niet gemakkelijk van zijn stuk brengen; iets onmogelijks doen ze direct, voor een wonder vragen ze wat meer tijd. Toch kreeg men er een lichte hartverzakking na het telefoontje van de president van de Gotham National Trust. Niet vanwege het telefoontje, hoe uniek dat op zichzelf ook was, maar vanwege de instructies over het hanteren en verpakken van het geld, die tegen alle tradities indruisten. De Fed heeft normaal één manier, maar dan ook één manier, om de enorme bedragen aan contant geld samen te stellen die hij zijn aangesloten banken levert: al het geld wordt in pakjes van honderd biljetten gebundeld, die in de breedte met een strook papier samengevoegd worden. Die worden dan verzameld in pakketten van tien die met wit touw worden vastgebonden en die men bundels noemt. Nieuwe, pasgedrukte biljetten zijn in pakpapier verpakt en worden bakstenen genoemd.

De Fed vergaart geen biljetten in pakjes van tweehonderd; men bindt ze daar niet met elastiek samen; men kiest voor een bestelling geen gebruikte biljetten. Normaal stelt men de pakjes willekeurig samen uit het geld wat voorhanden is, gewoonlijk een mengsel van nieuwe en gebruikte biljetten.

Maar wanneer de opdracht van de president zelve komt, doet de Fed wat ze normaal niet doen.

Al het binnenkomende en uitgaande contante geld wordt verwerkt op de derde verdieping van het Federal Reserve Building, Liberty Street 33, in het centrum van het uitgestrekte financiële district in New York. Het gebouw vormt een onneembaar fort, een vierkant blok, opgetrokken uit grote stenen en met getraliede vensters in de onderste verdiepingen. De bezoeker aan de derde verdieping – maar bezoek is zeldzaam – komt binnen door een enorme deur, bewaakt door een gewapende wachtpost en hij wordt, zolang als hij er blijft, in de gaten gehouden door camera's. Hij loopt nog een grote deur door en bevindt zich dan in een lange, tamelijk normaal ogende gang waar een paar houten kisten op wielen staan, die worden gebruikt om het geld door het gebouw te transporteren, naar en van de kluis. Overal staan gewapende bewakers. Links van de bezoeker liggen, achter traliehekken, de veiligheidsliften waarin het geld naar beneden wordt gebracht naar de laadperrons langs Maiden Lane. Verderop in de gang is, achter getraliede loketten, de afdeling Betalen & Ontvangen; achter glasruiten de afdeling Sorteren & Tellen. Betalen & Ontvangen is een depot voor het voortdurende tweerichtingsverkeer in contant geld. Ontvangstbeambten nemen de binnenkomende zakken met biljetten aan, tekenen ervoor en geven ze dan door naar Sorteren & Tellen naast hen. Betalingsbeambten vergaren de uitgaande pakjes met het geld dat is aangevraagd door de aangesloten banken, doen ze in zakken en dragen ze over voor aflevering aan de gewapende bewakers van de bank.

Sorteren & Tellen verwerkt het geld dat door de aangesloten banken naar de Fed wordt gezonden. De tellers zijn meestal mannen die ieder in een eigen hokje zitten. Ze verbreken de zegels van de linnen geldzakken (nieuwe zakken zijn wit, maar ze nemen al gauw de vuilgrijze kleur aan van de New Yorkse lucht) en tellen het aantal pakjes in iedere zak, maar niet het aantal biljetten per pakje.

Sorteren wordt meestal gedaan door vrouwen die in een grote, open kantoorruimte zitten. De sorteersters hebben een techniek waarbij ze een stapeltje bankbiljetten nemen, die in de lengte doorbuigen en die snel en bijna niet voor het oog te volgen verdelen in verschillende gleuven van een machine, naar gelang de waarde van het biljet. Een tachometer telt automatisch de biljetten wanneer ze in de machine worden gestopt. Ondanks hun razende snelheid pikken de sorteersters er versleten en beschadigde biljetten uit en leggen die opzij voor vernietiging. Ze halen er zelfs valse biljetten uit, iets wat de kassiers van de banken verondersteld worden te doen, maar wat ze vaak vergeten.

De speciale bestelling voor één miljoen dollar die door de president van de Gotham National Trust was geplaatst, werd in slechts enkele minuten afgehandeld door een betalingsbeambte. Hij slikte zijn geïrriteerdheid in over de ongewone afwijking van de vaste procedure en koos tien bundels van vijftigdollarbiljetten. Elke bundel bestond uit tien pakjes van honderd vijftigdollarbiljetten en vijf bundels van honderddollarbiljetten met in iedere bundel tien pakjes van ieder honderd biljetten. Hij knipte systematisch de touwtjes om de bundels door en begon twee pakjes bij elkaar te leggen en ze te vergaren met elastiek. Elk nieuw pakje van tweehonderd biljetten was ongeveer tweeënhalve centimeter dik. Netjes opgestapeld vormde het totaal van vijftienduizend biljetten een blok van ongeveer vijftig centimeter hoog en dertig centimeter diep.

Toen hij klaar was, stopte de beambte alle pakjes in een linnen zak die hij daarna door een open loket doorschoof naar twee bewakers die in een kamer daarnaast wachtten. De bewakers haastten zich de kamer uit met het geld, dat zowat twintig pond woog, en renden de gang door. Een andere bewaker opende het hek naar de veiligheidsliften en ze daalden af naar de laadperrons op straatniveau.

Agenten van de afdeling Speciale Operaties waren wel de nodige improvisatie gewend, zelfs op grote schaal, maar agent Wentworth die achter het stuur zat van een 'kleine vrachtwagen', op de stoep geparkeerd voor de laadperrons van de Federal Reserve aan Maiden Lane, was toch geïmponeerd door de uitgebreide maatregelen. Zijn maat, agent Albert Ricci, was er van stomme verbazing stil van geworden en dat vond Wentworth een zegening. Ricci praatte aan een stuk door over een enkel onderwerp: zijn uitgebreide en rumoerige Siciliaanse familie.

Wentworth keek met genoegen naar de acht mannen van de motorpolitie, die schrijlings op hun motoren zaten, laarzen aan, stofbrillen voor en gekleed in leren pakken. Zo nu en dan lieten ze hun motoren brullen door even aan het gas te draaien. De motor van zijn auto liep ook en zo nu en dan gaf hij ook gas. Hij liep regelmatig en krachtig, maar het was niets vergeleken met het diepe gebrom van de motorfietsen.

Over de radio klonk een stem, belangrijk en ongeduldig, die wilde weten of ze het geld al hadden. Dat was de vijfde oproep over het geld in vijf minuten. 'Nee, meneer, nog niet, meneer,' zei Ricci. 'We wachten nog, meneer.' De stem zweeg en Ricci schudde zijn hoofd en zei tegen Wentworth: 'Het is me wat. Het is me verdomme wat.'

Voetgangers in de smalle oude straat keken voortdurend opzij naar de vrachtwagen en speciaal naar het escorte motorrijders. De meesten liepen door zonder stil te staan, maar aan de overkant van de straat had zich een klein groepje gevormd. Ze droegen koffertjes die met kettingen aan hun polsen waren bevestigd en Wentworth dacht dat het geldlopers waren met waarschijnlijk honderdduizenden, misschien wel miljoenen aan waardepapieren in hun koffertjes. Hij zag een paar jongetjes stil blijven staan om met de motoragenten te praten, terwijl ze met ontzag naar hun motoren keken. Maar ze liepen door toen de mannen ijzig bleven zwijgen.

'Voel je je niet vereerd met de Gestapo als escorte?' vroeg Wentworth aan Ricci.

'Het is me wat,' zei Ricci. 'Het is me verdomme wat.'

'Dat niet alleen,' zei Wentworth, 'maar er staat ook nog eens een agent op ieder kruispunt tot helemaal in de binnenstad. Zeg nou niet "het is me wat, het is me verdomme wat".'

'Denk je dat we een kans maken om het te halen?' Ricci keek op zijn horloge. 'Waar zijn ze toch zo lang mee bezig?'

'Tellen,' zei Wentworth. 'Heb je er wel eens aan gedacht hoe vaak je aan je duim moet likken als je één miljoen dollar telt?'

Ricci keek hem wantrouwend aan. 'Je houdt me voor de gek. Daar hebben ze een machine voor of zoiets.'

'Precies. Een machine die je duimen likt.'

Ricci zei: 'We halen het nooit. Het is fysiek onmogelijk. Zelfs al kwamen ze deze zelfde minuut met het geld –'

Twee bewakers kwamen met getrokken revolver het laadplatform af rennen. Tussen hen in hielden ze een linnen zak ieder aan een punt vast. Ze renden naar het raampje van Wentworth.

'Andere kant,' zei Wentworth en hij trapte op het gas. Ricci opende zijn portier. De bewakers wierpen de zak in zijn schoot en klapten het portier dicht. De motoragenten zetten zich in beweging en zetten zich af met hun rechtervoet, terwijl hun sirenes al begonnen te loeien. 'Daar gaan we,' zei Wentworth. Hij hoorde dat Ricci het via de radio doorgaf.

Op de hoek wuifde een agent naar hen en ze sloegen rechts af, Nassau Street in, een van de smalste straten van de stad. Maar alle auto's waren de stoep op gedirigeerd en ze konden doorrijden tegen de helling op tot voorbij John Street. Daar werd de weg weer vlak en ze raasden Fulton voorbij, Ann en

Beekman. Bij Spruce, het einde van Nassau Street, draaiden ze naar rechts en reden van de verkeerde kant van de straat Park Row in, met het stadhuis aan hun linkerhand.

Het was prachtig, dacht Wentworth, zoals ze daar tegen dat stilstaande verkeer in raasden, met de motoragenten die hun sirenes voluit lieten loeien en het gebrom van hun motoren.

'Verlies het geld niet, Al,' zei Wentworth, lachend van vrolijke opwinding.

'Die klootzakken hebben dat ding precies op mijn ballen gegooid,' zei Ricci. 'Het doet pijn als de pest!'

Wentworth lachte weer. 'Als ze eraf moeten, komt de burgemeester je opzoeken in het ziekenhuis. Bof jij even.'

'We halen het nooit,' zei Ricci. 'Op geen enkele manier.' Bij het Municipal Building ging Wentworth aan de rechterkant van de weg rijden. Het verkeer dat van Brooklyn Bridge af kwam, werd op de afrit tegengehouden. Voorbij Chambers Street schoot hij Centre Street in achter de motoren aan en denderde langs het Federal Court Building met zijn witte pilaren, het oude City Courthouse, smerig van het vuil dat in de lucht hing maar nog steeds mooi, en langs de enorme massa van het Criminal Courts Building. Bij Canal draaiden ze linksaf, schoten tussen stilstaande auto's en vrachtwagens door en zigzagden naar Lafayette, waar ze weer naar het noorden afbogen.

Wentworth had het maar half geloofd dat er een agent op ieder kruispunt zou staan, maar het was waar. Het was niet te geloven hoeveel politiemensen er bij de hele operatie betrokken waren. In andere straten zou er geen politie te bekennen zijn en inbrekers en overvallers hadden waarschijnlijk de tijd van hun leven. De remlichten van de motoren gloeiden rood op en voor zich uit zag hij dat een kruispunt werd geblokkeerd door een auto. Hij trapte even op zijn rem, maar de motoren bleven doorrijden en hij besefte dat ze alleen maar instinctief hadden geremd. Hij schoof zijn voet weer op het gaspedaal. Een agent leunde tegen de zijkant van de stilstaande auto, leek hem voort te willen duwen, maar de wagen bleef onbeweeglijk. Net op het moment dat de motoren er op te pletter leken te rijden, startte de auto met brullend geraas en trok weg. Wentworth stak vlak achter de motoren aan het kruispunt over.

'Nog zo eentje,' zei hij, 'en dan zitten we allemaal zonder ballen.' Hij moest schreeuwen om zich verstaanbaar te maken boven het lawaai uit van de sirenes, motoren en het gebulder van de voorbijrazende wind.

'We halen het nooit,' zei Ricci.

'Ik ga het niet eens proberen. Op de volgende hoek, zogauw als de motoren het kruispunt over zijn, draai ik linksaf en dan blijven wij samen steeds maar doorrijden en dan hebben wij één miljoen dollar.'

Ricci keek hem even aan met een blik die een mengsel was van onzekerheid, vrees en – Wentworth wist het zeker – weemoed.

'Zie het maar als een bonus,' zei Wentworth. 'Jouw deel is een half miljoen. Denk je eens in hoeveel spaghetti je daarmee kunt kopen. Je zou er die verrekte schoorsteenvegersfamilie van jou voor de rest van hun miserabele dagen mee kunnen voeden.'

'Luister,' zei Ricci, 'ik heb net zo veel gevoel voor humor als jij, maar je moet mijn familie erbuiten laten.'

Wentworth grijnsde, terwijl er weer een hoek en weer een agent voorbijschoten. De brede avenue die voor hen lag was Houston Street.

Wijkcommandant

Om negen over drie rapporteerde de kleine vrachtwagen die het losgeld bevatte een ongeluk bij het oversteken van Houston Street. In een poging om een voetganger te ontwijken die uitdagend vlak voor hen overstak – waarschijnlijk omdat hij de gillende sirenes beschouwde als een inbreuk op zijn constitutionele rechten als New Yorker – waren de voorste twee motoragenten scherp uitgeweken en hadden elkaar geraakt. Beide mannen werden van hun motoren geslingerd. Nog voordat ze stil lagen was Ricci al aan de radio. De centrale bracht de wijkcommandant op de hoogte. Instructies? De wijkcommandant beval dat twee motorrijders achter moesten blijven om de gewonde politiemannen bij te staan. Verder moest iedereen door blijven rijden. *Door blijven rijden.* Verloren tijd: negentig seconden.

De mannen die rond de commandopost op de parkeerplaats stonden, schudden hulpeloos hun hoofden. Brigadier Midnight stond met zijn vuist op de bumper van een auto te slaan. Hij huilde.

Gejuich van de menigte die een halve straat verder stond, trok de aandacht van de wijkcommandant. De helmen van de agenten van de Tactische Politie begonnen te bewegen en hij zag dat ze zich moesten inspannen om de menigte in bedwang te houden. Hij ging op zijn tenen staan en zag heel even de burgemeester, zonder hoed maar gewikkeld in een deken. Hij glimlachte en knikte met zijn hoofd, en de menigte jouwde hem uit. De hoofdcommissaris liep naast hem en ze liepen naar de commandopost toe, geholpen door een stuk of zes agenten van de Tactische Politie.

De wijkcommandant keek op zijn horloge: tien over drie. Bijna direct daarna keek hij weer. Nog steeds tien over drie, maar de secondewijzer ging snel verder. Hij keek naar het zuiden de avenue af en toen weer op zijn horloge.

'Ze halen het niet,' mompelde hij.

Iemand klopte hem op de rug. Het was Murray Lasalle. Naast hem stond de burgemeester te glimlachen, maar hij zag er bleek en afgetobd uit en zijn halfdichte ogen traanden. Hij leunde vermoeid tegen de commissaris aan.

Lasalle zei: 'De burgemeester gaat de tunnel in met een megafoon om persoonlijk een beroep te doen op de kapers.'

De wijkcommandant schudde het hoofd. 'Komt niks van in.'

Lasalle zei: 'Ik vroeg niet om uw toestemming. Ik wil alleen maar dat u de voorbereidingen treft.'

De wijkcommandant keek de commissaris aan. Diens gezicht stond strak. Hij vertaalde het als een neutraal standpunt en dat kwam hem goed uit.

'Meneer,' zei hij tegen de burgemeester, 'ik apprecieer uw bezorgdheid in deze zaak.' Hij zweeg even en bewonderde zijn eigen diplomatieke manier van praten. 'Maar het is volledig uitgesloten. Niet alleen vanwege uw veiligheid, maar ook met het oog op de gijzelaars.'

Hij zag de commissaris nauwelijks zichtbaar knikken. De burgemeester knikte ook, maar hij kon niet zien of het instemming beduidde of gewoon een teken was van fysieke zwakte.

Lasalle keek hem even aan en wendde zich toen tot de hoofdcommissaris: 'Meneer de hoofdcommissaris, wilt u deze man bevel geven dat hij moet gehoorzamen.'

'Nee.' Het was de burgemeester en zijn stem klonk vastberaden. 'De commandant heeft gelijk. Het zou de zaak alleen maar verpesten en straks schieten ze mij nog in mijn donder ook.'

Lasalle zei dreigend: 'Sam, ik waarschuw je –'

'Ik ga naar huis, Murray,' zei de burgemeester. Hij stak zijn hand in een zak, haalde er een vuurrode wollen muts uit en trok die over zijn oren.

'Jezus,' zei Lasalle, 'ben je niet goed bij je hoofd?' De burgemeester begon weg te lopen. Lasalle rende achter hem aan. 'Sam, in godsnaam, sinds wanneer draagt een politicus een muts terwijl er honderdduizend mensen naar hem kijken?'

De hoofdcommissaris zei: 'Ga maar door, Charlie. Ik breng

ze even naar de auto en dan kom ik meteen terug. Jij bent de baas.'

De wijkcommandant knikte en hij bedacht dat het de burgemeester was geweest en niet de commissaris die Lasalle had dwarsgezeten. Misschien zou de commissaris iets hebben gezegd als de burgemeester hem niet voor geweest was, maar toch, hij zou het leuker hebben gevonden als de commissaris wat vlotter antwoord had gegeven.

Op de avenue gilde een sirene. De wijkcommandant draaide zich bliksemsnel om, maar het gegil hield op. 'Autoalarm,' zei iemand.

De wijkcommandant keek op zijn horloge: twaalf over drie. 'Die inspecteur van het Vervoerswezen wist wat hij deed.' Hij wendde zich tot de man aan de radio. 'Roep de hoofdinspecteur op. Zeg dat hij de kapers laat waarschuwen dat het geld er is.'

14

Ryder

RYDER SCHAKELDE HET LICHT IN de cabine aan en keek op zijn horloge: twaalf over drie. Over zestig seconden zou hij een gijzelaar doodschieten.

Tom Berry

Tom Berry voelde in zijn binnenste een plotselinge woede opwellen als lava uit een vulkaan. Hij wist dat het macho was, atavistische mannelijkheid, een primitieve woede omdat hij werd vernederd en de daarmee samenhangende drang om terug te slaan en zo zijn mannelijkheid te bewijzen.

Even zat hij klaar om op te springen, begonnen zijn stembanden al te trillen voor een wilde kreet die nooit zou worden geuit. Maar er gebeurde niets. Het nog sterkere atavisme van zelfbehoud hield hem tegen en hij gaf eraan toe. Bevend en nerveus ging hij met zijn vingers door zijn lange blonde haren. Het instinct had gekozen voor zelfbehoud. Hij kon het alleen niet aan.

Maar, dacht hij sluw, er lag kracht in eenheid. De andere passagiers. Hij bedacht snel een plan voor een gezamenlijke actie en probeerde het telepathisch door te geven. Hij waarschuwde hen dat ze op zijn teken moesten wachten. De een na de ander bevestigde met een nietszeggend gezicht, via gedachtegolven, zijn opdracht. Klaar?

Hij liet zijn hand met een scherpe, hakkende beweging naar beneden vallen en het plan trad in werking. Eerst kwam de afleidingsmanoeuvre: de alcoholiste viel van haar bank af in het middenpad, de oude man veinsde een hartaanval, het hoertje begon haar panty uit te trekken. De moeder en haar jongens gingen de alcoholiste helpen, die uit de vele plooien van haar kleding een knipmes tevoorschijn haalde en dat aan de moeder doorgaf. De dikke dame stond op, begon zich met de oude man te bemoeien en blokkeerde met haar forse lijf het zicht tussen de kapers in het midden en die voor in de wagon. Het hoertje liep heupwiegend naar haar mooie jongen toe, met haar harige driehoekje naar voren.

Precies op het moment waarop ze haar panty in zijn gezicht gooide en hem ontwapende met een venijnige karateklap, kwam de aanvalsgolf in actie, onder aanvoering van de Afro-Amerikaan. Ze splitsten zich in twee groepen en drie van hen sloegen de kaper voor in de wagon neer en ging toen opzij voor de theatercriticus, die zich boven op hem liet vallen en hem de adem benam. De hoofdmacht stormde door het middenpad naar de forse kaper achterin. Zijn vinger kromde zich om de trekker van zijn machinepistool, maar voordat hij kon vuren, wierp de moeder van de jongens het knipmes zoevend de hele wagon door. Magnifiek gemikt nagelde het lemmet de hand van de forse man aan de kolf van zijn wapen. Even later werd hij bedolven onder een stuk of zes onstuimige lichamen.

Berry zelf wachtte totdat de leider tevoorschijn kwam. Toen die met een rotgang uit de cabine kwam rennen, stak hij eenvoudig zijn voet uit en de leider smakte tegen de vloer, waarbij zijn wapen uit zijn handen vloog. Hij sloeg snel zijn hand ernaar uit, maar de oude man was hem te vlug af. Hij pakte het machinepistool op en richtte het op de borst van de leider.

'Niet schieten,' zei Berry kalm. 'Deze is van mij.'

De leider krabbelde overeind en kwam met zwaaiende vuisten op hem af stuiven. Berry nam koelbloedig de maat en plaatste een perfecte rechtse directe. De leider plofte neer, trok nog even met zijn benen en lag toen stil. De juichende passagiers tilden Berry op hun schouders en begonnen hem in triomf door het middenpad te dragen.

Nog na hijgend van de bliksemactie ademde Berry diep in en dacht: in fantasie ligt zelfbehoud. Een man kan toch best een man zijn, waar of niet, zonder dat hij zich van kant hoeft te laten maken?

Clive Prescott

'Pelham One Two Three. Meld u, Pelham One Two Three.' De stem van Prescott trilde van emotie.

'Pelham One Two Three aan Verkeersleiding. Ik hoor u.' De stem van de leider klonk, als steeds, rustig en ongehaast.

'Het geld is er,' zei Prescott. 'Ik herhaal: het geld is er.'

'Ja. Goed.' Even stil. 'U hebt het net gehaald.'

Het vlakke constateren van een feit. Geen emotie. Prescott was woedend als hij terugdacht aan de trilling in de stem van de hoofdinspecteur toen die het nieuws doorgaf en hoe zijn eigen gevoel van opluchting hem had doen beven. Maar de leider was daar ongevoelig voor. IJswater in plaats van bloed. Of gewoon gek. Hij moest wel gek zijn.

'En als het nog een minuut langer had geduurd,' zei Prescott, 'dan zou je een onschuldige hebben doodgeschoten?'

'Ja.'

'Voor één minuut. Is een mensenleven je niet meer waard?'

'Ik zal u nu instructies geven voor het afleveren van het geld. Die moet u letterlijk opvolgen. Bevestig dat.'

'Ga je gang.'

'Ik wil dat twee politiemannen de spoorbaan af lopen. De ene moet de geldzak dragen, de ander een brandende zaklantaarn. Bevestigen.'

'Twee agenten, een met het geld, een met een zaklantaarn. Wat voor agenten: Vervoerswezen of New Yorkse politie?'

'Maakt niets uit. De ene met het licht moet dit steeds op en neer zwaaien. Als ze bij de wagon komen, zal de achterdeur worden geopend. De man met het geld moet de zak op de vloer van de wagon gooien. Dan draaien ze alle twee om en lopen terug naar het station. Bevestig dit.'

'Ik heb het begrepen. Is dat het?'

'Dat is het. Maar denk eraan dat de regels blijven gelden. Als de politie ook maar iets doet, als ze ook maar één fout maken, dan doden wij een gijzelaar.'

'Ja,' zei Prescott. 'Dat had ik zelf ook wel kunnen bedenken.'

'U hebt tien minuten om het geld af te leveren. Als het er dan niet is –'

'Jajaja,' zei Prescott. 'Dan schiet je een gijzelaar dood. Het wordt een beetje eentonig. We hebben meer dan tien minuten nodig. Ze kunnen zo vlug niet lopen.'

'Tien minuten.'

'Geef ons er vijftien,' zei Prescott. 'Het is moeilijk lopen op het ballastbed en een van hen heeft een zware zak te dragen. Maak er vijftien van.'

'Tien minuten. Er wordt verder niet meer over gediscussieerd. Als we het geld in handen hebben, zal ik u oproepen voor de laatste instructies.'

'De laatste instructies voor wat? O, de ontsnapping. Dat halen jullie nooit.'

'Kijk op uw horloge, inspecteur. Het is veertien over drie. Dan hebt u tot drie uur vierentwintig de tijd. Over.'

'Over,' zei Prescott. 'Over, klootzak!'

Agent Wentworth trapte het gaspedaal helemaal in achter het brullende escorte van motorrijders, bereikte Union Square om vijftien minuten en dertig seconden over drie, schoot het korte stukje door dat in het oosten wordt begrensd door Klein en in het westen door Union Square Park en jakkerde in veertig seconden via een vrije baan over de Avenue naar 28th Street. Niemand minder dan een inspecteur beduidde hem dat hij moest omkeren. Hij maakte een scherpe bocht, botste met zijn linkerachterkant tegen de vluchtheuvel en stopte met rokende banden op de parkeerplaats, terwijl het motorescorte verder reed.

Wentworth herkende de wijkcommandant die op een log drafje naar hen toe kwam. Vanuit zijn mondhoek zei Wentworth: 'Er wordt hier hard gewerkt, Al. Ik neem aan dat hij ons voor prima werk hier ter plekke promoveert.'

De wijkcommandant rukte zwaar hijgend de deur aan Ricci's kant open en riep: 'Gooi die verdomde zak naar buiten!'

Ricci gaf de zak zenuwachtig een duw. Hij vloog tegen de wijkcommandant aan, die even wankelde. Hij pakte hem op en gooide hem naar twee agenten die stonden te wachten: een surveillant van de Tactische Politie met een blauwe helm op en een hoofdagent van het Vervoerswezen.

'Opschieten,' riep de wijkcommandant. 'Jullie hebben nog bijna negen minuten. Laat dat verrekte gesalueer maar zitten. Maak dat je wegkomt!'

De surveillant hing de zak over zijn schouder en rende met de hoofdagent naast zich naar de ingang van de ondergrondse. De wijkcommandant bleef kijken totdat de blauwe helm en de uniformpet waren verdwenen en wendde zich toen tot Wentworth en Ricci.

'Blijf hier niet rondhangen,' zei hij. 'We zitten toch al met te veel agenten. Meld je bij je dienstleider en ga terug naar je post.'

Wentworth schakelde en reed weg van de drukke comman-dopost. 'Adjudant Minzaam,' zei hij tegen Ricci. 'We mogen nog blij zijn dat hij ons niet degradeerde.' Hij reed Park Avenue South op. 'Zou je nou niet willen dat ik die draai had gemaakt had zoals ik zei en er met al het geld vandoor was gegaan?'

'Had het maar gedaan,' zei Ricci somber en hij pakte zijn por-tofoon. 'Je rijdt je te pletter en er kan nog geen 'goed gedaan' of 'dank je wel' af. Het zou misschien niet zo handig geweest zijn om er met dat geld vandoor te gaan, maar zou iemand het heb-ben gemerkt als we er een duizendje of twee uit hadden ge-haald?'

'De kapers zouden het ontbrekende geld melden,' zei Ricci. 'Dan waren wij de pineut geweest.'

Ricci sprak met de dienstleider. Wentworth wachtte tot hij klaar was. 'Echt jammer dat we niet een paar pakjes achterover hebben gedrukt, dat meen ik echt. Maar de kapers zouden zijn gaan zaniken over corruptie bij de politie, en dacht jij dat ie-mand ons woord zou geloven tegenover dat van die gangsters? Nooit! Zozeer vertrouwen ze de politie van New York. Ik wou dat ik een misdadiger was, dan waren er tenminste mensen die me een beetje respecteerden.'

Hoofdagent Miskowsky

De enige keer dat hoofdagent Miskowsky in zijn elf dienstja-ren op de spoorbaan was geweest, was toen hij als surveillant een stelletje dronkenlappen achterna had gezeten. Die hadden het in hun stomme koppen gekregen om van het perron af te springen en de tunnel in te draven. Hij wist nog hoe doodsbang hij was geweest om te struikelen en op de stroomrail te vallen, terwijl hij achter de dronkenmannen aan rende die over de spoorbaan waggelen. Uiteindelijk had hij hen naar het volgende perron gejaagd, waar ze in de armen van een andere surveillant liepen.

De tunnel bezorgde hem een griezelig gevoel en de haren achter in zijn nek prikten. Het was er donker op de seinlichten na, helder als groene smaragden. Het zou er heel stil moeten zijn, maar dat was het niet: de wind maakte zachte geluiden en er klonk vreemd geritsel dat hij niet kon thuisbrengen. Toen ze de negen lege wagons van Pelham One Two Three voorbij waren, wist hij dat de tunnel vol zat met politiemannen. Nu en dan kon hij er vaag een zien in de schaduw en een paar keer zou hij hebben gezworen dat hij er verschillende tegelijkertijd hoorde inademen. Echt spookachtig. Die agent van de Tactische Politie leek het weinig te doen. Hij draafde moeiteloos mee, alsof de zak geld die over zijn schouder hing niets woog.

Hij hield zijn grote staaflantaarn goed vast – ze zouden mooi in de puree zitten wanneer hij die liet vallen – en zwaaide er langzaam mee. De lichtstraal viel op de rails, de roestig rood gekleurde spoorbaan, de gevlekte muren. Ze schoten goed op, maar Miskowsky begon al zwaar te hijgen. De surveillant ademde, zelfs met zijn last, nog net zo gemakkelijk als een baby.

'Daar heb je hem,' zei de surveillant.

Miskowsky zag de bleke lichtschijn verderop in de tunnel en begon te zweten. 'Besef je dat we recht op vier machinepistolen af lopen?'

'Verdomme, ja,' zei de surveillant. 'Ik doe het ervan in mijn broek.' Hij gaf vrolijk een knipoog.

'Niet dat het echt gevaarlijk is. Wij zijn alleen maar de boodschappers.'

'Zal wel,' zei de surveillant onverschillig. Hij verschoof de linnen zak wat op zijn schouder. 'Als je nagaat dat het maar een kilo of tien weegt, is dat helemaal niet zo zwaar voor één miljoen dollar.'

Miskowsky lachte nerveus. 'Ik dacht net aan iets idioots: stel dat we worden overvallen. Begrijp je wat ik bedoel? Stel dat een stelletje overvallers...' Maar dat was een veel te kinderachtige gedachte om verder uit te werken, hij zou ermee voor gek staan.

'Da's toch niet zo idioot,' zei de surveillant. 'Ik ken een politieman die vorige week na diensttijd werd overvallen. Ze beslopen hem van achteren en sloegen hem buiten westen met een metalen staaf die in een krant was gewikkeld. Ze pikten zijn portefeuille, zijn creditcards en zijn revolver. Die revolver, da's erg.'

'Maar ja, wij zijn in uniform. Ze overvallen geen agenten in uniform.'

'Nog niet. Die dag komt ook nog wel.'

'Er staat iemand in de achterdeur van de wagon,' zei de surveillant. 'Zie je hem?'

'Jezus,' zei Miskowsky. 'Ik hoop dat hij weet dat wij het zijn. Ik hoop dat 'ie het niet op zijn zenuwen krijgt en begint te schieten.'

'Nog niet,' zei de surveillant.

'Wat bedoel je met "nog niet"?'

'Pas wanneer hij het wit van onze ogen kan zien.' De surveillant keek Miskowsky van opzij aan en lachte zachtjes.

Artis James

Artis James voelde zich een klomp steen. Hij had het idee dat hij al zijn leven in die tunnel was en daar ook altijd zou blijven. Net als water het element was voor een vis, zo was de tunnel zijn element: een ondergrondse oceaan, donker, vochtig, fluisterend.

Hij durfde niet achterom te kijken, uit angst voor wat de schaduw zou kunnen verbergen. Zelfs de wagon vóór hem was geruststellender, want het was tenminste iets bekends. Hij draaide de klep van zijn pet naar achteren en loerde om de pilaar heen. Een gedaante werd gedeeltelijk zichtbaar, de helft van het hoofd en de rechterschouder. Hij bleef zowat tien seconden en verdween toen weer. Hij bleef terugkomen met tussenpozen van ongeveer een minuut en Artis wist dat het de wachtpost was voor de achterdeur, die de spoorbaan in de gaten hield met zijn machinepistool naar voren gericht als een zoekende antenne. De tweede keer dat de gedaante zich liet zien, drong het tot Artis door dat hij tegen het licht in de wagon een goed doelwit vormde. Toegegeven, een revolver was niet accuraat meer op die afstand, behalve voor een uitzonderlijk goede schutter. Zoals hijzelf bijvoorbeeld. Als hij maar tijd kreeg om zorgvuldig te mikken en zijn revolver en pols steun kon geven tegen de rand van de pilaar, wist hij dat hij de gedaante kon raken. Hij probeerde zich te herinneren wat voor opdracht hij precies had gekregen. Blijven staan? Zoiets was het ja: blijven staan en niets ondernemen. Maar als hij nu een dode misdadiger had aan te bieden als verontschuldiging, konden ze hem dan straffen omdat hij zijn bevelen niet letterlijk had opgevolgd? Toen de hoekige gedaante zich weer in de deur vertoonde, had Artis zijn revolver beet met de loop gesteund op de pols van zijn linkerhand. Hij nam de gedaante op de korrel, bleef kijken tot hij zich terugtrok en stak de revolver weer in zijn holster. Maar hij trok hem direct weer en nam opnieuw de schiethouding aan. Toen de gedaante weer voor zijn vizier kwam, haalde hij de trekker over.

Als de veiligheidspal eraf was geweest, had hij zijn dode misdadiger gehad. Nadat de gedaante zich had teruggetrokken, schoof hij de veiligheidspal zomaar een paar keer heen en weer en stak de revolver terug in de holster. Maar hij wist niet zeker of hij met de laatste keer schuiven de pal niet aan had laten staan, dus trok hij hem weer en controleerde dat. Hij stond op veilig; hij was te voorzichtig met een revolver om een dergelijke fout te maken. Hij bleef de revolver vasthouden en had hem in zijn hand naast zijn lichaam hangen toen de gedaante nogmaals tevoorschijn kwam. Nadat hij was verdwenen, richtte hij op de deur en dit keer schoof hij, voor de lol, de veiligheidspal op vuren.

Toen de gedaante weer verscheen, ging hij alsof het zo was afgesproken precies voor het vizier staan. Artis haalde diep adem en vuurde. De echo van het schot klonk in de tunnel als een exploderende bom en hij hoorde glasgerinkel toen de kogel zich door het venster boorde. Hij zag dat de gedaante zich met een ruk terugtrok en wist dat hij hem had geraakt. Toen werd de tunnel een gekkenhuis van daverende schoten dat vinnig van de wanden weerkaatste. Hij drukte zich weg achter zijn pilaar, uit de baan van de flitsende kogels, en hij was er zeker van dat als de kapers hem niet zouden raken, hij dan wel van achteren zou worden neergeschoten, wanneer de agenten in de tunnel het vuur gingen beantwoorden.

15

Hoofdagent Miskowsky

TOEN HET SCHOT WEERKLONK, SCHREEUWDE hoofdagent Miskowsky: 'Ze schieten op ons!' en liet zich op het ballastbed vallen, terwijl hij de surveillant met zich meetrok. Er klonk een salvo uit een machinegeweer. Miskowsky verborg zijn hoofd in zijn armen toen er een tweede salvo klonk.

De surveillant duwde de linnen zak naar voren als dekking. 'Niet dat het iets zal tegenhouden,' fluisterde hij. 'Het is één miljoen dollar, maar een kogel zou er doorheen gaan als een scheet door een open raam.'

Het schieten hield op, maar Miskowsky wachtte een volle minuut voordat hij zijn hoofd ophief. De agent van de Tactische Politie tuurde nieuwsgierig over de zak heen naar de achterkant van de wagon.

'Wat doen we nu?' fluisterde Miskowsky. 'Voel jij ervoor om op te staan en al dat lood tegemoet te lopen?'

'Ik peins er niet over,' zei de surveillant. 'We verroeren ons niet totdat we weten wat er aan de hand is. Verdorie, moet je mij hier in die rotzooi zien liggen, dat krijg ik nooit meer van mijn uniform af.' Toen het schieten ophield, leek de tunnel twee keer zo donker als voorheen en de stilte nog dieper. Miskowsky kroop weg achter de zachte beschutting van de zak en was dankbaar voor beide.

Toen Ryder door het gangpad liep, volgden de passagiers hem met glazige ogen. Ze leken verdoofd door de heftigheid van het geweervuur. Aan de achterzijde was het raam van de kopdeur kapot. Welcome stond met zijn gezicht ernaartoe, half zichtbaar vanuit de tunnel met zijn voeten van elkaar, tussen de glasscherven. De loop van zijn machinepistool die door het kapotte raam stak, beschreef een langzame cirkel en doorzocht de tunnel als de voelspriet van een of ander kwaadaardig insect. Steever zat op het opklapbankje. Hij leek op zijn gemak, maar Ryder zag dat hij was geraakt. Er was een donkere vochtige vlek zichtbaar op zijn rechtermouw, net onder de schouder.

Hij bleef voor Steever staan en keek vragend op hem neer.

'Niet zo erg,' zei Steever. 'Ik geloof dat hij er doorheen is gegaan en er weer uit is gekomen.'

'Hoeveel schoten?'

'Eentje maar. Ik heb een paar kogels afgeschoten.' Hij klopte op het wapen dat op zijn schoot lag. 'Ik kon daarbuiten niks zien, dus het had eigenlijk geen zin om te schieten. Ik denk dat ik kwaad werd. Toen kwam hij hier' – een nauwelijks zichtbaar knikje naar Welcome – 'hij kwam eraan lopen en liet een salvo los.'

Ryder knikte en ging voorzichtig naast Welcome staan. Door de glasloze deur zag de tunnel er stil en vol schaduwen uit, een ondergronds bos van grauwbruine pilaren. Er waren daar mensen, maar ze waren uitstekend verborgen.

Hij liep voorzichtig terug van het gat. Welcome stond te trillen van spanning en zijn ademhaling was oppervlakkig en snel.

'Je hebt zonder opdracht je post verlaten,' zei Ryder. 'Ga terug naar het midden van de wagon.'

Welcome zei: 'Val dood.'

'Ga terug naar je post.'

Welcome draaide zich plotseling om en de loop van zijn wapen raakte, opzettelijk of niet, de borst van Ryder. Toen nam de druk toe en door de stof van zijn regenjas voelde hij de het ronde uiteinde, maar hij wendde zijn ogen niet af. Hij bleef ze gericht houden op die van Welcome, die donker gloeiden in de spleten van zijn masker.

'Ga terug naar je post,' zei Ryder weer.

'Val dood met je bevelen,' zei Welcome, maar Ryder wist door de intonatie van zijn stem of door een nauwelijks merkbare verandering in de felheid van zijn ogen dat hij terugkrabbelde. Even daarna liet Welcome zijn wapen zakken. De confrontatie was voorbij. Voorlopig althans.

Welcome liep langs hem heen en stapte met stramme benen naar het midden van de wagon. Ryder wachtte totdat hij zijn plaats had ingenomen waar hij de passagiers in de gaten kon houden en keek toen naar buiten de tunnel in. Niets bewoog zich. Hij draaide zich om en ging op de klapstoel naast Steever zitten.

'Weet je zeker dat het maar één schot was?'

Steever knikte.

'Er werd niet teruggeschoten nadat jij vuurde? Of nadat Welcome vuurde?'

'Alleen dat ene schot, dat is alles.'

'Gewoon iemand die het op zijn heupen kreeg,' zei Ryder. 'Ik denk niet dat er verder nog moeilijkheden zullen zijn. Kun je je machinepistool bedienen?'

'Dat heb ik toch al gedaan? Het doet een beetje pijn, niet veel.'

'Het was gewoon een stommiteit van een of andere vent,' zei Ryder, 'maar we kunnen het niet over onze kant laten gaan.'

'Ik ben al niet kwaad meer,' zei Steever.

'Het is geen kwestie van kwaad zijn. We moeten onze toezeggingen waarmaken. Alles hangt ervan af of zij geloven dat we menen wat we zeggen.'

'Een passagier koud maken?' vroeg Steever.

'Ja. Wil jij er een uitkiezen?'

Steever haalde zijn schouders op. 'Voor mij zijn ze allemaal hetzelfde.'

Ryder boog zich over de wond. Door een scheur in de regenjas sijpelde langzaam wat bloed. 'Zo gauw als het is gebeurd, zal ik naar je schouder kijken. Oké?'

'Best.'

'Ik zal er een naar achteren sturen. Kun jij het doen?'

'Goed hoor,' zei Steever. 'Stuur hem maar naar achteren.'

Ryder stond op en liep naar het midden van de wagon. Welke? Die oude alcoholiste vormde waarschijnlijk het geringste verlies voor de mensheid... Nee. Het was zijn zaak niet om een moreel oordeel te vellen, hij moest enkel een slachtoffer aanwijzen.

'Jij.' Hij wees zo maar. 'Wil je even hier komen.'

'Ik?' Een onzekere vinger raakte een borst aan.

'Ja,' zei Ryder. 'Jij.'

Denny Doyle

Denny Doyle zat te dagdromen. Hij bestuurde een ondergrondse trein, maar langs een hele vreemde lijn. Het was wel ondergronds, maar er was een landschap: bomen en meren en heuvels, alles badend in helder zonlicht, terwijl het voorbijflitste. Er waren stations met mensen – die waren ondergronds, alleen de spoorbaan tussen de stations was in de buitenlucht –, maar hij hoefde nergens te stoppen. Het was een perfecte rit, de rijcontroller helemaal voluit, alle seinen groen zodat hij de rem helemaal niet hoefde aanraken.

De plezierige dagdroom werd in stukken gereten toen het eerste oorverdovende schot weerklonk van de spoorbaan en toen het machinepistool vuurde, trok Denny zijn hoofd beschermend tussen zijn schouders. Toen hij de blauwe regenjas van de forse man nat zag worden, moest hij bijna overgeven. Hij kon geen bloed zien en eigenlijk ook geen geweld, behalve bij voetbalwedstrijden op tv, waar je het misselijkmakende geluid van vlees dat op vlees bonkte niet kon horen. Het kwam erop neer dat hij een lafaard was, een onnatuurlijke zonde voor een Ier.

Toen de leider van de kapers wees, wilde hij eerst weigeren om op te staan, maar hij was bang om niet te gehoorzamen. Hij ging staan op trillende benen, er zich van bewust dat alle passagiers naar hem keken. Zijn benen leken van rubber en dat bracht hem op het idee om met opzet in elkaar te zakken zodat de leider, bij het zien van zijn hulpeloosheid, hem zou zeggen weer te gaan zitten. Maar hij was bang dat de leider het zou doorzien en kwaad zou worden. Daarom liep hij naar het midden van de wagon en hield zich vast aan de lussen aan het plafond. Toen de lussen ophielden, reikte hij naar een van de stangen in het midden en hield zich er met beide handen aan vast, terwijl hij omhoogkeek in de grijze ogen van de leider die zichtbaar waren door het masker.

'Machinist, we hebben een karweitje voor u.'

Denny's mond en keel zaten vol speeksel en hij moest twee keer slikken voordat hij kon spreken. 'Alsjeblieft, doe me niets.'

'Kom jij maar even mee,' zei de leider.

Denny klampte zich aan de stang vast. 'Het gaat niet om mij alleen. Ik heb een vrouw en vijf kinderen. Mijn vrouw is ziek, ze ligt geregeld in het ziekenhuis –'

'Maak je geen zorgen.' De leider maakte Denny los van de stang. 'Ze willen dat je die negen wagons daarginds verplaatst zo gauw de stroom wordt ingeschakeld.'

Hij nam Denny bij de arm en liep met hem naar de achterzijde van de wagon. De zware man stond op en liep hen tegemoet. Denny wendde zijn ogen af van de bloederige mouw.

'Jij loopt naar de cabine van de voorste wagon,' zei de leider, 'en wacht daar op instructies van de Verkeersleiding. Ik zal je wel de wagon uit helpen.'

Denny staarde in de ogen van de leider. Hij las er niets in en hij was er zeker van dat zijn hele gezicht uitdrukkingsloos zou zijn als hij het nu te zien kreeg. Hij keek toe terwijl de leider de kopdeur met het kapotte raam terugschoof.

Denny bleef achter. 'De bediening,' zei hij. 'Hoe kan ik die trein aan de gang krijgen zonder de sleutels en het remhandvat?'

'Er is een compleet stel onderweg.'

'Ik gebruik niet graag het remhandvat van een ander. Iedere machinist heeft zijn eigen remhandvat moet u weten –'

'Je zult het er toch mee moeten doen.' Voor het eerst klonk de stem van de leider wat ongeduldig. 'Kom, laten we gaan.'

Denny nam een stap in de richting van de deur en hield toen stil. 'Ik kan het niet doen. Dan moet ik langs het lijk van de stationschef. Ik kan er niet naar kijken...'

'Doe je ogen maar dicht,' zei de leider. Hij ging wat opzij en manoeuvreerde Denny op de voetplaat.

Zomaar ineens moest Denny denken aan het grapje dat hij had gemaakt toen ze voor het eerst de mis in het Engels gingen lezen: 'Als dat alles is, dan was ik er nooit aan begonnen.' Zou hij nu worden gestraft voor die onschuldige grap? God, lieve God, zo bedoelde ik het niet. Verlos me hieruit en ik zal voortaan Uw meest devote en vererende dienaar zijn. Nooit meer grapjes maken – ook al was het niet mijn bedoeling oneerbiedig te zijn. Nooit meer zondigen, nooit meer liegen, nooit meer oneerbiedige gedachten. O, lieve God, alleen maar braaf zijn, geloven, vertrouwen...

'Stap maar naar beneden,' zei de leider.

Even voordat de leider van de kapers zijn vinger ophief om te wijzen, werd Anita Lemoyne zich bewust van haar eigen sterfelijkheid – een uitdrukking die ze had opgepikt van die tv-kloot die het daar vaak over had nadat hij was klaargekomen. Ze was nu niet meer zo geconcentreerd op haar prooi en haar blik ging een beetje nerveus heen en weer tussen die burgertante die haar twee jongens stond te knuffelen en de oude alcoholiste met haar korsten vuil en schurft, het melkachtige wit in haar ooghoeken en haar slappe lippen die open en dicht gingen.

Sterfelijkheid. Het was niet zozeer de dood, maar de wetenschap dat in de toekomst haar lichaam dikker zou worden, haar tieten zouden gaan hangen, haar huid slap zou worden en dat dat het einde zou betekenen van haar goedbetaalde trucjes in bed. Ze was er met veertien mee begonnen en ze was nu bijna dertig. Het werd tijd dat ze eens aan de toekomst dacht. De burgertante en de alcoholiste: die twee aftakkingen zou ze tegenkomen op de weg die nog voor haar lag. De alcoholiste was zo goed als dood, dat kon iedereen zien. Maar die dikke kleine tante, lekker op haar gemak in een te klein, glimmend schoon flatje, haar kleren kopen in de uitverkoop, nu en dan zonder zich te verroeren door dezelfde vent genaaid worden, schoonmaken, eten koken, de snotneuzen afvegen van haar kinderen? Die twee vooruitzichten waren alle twee even erg. Misschien werd het hoog tijd dat ze eens wat ging sparen, dan kon ze een winkeltje beginnen, een boetiek voor de meisjes in het leven. Als je zag hoe hoeren hun geld uitgaven, zou daar best wat in zitten. Als je zag hoe zij hun geld uitgaven. Als je zag wat zij uitgaf! Met haar flat en haar kleren en haar drankrekeningen en de dwaze manier waarop zij fooien gaf... De blik van de leider bleef op de machinist rusten, arme klootzak, en zijn vinger wees naar hem.

Sterfelijkheid!

Angstig zochten haar ogen die geile gozer. Hij stond te lachen om de manier waarop de machinist liep en waarop hij zich overeind hield door middel van de lussen. Laat hem maar gaan, dacht ze, kijk naar mij, *kijk naar mij*. Alsof hij het had gehoord, draaide hij zich om naar haar. Ze keek hem strak aan en glimlachte breeduit tegen hem, liet toen haar ogen zakken en keek brutaal naar zijn kruis. Bijna meteen vormde zijn regenjas weer een tent. Godzijdank, dacht Anita. Als ik nog zo'n reactie kan oproepen bij een vent alleen maar door naar hem te kijken, dan hoef ik me nog geen zorgen te maken.

Sterfelijkheid, mijn reet!

Hoofdagent Miskowsky

'Wat moeten we nou doen?' vroeg Miskowsky. 'Gaan lopen alsof er niets is gebeurd?' Achter de geldzak hield hij zijn wang op het vuile ballastbed gedrukt.

'Verdomd als ik het weet,' zei de surveillant. 'Wie dat eerste schot afvuurde die kan wel inpakken, daar durf ik om te wedden.'

'Dus wat doen we nou?' vroeg Miskowsky.

'Ik ben maar een gewone agent. Jij bent hoofdagent. Wat gaan we dus doen?'

'Ik ben jouw hoofdagent niet. Bovendien, wat stelt een hoofdagent nou voor met al die hoge pieten in de buurt? Ik wil bevelen hebben voordat ik verder ga.'

De man van de Tactische Politie steunde op zijn ellebogen en keek over de linnen zak. 'Er staat iemand in de deur, zie je dat? Twee kerels. Nee, drie.'

De hoofdagent keek om de zak heen. 'Ze hebben net de kopdeur opengedaan en ze staan te praten of zoiets.' Hij verstijfde. 'Kijk, een van hen is net op de spoorbaan gesprongen.'

Miskowsky keek toe terwijl de vage gedaante rechtop ging staan, omkeek naar de wagon en toen langzaam, bijna sloffend, begon te lopen.

'Hij komt onze kant op.' Miskowsky fluisterde schor. 'Pak je revolver maar. Hij komt recht op ons af.'

Miskowsky, die zijn blik had gericht op de lopende gedaante, zag de dreigende gestalte in de deuropening niet. Het flitste fel en kort en de lopende gedaante wierp de armen omhoog en zakte toen in elkaar. De tunnel herhaalde de schoten in een serie echo's.

'Mijn hemel,' zei Miskowsky. 'Het is oorlog.'

Tom Berry

Toen de machinist naar de achterzijde van de wagon begon te lopen, sloot Tom Berry zijn ogen, hield een taxi aan – wat anders, in hemelsnaam, een ondergrondse soms? – en reed snel de stad in naar het nestje van Deedee.

'Ik had niets kunnen doen, helemaal niets,' zei hij toen ze de deur opendeed.

Deedee trok hem naar binnen en klemde hem in haar armen in een razernij van opluchting en hartstocht.

'Ik kon alleen maar denken: ik ben blij dat het de machinist is en niet ik.'

Ze kuste wild zijn gezicht, haar lippen namen opnieuw bezit van zijn ogen, wangen en neus en toen trok ze hem naar het bed, rukte aan zijn kleren en aan die van haarzelf.

Later, toen ze uitgeput uitrustten met hun ledematen ineengestrengeld als een onontcijferbaar monogram, probeerde hij nogmaals zijn actie te verklaren. 'Ik heb de boeien van dienstbaarheid aan een valse meester afgeworpen en heb mezelf gered voor de revolutie.'

Plotseling werd haar huid merkbaar koeler. 'Jij zat daar met een geladen revolver achter je broekriem en je deed niets?' Ze maakte haar armen en benen los en loste het monogram op. 'Verrader! Je hebt gezworen dat je de rechten van het volk zou verdedigen en je hebt hen verraden.'

'Maar Deedee, ze waren met vieren tegen één! Ze hadden machinepistolen!'

'Tijdens de Lange Mars stond het Leger van de Achtste Route tegenover de machinegeweren van de Kwomintang met messen, stenen en zelfs met gebalde vuisten!'

'Ik ben het Leger van de Achtste Route niet, Deedee. Ik ben maar een smeris in m'n eentje. Die reactionaire bandieten hadden me kapotgeschoten als ik ook maar één vinger had geroerd.'

Hij reikte naar haar en zij sprong van het bed met een rilling van afkeer. Ze wees naar hem met een trillende vinger en zei: 'Je bent een lafaard.'

'Nee, Deedee. Ik weigerde mijn leven te offeren ter bescherming van het geld en de eigendommen van de heersende klasse.'

'De rechten van het volk werden vertrapt. Jij hebt je plechtige eed als politieman geschonden om die rechten te verdedigen!'

'De politie is de onderdrukkende tentakel van de kapitalistische octopus,' schreeuwde hij. 'Zij halen voor de heersende klasse de kastanjes uit het vuur van tegenstellingen boven de neergeslagen lichamen van werkers en boeren. Weg met de politie!'

'Je bent in je plicht tekortgeschoten. Mensen zoals jij bezorgen de smerissen hun slechte naam!'

'Deedee! Wat is er met jouw *Weltanschauung* gebeurd?' Hij stak smekend zijn armen uit. Zij trok zich terug naar de verste hoek van de kamer waar ze positie koos, tot aan haar enkels in de grammofoonplaten. 'Deedee! Kameraad! Broeder!'

'De Voorlopige Rechtbank van het Volk heeft over uw zaak geoordeeld, Kameraad Judas.' Ze draaide zich met een ruk om, pakte zijn revolver en richtte die op hem. 'Het vonnis is de dood!' Ze vuurde en de kamer spatte uit elkaar. De machinist was dood.

Wijkcommandant

Een scherpschutter van Speciale Operaties die in de tunnel zat, rapporteerde het schieten. De reactie van de wijkcommandant was eerst verbazing, eerder nog dan woede.

'Ik snap het niet,' zei hij tegen de hoofdcommissaris. 'We zitten nog onder de tijdslimiet voor de aflevering.'

De commissaris zag bleek. 'Ze zijn gek geworden. Ik dacht dat we er in elk geval van op aan konden dat ze zich aan hun eigen regels zouden houden.'

De wijkcommandant herinnerde zich de rest van de boodschap: 'Er heeft iemand op hen geschoten. Dat moet het zijn. Represaille. Ze houden zich inderdaad aan hun eigen regels, de verrekte klerelijers.'

'Wie schoot er?'

'Ik betwijfel of we het ooit zullen horen. De scherpschutter in de tunnel zei dat het als een pistoolschot klonk.'

De commissaris zei: 'Ze maken geen geintjes. Ze kennen geen medelijden.'

'Dat willen ze ons duidelijk maken. Dat is de boodschap achter deze moord: zij houden zich aan hun woord en wij hebben daar maar naar te handelen.'

'Waar zijn die twee mensen met het geld?'

'De scherpschutter zegt dat ze zo'n vijf meter van hem vandaan liggen. Ze hebben zich laten vallen toen het machinepistool vuurde en ze liggen daar nog.'

De commissaris knikte. 'Wat ga je nu doen?'

Wat ga ik doen, dacht de wijkcommandant, maar hij wist dat hij liever ook niet had gehoord– in feite zou hij dat helemaal niet prettig gevonden hebben – dat de commissaris hem een bevel had gegeven. 'Er zijn nog zestien gijzelaars over, dat is het eerste waaraan we moeten denken.'

'Ja,' zei de commissaris.

De wijkcommandant excuseerde zich en nam via zijn mobilofoon contact op met hoofdinspecteur Daniels in Pelham One Two Eight. Hij gaf hem instructies om de kapers via de Verkeersleiding te laten weten dat het losgeld weer onderweg zou zijn, maar dat ze meer tijd nodig hadden wegens het oponthoud door het recente voorval.

'Hebt u dat gehoord?' vroeg de wijkcommandant. 'Hebt u ooit een politieman zo horen slijmen met een stelletje moordenaars?'

'Kalm aan,' zei de hoofdcommissaris.

'Kalm aan? Zij geven een deuntje aan en wij dansen erop! Een heel leger politieagenten met geweren en granaatwerpers en computers en wij likken hun kont! Twee burgers vermoord en we blijven hun konten likken –'

'Hou je kalm!' zei de commissaris scherp.

De wijkcommandant keek hem aan en las in zijn ogen een reflectie van zijn eigen woede en ellende. 'Het spijt me, meneer.'

'Goed. Misschien krijgen we ze later nog wel onder schot.'

'Misschien,' zei de wijkcommandant. 'Maar ik zal u eens iets zeggen: hierna zal ik nooit meer dezelfde man zijn. Ik zal nooit meer zo'n goede politieman zijn als hiervoor.'

'Kalm aan,' zei de commissaris weer.

De man die de machinist neerschoot, was die welke Artis James had geraakt of dacht te hebben geraakt. Hij legde geen verband tussen de twee voorvallen; nog niet tenminste. Hij had zich stijf tegen zijn pilaar gedrukt vanaf het moment dat zijn schot was beantwoord door automatisch vuur en het was toevallig dat hij net voor het eerst even keek toen de machinist – hij kon de smalgestreepte overall onderscheiden – omlaagklom naar de spoorbaan. Toen de man in de deuropening vuurde, dook Artis weer terug. Tegen de tijd dat hij dacht dat het veilig was om weer eens te kijken, was de machinist een bewegingloze hoop die ongeveer een meter bij een tweede bewegingloze hoop vandaan lag, die vroeger de stationschef was.

Artis draaide zich voorzichtig om en drukte zijn rug tegen de pilaar. Hij schakelde zijn radio in, hield de zender zo dicht bij zijn mond dat zijn lippen het metaal raakten en riep het hoofdkwartier op. Hij moest zijn oproep drie keer herhalen voordat het hoofdkwartier antwoord gaf.

'Ik kan je haast niet horen. Praat eens wat harder.'

Fluisterend zei Artis: 'Ik kan niet harder. Ik ben te dichtbij en ze zouden me kunnen horen.'

'Praat harder.'

'Niet harder, anders horen ze me.' Artis sprak extra langzaam en met overdreven duidelijkheid. 'Dit is surveillant Artis James. In de tunnel. Vlak bij de gekaapte wagon.'

'Oké, zo is het iets beter. Ga door.'

'Ze hebben net de machinist doodgeschoten. Ze zetten hem op de rails en schoten hem dood.'

'Verdomme! Wanneer was dat?'

'Misschien een minuut of twee na het eerste schot.'

'Welk eerste schot? Niemand mocht... Heeft er iemand geschoten?'

Toen drong het ineens tot Artis door en hij voelde zich verstijven. O, mijn hemel, dacht hij, ik had nooit moeten schieten. O God, als het iets te maken had met de executie van de machinist...

'Vertel op, James,' zei de stem in de radio ongeduldig. 'Er heeft dus iemand op de trein geschoten?'

'Dat zei ik toch,' zei Artis James. Jouw schuld, jongen, dacht hij, o mijn God, jouw schuld. 'Er schoot iemand op de trein.'

'Verdomme! Wie dan?'

'Weet ik niet. Het kwam ergens achter me vandaan. Ik geloof dat het schot raak was. Ik kan het niet met zekerheid zeggen. Het schot kwam achter me uit de tunnel.'

'O Jezus. De machinist... Dood?'

'Hij beweegt niet meer. Ik weet niet of hij dood is, maar hij beweegt niet meer. Wat moet ik doen?'

'Niks. Doe in hemelsnaam niks.'

'Oké,' zei Artis. 'Ik ga door met niks te doen.'

Ryder

Tegen de tijd dat Ryder de eerstehulpdoos uit zijn koffer in de cabine had gehaald, had Steever zijn bovenkleren al bijna uit. Zijn regenjas en colbertje lagen netjes opgevouwen op de bank en nadat Ryder hem had geholpen met het geldvest, deed hij zijn hemd uit en trok de bloederige rechtermouw over zijn gespierde bovenarm naar beneden. Ryder keek door het kapotte raam. De machinist lag met zijn gezicht omhoog, een paar passen dichter bij de wagon dan de stationschef. Donkere vlekken op zijn overall lieten zien waar de kogels van Steever naar buiten waren gekomen.

Ryder ging naast Steever zitten, die nu zijn bovenlijf had ontbloot: een massieve romp, donkere huid, bedekt met dik, gekruld haar. Ryder bekeek de wond waar de kogel was binnengedrongen: een vlak, rond gaatje waar langzaam bloed uit sijpelde. De andere kant van de arm, waar de kogel naar buiten was gekomen, was wat meer beschadigd. Het bloed was in enkele stroompjes naar beneden gedropen en uitgelopen in de harige bossen op zijn onderarm.

'Ziet er schoon uit,' zei Ryder. 'Pijnlijk?'

Steever trok zijn kin in om naar de wond te kijken. 'Nee. Ik voel nooit zo veel pijn.'

Ryder zocht in de eerstehulpdoos naar de jodium. 'Ik zal dit gebruiken en het dan verbinden. Dat is het beste wat we op het ogenblik kunnen doen.'

Steever haalde zijn schouders op. 'Ik heb er geen last van.'

Ryder drenkte een vierkant gaasje met jodium, depte er de wond mee en veegde toen de bloedplekken schoon. Hij bevochtigde nog twee gaasjes en legde ze op beide wonden. Steever hield de gaasjes op hun plaats, terwijl Ryder ze stevig vastplakte met leukoplast. Toen hij klaar was, kleedde Steever zich weer aan.

'Het wordt misschien wat stijf na een tijdje,' zei Ryder.

'Geeft niet,' zei Steever. 'Ik voel het nauwelijks.'

Toen Steever helemaal was aangekleed, pakte Ryder de eerstehulpdoos en ging weg. Hij merkte het spelletje op tussen Welcome en het meisje en zijn kaak verstrakte. Maar hij bleef doorlopen. Voor in de wagon kwam Longman naar hem toe.

'De machinist?' vroeg Longman.

'De machinist is dood.' Hij ging de cabine in en sloot de deur. Een stem uit de luidspreker riep hen als bezeten op. Hij trapte op het voetpedaal en stelde de zender in werking.

'Pelham One Two Three aan Verkeersleiding. Spreekt u maar.'

'Prescott hier, jij klerelijer. Waarom hebben jullie de machinist vermoord?'

'Jullie hebben op een van mijn mensen geschoten. Ik heb u gewaarschuwd wat de straf zou zijn.'

'Iemand heeft de bevelen niet opgevolgd en heeft geschoten. Dat was een vergissing. Als u eerst contact met mij had opgenomen, had u hem niet hoeven te vermoorden.'

'Waar is het geld?' vroeg Ryder.

'Zowat honderd meter verder op de rails, jij klootzak.'

'Ik geef u drie minuten om het af te leveren. Zelfde procedure als voorheen. Bevestig dit.'

'Klerelijer, klootzak! Ik zou willen dat ik je eens tegenkwam. Dat zou ik werkelijk willen.'

'Drie minuten,' zei Ryder. 'Over en uit.'

Hoofdagent Miskowsky

Uit de duisternis klonk een stem. 'Hé, jullie daar.'

Miskowsky had zijn revolver in de hand en zei schor: 'Wat?'

'Ik sta hier achter een pilaar. Ik ga me niet laten zien. Ik heb bevelen voor jullie van de wijkcommandant. Jullie moeten de aflevering van het geld hervatten, volgens instructie.'

'Weten ze dat we eraan komen? Ik bedoel, ik heb liever niet dat ze weer gaan schieten.'

'Ze hebben de rode loper voor jullie uitgerold. Waarom ook niet, als je één miljoen komt brengen?'

De surveillant pakte de linnen zak. 'Daar gaan we weer.'

De stem vanuit de schaduw zei: 'Het bevel luidt: verdergaan en opschieten.'

Miskowsky stond langzaam op. 'Verdomme, ik wou dat ik ergens anders was.'

'Sterkte ermee,' zei de stem.

Miskowsky knipte zijn lantaarn aan en ging naast de surveillant lopen die al in beweging was.

'In de vallei van de dood,' zei de surveillant.

'Zeg dat niet,' zei Miskowsky.

'Ik zal die rotzooi nooit meer van mijn uniform af krijgen,' zei de surveillant. 'Iemand zou die ondergrondse eens een keer schoon moeten maken.'

De stad: straattoneel

Een menselijke romp rolde langs de stoeprand op een plankje met wieltjes, dat bedekt was met een stuk tapijt. Zijn benen waren een paar centimeter onder de heupen geamputeerd. Hij zat vierkant op het plankje, breedgeschouderd, een gezicht met scherpe rimpels en lange zwarte krullen, en hij duwde zich voort met zijn knokkels die zich moeiteloos afzetten van het asfalt. Hij zei niets, maar hield een grote metalen mok omhoog. De agenten keken toe zonder iets te kunnen doen, terwijl hij langs de stoeprand peddelde. De menigte liet een regen van munten neerdalen in de mok. 'Mijn God, ik zou het nooit geloven als ik het niet met eigen ogen had gezien,' zei iemand, terwijl hij in zijn zak greep voor een handvol munten.

De man naast hem glimlachte alwetend en bijna medelijdend. 'Het is nep.'

'Nep? Maar zoiets kun je onmogelijk voorwenden –'

'Jij komt van buiten de stad, hè? Als jij deze stad kende zoals ik... Hóé hij het doet weet ik niet precies, maar geloof mij nu maar: het is nep. Hou je geld maar bij je, kerel.'

De menigte bleef intact door een of ander magisch spel van komen en gaan. Er gingen mensen weg en anderen namen hun plaatsen in en de vorm van het grote beest veranderde nauwelijks. Toen de zon achter de omringende gebouwen wegzonk, werd het kil en het begon te waaien. Gezichten werden rood of vertrokken in een grimas, mensen sprongen op en neer op hun plaats, maar weinigen gaven het op.

Op een onverklaarbare manier kwam de menigte de executie van de machinist eerder te weten dan de meeste agenten die hen op hun plaatsen hielden. Het was als een afgesproken teken om alles te gaan veroordelen: de politie, de burgemeester, het vervoerswezen, de gouverneur, de vakbonden, een bekende minderheidsgroepering en, boven alles, de stad, die enorme steenklomp die ze haatten en waarvan ze allang zouden zijn gescheiden als ze elkaar niet, net als in een stormachtig maar duurzaam huwelijk, nodig hadden gehad om te kunnen blijven leven.

De politie reageerde op de dood van de machinist door hun frustraties bot te vieren op de menigte. Ze verloren hun goede humeur en werden zuur en onverzettelijk. Als ze in actie moesten komen om een uitstulping of een breuk in de menigte te herstellen, snauwden ze en duwden hardhandig tegen de opdringende lichamen. Enkelingen en groepen in de menigte sloegen met woorden terug, herinnerden aan beschuldigingen van corruptie van de politie, vertelden de agenten precies uit wiens belastingcenten wiens overdreven salarissen werden betaald, veroordeelden hen omdat ze in Ozone Park en in Hollis woonden, en vanuit de veilige achterste geledern weerklonk zelfs uitdagend gescheld.

Maar uiteindelijk veranderde er niets. De mensenmassa was groter dan zijn afzonderlijke delen, trok zich niets aan van provocatie, verloor nooit zijn doel uit het oog en bewaarde zijn karakter.

16

Tom Berry

TOM BERRY ZAG DAT DE leider de achterdeur klem zette zodat hij
open bleef staan en vervolgens naast de zwaargebouwde man
op de bank ging zitten. Beiden hielden ze hun wapens op de
open deur gericht. Toen zag Berry de zwaaiende zaklantaarn op
de rails en hij wist wat dat betekende. De stad betaalde. Eén miljoen dollar, contant. Hij vroeg zich onbewust af waarom de kapers het losgeld op één miljoen hadden gesteld. Reikte de ho-
rizon van hun hebzucht niet verder dan dat magische getal? Of
– hij dacht terug aan de opmerking van de oude man – hadden
ze vastgesteld dat de levens van hun gijzelaars per stuk zestigduizend waard waren?

Het licht op de rails kwam in een langzaam tempo dichterbij, haast het tempo van een processie. Zo zou hij zelf ook lopen
als hij op een stelletje machinepistolen af moest gaan, bedacht
Berry. Hij kon twee gedaanten onderscheiden, onduidelijk in
het vage licht dat uit de wagon sijpelde. Hij kon niet zien of het
politieagenten waren, maar wat konden ze anders zijn? Hij kon
zich voorstellen hoe benauwd die twee daarbuiten het wel zouden hebben en zonder directe aanleiding kwam het beeld van
zijn overleden oom hem voor de geest.

Wat zou oom Al gezegd hebben van een paar agenten die ge-
willig één miljoen dollar kwamen overhandigen aan een bende kapers? (Of bandieten, zoals hij ze genoemd zou hebben; in

het simplistische boekje van oom Al waren alle wetsovertreders bandieten.) Nou, om te beginnen zou oom Al het nooit hebben geloofd. Als oom Al het voor het zeggen had – en hij, of zijn superieuren zouden dat in die tijd zeker hebben gehad – dan zou hij daar voluit schietend naar binnen gegaan zijn. Vijftig, honderd agenten zouden de wagon met vlammende wapens hebben aangevallen en aan het eind zouden de bandieten dood geweest zijn, plus een handvol agenten en de meeste gijzelaars. In het boekje van oom Al – en in zijn tijd – konden gewone mensen misschien losgeld betalen aan kidnappers, maar agenten nooit. Agenten moesten bandieten vángen, niet betalen.

In de tijd van oom Al was alles anders. De mensen mochten dan misschien niet gek zijn op de politie, ze vreesden hen wel. Als je een scheldwoord als 'zwijn' naar hen riep, kwam je in de kelder terecht van een politiebureau en werd je met plezier in elkaar getimmerd. In de tijd van oom Al's vader was het politiewerk zelfs nog eenvoudiger: de meeste problemen werden opgelost door een of andere Ierse agent met een bierbuik die een onschuldige jongen in zijn kraag greep en een trap onder zijn kont gaf. Het lot van een politieman was beslist een stuk veranderd gedurende drie generaties agenten in zijn familie. De mensen scholden de politie uit en niemand deed er iets aan.

Los van die maffe dagdroom die hij zojuist had, zou hij zich goed kunnen voorstellen hoe afschuwelijk Deedee zijn oom Al zou hebben gevonden, om nog maar te zwijgen van de dikbuikige, corrupte vader van oom Al. Anderzijds zou het haar misschien voldoening schenken dat agenten als loopjongens optraden voor dieven; ze zou het misschien zien als een soort beschikking waarbij agenten echt de dienaren van het volk werden. Nou ja, Deedee. Er waren nogal wat dingen die zij heel anders zag. Niet dat hij nu zelf altijd zo duidelijk zag hoe iets zat, maar hij kon tenminste nog de hoop koesteren dat zij tweeën, verward en verliefd, op de duur een baby zouden krijgen, een filosofie met armen en benen.

Aan de achterdeur verschenen twee gezichten. Het ene was van een agent van de Tactische Politie, met een blauwe helm op, het andere behoorde aan een agent van het Vervoerswezen, het insigne op zijn pet dof goud. De ene scheen met zijn zaklantaarn in de wagon, de ander slingerde de linnen zak van zijn schouder en kwakte hem op de vloer. Hij belandde daar met een doffe plof. Een baal toiletpapier zou precies hetzelfde geluid hebben gemaakt. De agenten draaiden zich om en liepen met rode, maar onbewogen gezichten weg.

Longman

Longman keek toe terwijl het geld op de vloer rolde toen Ryder de zak opende en hem ondersteboven hield: tientallen groene pakken, keurig samengebonden met elastieken. Eén miljoen dollar, de droom van iedereen, die daar zomaar op de vuile vloer van een metrowagon tuimelden. Steever trok zijn bovenkleren uit, legde zijn jas en colbertje netjes op de bank en Ryder controleerde de strikken van het geldvest. Het moest Ryder heel wat hebben gekost om die vier te laten maken. Ze zagen eruit als zwemvesten. Je trok ze aan over je hoofd en ze werden aan de zijkant dichtgebonden. In elk zaten veertig zakken, aan de voor- en achterkant op gelijke afstanden in twee lagen boven elkaar. Alles bij elkaar waren er honderdvijftig pakjes biljetten, dat kwam neer op zevenendertig en een half per persoon. Niet dat ze het zo precies gingen doen. Twee van hen zouden er zevenendertig dragen en twee achtendertig.

Steever stond erbij als een etalagepop met zijn armen opzij, terwijl Ryder een pakje in iedere zak van het geldvest stak. Toen hij klaar was, kleedde Steever zich aan en liep naar het midden van de wagon, waar hij Welcomes plaats innam. Welcome bleef grapjes maken terwijl Ryder zijn vest vulde, maar Ryder zweeg. Hij werkte methodisch maar snel. Toen Ryder hem een teken gaf te komen, begon Longmans hart te bonzen en hij voelde zich uitgelaten toen hij zich naar achteren haastte. Maar Ryder trok zijn eigen jas en colbert uit en Longman was even geïrriteerd. Het was niet eerlijk dat hij de laatste zou zijn. Wiens idee was het uiteindelijk geweest? Maar zijn irritatie verdween toen hij het geld betastte. Sommige van die pakjes die hij stevig in de zakken van Ryders vest stopte, waren ieder tienduizend waard en andere zelfs twintigduizend!

'Al dat geld,' fluisterde hij. 'Ik kan het nauwelijks geloven.'

Ryder bleef zwijgen en draaide zich om zodat Longman de achterzakken op het vest kon bereiken.

'Ik wou maar dat alles voorbij was,' zei Longman. 'De rest ook.'

Ryder tilde zijn rechterarm op en zijn stem klonk ijskoud: 'De rest is alleen maar plezierig.'

'Plezierig!' zei Longman. 'Het is riskant. Als er iets fout gaat –'

'Trek je jas uit,' zei Ryder.

Toen Ryder klaar was met hem, gingen ze allemaal terug naar hun plaatsen. Toen hij door de wagon naar voren liep, voelde Longman zich zwaar, al wist hij dat zevenendertig pakjes niet meer wogen dan een kilo of twee, tweeënhalf. Het deed hem goed te zien dat een paar passagiers jaloers naar hem keken en daarbij misschien wilden dat zij het lef en het inzicht hadden gehad om zoiets klaar te spelen. Er ging niets boven geld, heet, naakt geld, om iemand van gedachten te doen veranderen. Hij glimlachte breeduit achter het uitrekkende masker. Maar toen Ryder de cabine weer binnenging, verdween zijn plezier. De ontsnapping moest nog komen en dat was het riskantste en bedenkelijkste deel van alles.

Plotseling was hij ervan overtuigd dat het niet zou lukken.

Ryder sprak in de microfoon: 'Pelham One Two Three roept Prescott van de Verkeersleiding.'

'Zeg het maar. Dit is Prescott.'

'Hebt u uw potlood, Prescott?'

'Ja. Hoe zit het met het geld, leider? Alles in orde? Het juiste aantal en de goede kleur en zo?'

'Voordat ik verdere instructies geef, wil ik u eraan herinneren dat ze letterlijk moeten worden opgevolgd. Ik wil benadrukken dat het leven van de gijzelaars daarvoor borg blijft. Bevestig dit.'

'Jij vuile klootzak!'

'Als u het begrepen hebt, zegt u dan gewoon ja.'

'Ja, klootzak.'

'Ik ga u vijf punten opgeven. U schrijft ze allemaal op en bevestigt ze zonder commentaar. Ten eerste: aan het einde van dit gesprek zult u de stroom voor het hele blok weer inschakelen. Bevestig dit.'

'Ik heb het begrepen.'

'Ten tweede: nadat de stroom is ingeschakeld, zult u het lokale traject van hier tot station South Ferry vrijmaken. Daarmee bedoel ik dat alle wissels goed moeten staan, dat er geen treinen meer lopen tussen hier en South Ferry en dat alle seinen op groen moeten staan. Ik leg de nadruk op de seinen. Ze moeten groen zijn. We mogen niet worden opgehouden door een rood sein of door een ATB-sein. Herhaalt u dat even.'

'Traject vrij tussen hier en South Ferry. Alle seinen groen.'

'Als we een rood sein zien, zullen we een gijzelaar doodschieten. Bij alles wat niet klopt, schieten we een gijzelaar dood. Ten derde: alle treinen achter ons – lokale en exprestreinen – moeten blijven staan. En er mag niets naar het noorden rijden tussen South Ferry en hier. Bevestig.'

'De treinen achter jullie kunnen toch niet te dichtbij komen. Ze worden automatisch tegengehouden als ze je dreigen in te halen.'

'Toch moeten ze blijven staan. Bevestig.'

'Goed, ik heb het begrepen.'

'Ten vierde: u neemt opnieuw contact met mij op zo gauw het traject tot South Ferry vrij is en alle seinen op groen staan. Bevestig dit.'

'Contact opnemen zo gauw het traject vrij is, seinen groen.'

'Ten vijfde: alle politiemanschappen moeten uit de tunnel worden verwijderd. Als dit niet wordt gedaan, schieten we een gijzelaar dood. Er mag absoluut geen politie op station South Ferry staan. Als dat wel zo is, doden we een gijzelaar.'

'Ik heb het begrepen. Mag ik iets vragen?'

'Over uw instructies?'

'Over jou. Wist je al dat je gek bent?'

Ryder keek uit over de lege spoorbaan, bevolkt door schaduwen. 'Dat heeft er niets mee te maken,' zei hij. 'Ik beantwoord alleen maar vragen over mijn instructies. Hebt u die nog?'

'Geen vragen meer.'

'U krijgt tien minuten vanaf nu om ze op te volgen. Daarna neemt u weer contact op voor de laatste instructies. Bevestig dit.'

'Je moet ons meer tijd geven.'

'Nee,' zei Ryder. 'Over en sluiten.'

Clive Prescott

Prescott voelde zich opgelucht toen het opperbevel van de New Yorkse politie gehoorzaamde aan de instructies van de kapers. Niet dat ze iets anders konden doen, maar hij kende de politie, omdat hij er zelf toe behoorde, en hij wist hoe hun besluitvaardigheid kon lijden onder de druk van frustratie. Uiteindelijk waren politieagenten ook maar mensen. Bijna tenminste.

Hij sprong op van zijn zitplaats achter het bedieningspaneel en rende het vertrek door. Frank Correll zat achter het plateau van een van zijn dienstleiders in zijn microfoon te blèren. In andere delen van de grote ruimte liep de verkeersleiding gesmeerd; andere afdelingen hadden uiteindelijk geen problemen.

Prescott tikte Correll op de schouder. Correll keek niet op of om en bleef zijn tirade in de microfoon spuien. Prescott kneep nu in de schouder en Correll keerde zich woedend en met een ruk om.

'Zeg niets,' zei Prescott. 'Luister alleen maar naar mij. Ik heb nieuwe instructies –'

'Je kunt de pot op met je instructies,' zei Correll. Hij schudde de hand van Prescott van zijn schouder af en keerde zich weer naar zijn paneel.

Prescott vouwde met zijn linkerhand de slip van zijn jasje omhoog en trok met zijn rechterhand zijn revolver. Hij legde een hand onder Corrells kin, trok zijn hoofd naar achteren en plaatste de loop van de revolver op Corrells oog.

17

Wijkcommandant

DE WIJKCOMMANDANT HAD BEVELEN GEGEVEN om de nieuwe instructies van de kapers op te volgen, maar hij had er ook voor
gezorgd dat er een tiental rechercheurs in burger tussen de
mensen op het perron van station South Ferry zouden staan en
dat bovengronds een maximale politiemacht aanwezig was.
Toen overlegde hij met Costello, de chef van de Vervoerspolitie.

'Wat zijn ze van plan, chef, denk je?'

'Alle zestien gijzelaars als een schild gebruiken? Zouden ze
zoiets logs de baas kunnen blijven?' Hij schudde zijn hoofd. 'Ik
snap er geen barst van. Zelf zou ik geen tunnel hebben gekozen voor mijn ontsnapping.'

'Maar dat hebben ze wel gedaan,' zei de wijkcommandant,
'en daaruit mag je afleiden dat ze een weloverwogen plan hebben beraamd om te ontsnappen. Ze willen de stroom ingeschakeld hebben en het traject vrij. Wat kan dat betekenen?'

'Dat ze gaan rijden met hun wagon, da's duidelijk.'

'Waarom speciaal South Ferry?'

De chef schudde zijn hoofd. 'Ik mag hangen als ik het weet.
De lokaaltrein van Lexington komt daar op deze tijd van de dag
niet eens; ze moeten via een wissel bij Brooklyn Bridge. Het water? Zouden ze een boot kunnen hebben in de haven? Een wa-
tervliegtuig? Ik kan me niet voorstellen wat ze van plan zijn.'

'South Ferry komt na Bowling Green. Wat gebeurt er na South Ferry?'

'Daar loopt het spoor in een lus naar het noorden en komt weer terug in Bowling Green. Ik zie niet in wat ze daaraan hebben; er staan treinen in station Bowling Green en daar zouden ze eenvoudig worden geblokkeerd.'

De wijkcommandant bedankte hem en keek even naar de hoofdcommissaris, die er bezorgd uitzag, maar verder heel neutraal keek. Hij laat me mijn gang gaan, dacht de wijkcommandant, hij laat zien dat hij zijn ondergeschikten helemaal vertrouwt. Waarom ook niet, er zit uiteindelijk geen greintje glorie voor hem aan.

'We kunnen achter hen aan rijden in een andere trein,' zei de chef van de Vervoerspolitie. 'Ik weet dat we hebben beloofd dat niet te doen –'

'Springen de seinen niet op rood wanneer zij voorbij zijn? Wordt een volgende trein dan niet automatisch tegengehouden?'

'Wel op het lokale spoor, maar niet op het expresspoor,' zei de chef. 'Misschien denken ze daar niet aan.'

'Daar zullen ze vast wel aan denken,' zei de wijkcommandant. 'Daarvoor hebben ze te veel kennis van de ondergrondse. Oké, misschien kunnen we hen volgen op het expresspoor. Maar als ze erachter komen, schieten ze een passagier dood.'

'We kunnen het verloop van hun tocht volgen op het Routebord in de Toren van Grand Central, tot aan station Brooklyn Bridge. Daarna neemt de Toren van Nevins Street het over naar het zuiden, tot in Brooklyn.'

'Kunnen we daarop precies zien wanneer ze vertrekken?'

'Ja. En ieder moment precies waar ze zijn op het traject. We hebben natuurlijk ook onze politiemensen op alle perrons.'

'Oké,' zei de wijkcommandant vastberaden. 'Laten we dat maar doen. Uw Toren volgt hun positie. Een exprestrein rijdt erachteraan. Is het mogelijk om alle verlichting uit te doen, van binnen en van buiten?'

'Ja.'

'Oké.' De wijkcommandant schudde zijn hoofd. 'Een mooie zaak, iemand te gaan besluipen met een ondergrondse trein. Ik zal hoofdinspecteur Daniels het bevel geven over de exprestrein. Patrouillewagens rijden bovengronds mee. Het grote probleem is de communicatie. Van de Toren naar hier, van hier naar de Centrale, van de Centrale naar de patrouillewagens... Dat wordt een rotzootje. Het is beter om twee mensen in de Toren aan verschillende telefoons te zetten, een naar mij en een naar de Centrale, dan kan een radioman het rechtstreeks doorgeven naar de auto's. Ik wil elke auto die we hebben inzetten. Ook iedere agent, zowel van ons als van het Vervoerswezen. Alle stations bewaken, alle uitgangen, alle nooduitgangen. Hoeveel nooduitgangen zijn er, chef?'

'Ongeveer twee per station.'

'Nog één ding.' De commissaris mengde zich in het gesprek. 'De uiterste voorzichtigheid moet in acht worden genomen. De gijzelaars. Er mogen geen doden meer vallen.'

'Ja,' zei de wijkcommandant. 'We moeten eraan denken dat zij nog steeds de lakens uitdelen.'

Uit het veld geslagen voelde hij ineens de kou. Alles lag nu in de schaduw en de klomp mensen leek wel bevroren; zijn agenten zagen eruit als blauwe ijskegels. Hij dacht terug aan wat hij eerder tegen de commissaris had gezegd: dat hij hierna nooit meer dezelfde man zou zijn. Het was waar. Het hele gebeuren had hem voor gek gezet.

De plotseling weer ingeschakelde hoofdverlichting kwam voor de passagiers onverwacht en ze knipperden verward met hun ogen. De heldere tl-buizen brachten spanningen aan het licht die onder de noodverlichting verdoezeld waren: strakke, trillende lippen, zorgenlijnen, ogen die dof stonden van angst. Tom Berry zag dat het meisje met de soldatenhoed haar beste tijd had gehad; de schemering was aardig voor haar geweest. De jongste van de twee jongens zag er humeurig uit, alsof hij te vroeg was ontwaakt uit zijn middagslaapje. De zakdoek die de kerel tegen zijn gezicht gedrukt hield, was niet schoon meer en de vlekken die erop zaten waren verbijsterend rood. Alleen de oude alcoholiste was onveranderd. Ze zat te snurken en haar lippen bliezen belletjes waarin minieme regenboogjes spiegelden. De kapers leken groter en dreigender. Nou ja, dacht Berry, ze wáren ook groter: ze waren ieder een kwart miljoen dollar dikker geworden.

De deur van de cabine ging open en de leider stapte eruit. Bij zijn verschijnen ontstond een zacht gemompel onder de passagiers en de oude man die zichzelf tot woordvoerder scheen te hebben benoemd, zei: 'Aha, daar is onze vriend, nu krijgen we te horen wat er gaat gebeuren.'

'Even opletten allemaal.' De leider wachtte, geduldig en op zijn gemak en Berry dacht: er zit bijna iets beroepsmatigs aan, hij is eraan gewend om met groepen mensen om te gaan. 'Oké. Over ongeveer vijf minuten gaan we rijden. U blijft allemaal rustig zitten. U blijft precies doen wat ik u zeg.'

De manier waarop hij de woorden uitsprak, beroerde een snaar in Tom Berry's herinnering. Waar had hij dat gehoord? Het leger. Natuurlijk. Die typische manier van bevelen, eerder constateren dan zeggen dat iets moet gebeuren, die officieren en onderofficieren gebruikten.

U draagt uw nette uniformen... U rukt in om nul achthonderd uur...
U patrouilleert in het gebied... Nou fijn, een klein mysterie opgelost – de leider had in het leger gezeten en had daar bevelen gegeven. Wat dan nog?

'We verwachten dat we u over korte tijd ongedeerd kunnen vrijlaten. Tot dat ogenblik bent u nog steeds gijzelaars. Gedraag u als zodanig.'

De oude man zei: 'Als u toch gaat rijden, kunt u me dan in Fulton Street afzetten, als het niet te veel moeite is?'

De leider negeerde hem. Zonder nog iets te zeggen, ging hij terug in de cabine. De meeste passagiers keken boos naar de oude man. Ze waren niet gediend van zijn luchthartigheid. De oude man lachte schaapachtig.

Zo was dan de beproeving bijna ten einde, dacht Berry. Het zou niet lang meer duren of de passagiers zouden de vervuilde lucht boven de grond weer met volle teugen inademen en de politie overstelpen met onjuiste en wijd uiteenlopende ooggetuigenverslagen. Allemaal, behalve wijkagent Tom Berry die gedisciplineerd verslag zou doen, ondanks de minachting die zijn collega's niet zouden proberen te verbergen. Als hij bij Deedee binnenkwam na beëindiging van de ondervraging, zou hij zo goed als officieel ontzwijnd zijn en de bevestiging zou niet lang meer op zich laten wachten. Wat zou hij gaan doen nadat hij was ontslagen? Met Deedee trouwen en verder leven in revolutionaire zaligheid, hand in hand leuzen tegen de oorlog zingen, zij aan zij de CIA uitschelden? Twee harten, gloeiend aaneengesmeed, die protesteerden tegen verlaging van sociale uitkeringen door vuilnisbakken door etalageruiten te smijten?

De kleinste van de twee jongens begon te janken. Berry keek toe hoe de moeder hem tot zwijgen probeerde te schudden. 'Nee, Brandon, je moet je rustig houden.'

De jongen wrong zich in bochten en zei met harde stem: 'Ik ben moe, ik wil eruit.'

'Ik zei dat je kalm moest blijven.' Het gefluister van de vrouw klonk fel. 'Heb je niet gehoord wat die meneer zei? Kalm, zei ik!'

Ze gaf de jongen een tik op zijn achterste.

De Toren van Grand Central

Toen de treinen ten zuiden van Pelham One Two Three in beweging kwamen en de rode lichtstrepen op het Routebord in de Toren van Grand Central flikkerden, begonnen de dienstleiders te juichen. Marino fronste zijn wenkbrauwen en keek over zijn schouder, want hij wist dat Caz Dolowicz het graag rustig had in de Torenkamer. Maar er was natuurlijk geen Caz. Caz was dood. En dat maakte hem tot opvolger, realiseerde Marino zich opeens. Nou, híj had het ook graag rustig.

'Laten we het rustig houden,' zei hij en hij besefte dat hij de woorden van Caz gebruikte. 'Laten we het rustig houden in de Torenkamer.'

Marino hield een telefoonhoorn stijf tegen zijn oor gedrukt, verbonden met een dienstleider in de Communicatieruimte van het Politiehoofdkwartier in Centre Street. Naast hem, haar gezicht uitdrukkingsloos, was mevrouw Jenkins verbonden met de afdeling Speciale Operaties van de Vervoerspolitie.

'Nog niets,' zei Marino in de hoorn. 'Ze zijn begonnen met de rails naar South Ferry vrij te maken.'

'Oké,' zei de dienstleider van de politie, 'nog niets.'

Marino gebaarde naar mevrouw Jenkins. 'Zeg hem "nog niets". Pelham One Two Three staat nog steeds stil.'

Mevrouw Jenkins zei in haar telefoon: 'Nog niets.'

'Ik wil dat iedereen zijn gemak houdt,' zei Marino. 'Op dit moment hebben wij de touwtjes in handen. Hou je dus kalm.'

Zijn blik zwierf weer naar het Routebord en concentreerde

zich op de rode strepen die de positie van Pelham One Two Three aangaven. Het was heel stil in de Torenkamer.

'Hou het rustig,' zei Marino streng. 'Net alsof Caz nog bij ons was.'

Hoofdinspecteur Daniels

Hoofdinspecteur Daniels leidde een groep van dertig man langs de spoorbaan naar Woodlawn One Four One, die stilstond op het expresspoor zo'n tweehonderd meter ten noorden van station 28th Street. Zijn commando was samengesteld uit twintig specialisten van de afdeling Speciale Operaties en tien blauwgehelmde manschappen van de Tactische Politie. De machinist zag hen aankomen en stak zijn hoofd uit het cabineraampje.

'Doe je deur eens open,' zei de hoofdinspecteur. 'We komen aan boord.'

'Ik weet niet...' zei de machinist. Hij had een getinte huid, neerhangende snorpunten en een dun sikje. 'Ik heb geen opdracht om iemand binnen te laten.'

'Die orders heb je dan nu gekregen,' zei de hoofdinspecteur. 'Wie denk je dat we zijn, het Russische Rode Leger soms?'

'Ik neem aan dat jullie wel van de politie zullen zijn,' zei de machinist. Hij ging zijn cabine uit en kwam met zijn sleutel naar de kopdeur. De deur gleed open. 'Ik neem aan dat jullie het voor het zeggen hebben.'

'Goed aangenomen,' zei de hoofdinspecteur. 'Help me eens naar boven.'

Hij klauterde brommend de wagon in. De helft van de ongeveer dertig passagiers drongen naar voren. Hij stak zijn hand omhoog. 'Terug, mensen. U moet allemaal overstappen in de andere wagons. 'Hij maakte een gebaar met zijn vinger naar vier agenten van de Tactische Politie die al aan boord waren. 'Regelen jullie dat even.'

Een enkele stem klonk woedend boven het algemene protest uit: 'Weten jullie hoelang ik al in die verrekte trein zit? Uren! Ik doe de gemeente een proces aan voor honderdduizend dollar! En die ga ik krijgen ook!'

De agenten hadden ervaring met mensenmenigten en rukten op. De passagiers gaven met tegenzin terrein prijs. De hoofdinspecteur liet de manschappen die de trein in stroomden langs zich heen gaan en greep de machinist bij de arm.

'We gaan achter een trein aan,' zei hij. 'Ik wil dat je al je lichten uitdoet en dan deze wagon loskoppelt van de rest van de trein.'

'Man, dat mag ik allemaal zomaar niet doen.'

De hoofdinspecteur verstevigde zijn greep. 'Alle lichten uit, ook je koplampen, die gekleurde markeringslichten, bestemmingslichten, alles. Ik wil deze wagon donker hebben, van binnen en van buiten, en ik wil hem losgekoppeld hebben van de rest van de trein.'

Als de machinist al zin had om er nog verder over te bekvechten, dan werd hij daarvan weerhouden door de toenemende druk op zijn arm. De hoofdinspecteur duwde hem half de cabine in en pakte zijn remhandvat, zijn rijrichtingkruk en zijn ontkoppelsleutel.

De hoofdinspecteur wees een agent aan om de machinist te vergezellen en ze haastten zich naar achteren waar net de laatste passagiers door de deur werden gedreven door de flink duwende agenten, als vee door de ingang van een kraal. Hij gaf nog drie blauwe helmen opdracht om de orde te helpen handhaven en beval toen zijn hoofdmacht om te gaan zitten. De mannen waren gewapend met geweren, machinepistolen en traangasgeweren. Ze schuifelden wat onhandig rond voordat ze gingen zitten. De hoofdinspecteur ging de cabine in. Door de voorruit was de tunnel wat lichter dan daarvoor, maar het was nog steeds een sombere ruimte met hier en daar een lichtje en een eindeloze processie van pilaren, als een bos van ontbladerde bomen die op precies gelijke afstand van elkaar stonden.

Ryder

Ryder opende de deur van de cabine, wenkte en Longman voegde zich bij hem. Hij deed een pas achteruit en Longman installeerde zich voor het bedieningspaneel. 'Ga je gang,' zei Ryder.

Longman duwde de rijcontroller voorzichtig vooruit. De wagon kwam in beweging.

'Angstaanjagend.' Longman sprak nerveus zonder zich om te draaien, zijn ogen op de rails vóór hem gericht en op de seinen die groen waren zover zijn oog reikte. 'Als je weet dat daarbuiten agenten verborgen zitten.'

'Niets om je zorgen over te maken,' zei Ryder. 'Zij doen heus niets.' Longman leek gerustgesteld. Zijn handen lagen rustig op de rijcontroller. Dit was zijn element, dacht Ryder; dit was zijn kracht. En al het andere was zijn zwakheid.

'Weet je precies wanneer we moeten stoppen?'

'Precies,' zei Longman. 'Tot op de millimeter.'

De Toren van Grand Central

Toen de kleine rode strepen die de positie van Pelham One Two Three aangaven begonnen te flikkeren op het Routebord in de Toren van Grand Central, uitte Marino een schorre kreet in zijn telefoon.

'Wat is er aan de hand?' vroeg de dienstleider aan de andere kant van de lijn.

'Hij rijdt!' Marino wenkte opgewonden naar mevrouw Jenkins, maar zij sprak al met het Hoofdkwartier van de Vervoerspolitie. Haar stem klonk rustig en ze sprak haar woorden zorgvuldig uit. 'Pelham One Two Three is in beweging gekomen in zuidelijke richting.'

'Oké,' zei de dienstleider van de politie tegen Marino. 'Blijf rapport uitbrengen over zijn positie, maar doe het rustig aan.'

'Nog steeds in beweging,' zei Marino. 'Hij rijdt vrij langzaam, maar stopt niet.'

Centre Street 240

In de communicatieruimte op het Hoofdkwartier van de New Yorkse Politie gaf een inspecteur een bericht door aan de wijkcommandant. 'Meneer, de trein is in beweging. Patrouillewagens volgen volgens plan.'

'Het is te vroeg,' zei de wijkcommandant. 'Ze horen te wachten totdat het traject vrij is tot South Ferry. Wat is er verdomme aan de hand?'

'Meneer?'

De wijkcommandant zei geagiteerd: 'Blijf volgen,' en schakelde uit.

'Rijdt 'ie nog?' vroeg de inspecteur aan de dienstleider die in verbinding stond met de Toren van Grand Central.

'Hij rijdt nog.'

Centraal zenuwstelsel

Op het Hoofdkwartier van de Vervoerspolitie hield inspecteur Garber de telefoon aan zijn oor en luisterde naar de rustige stem van mevrouw Jenkins.

'Oké,' zei hij. 'Wacht maar even.' Hij keerde zich naar een dienstleider: 'Ze zijn aan het rijden. Iedereen die beschikbaar is moet worden gewaarschuwd. Ook patrouillewagens. De stadspolitie volgt hen, maar wij ook. Zorg dat de manschappen op station 23rd Street het gauw te horen krijgen.' Hij keek op zijn horloge. 'Verdomme, ze zijn te vroeg gaan rijden. Ze zijn iets van plan.'

De afdeling Speciale Operaties draaide op volle toeren. Inspecteur Garber volgde het met nauwlettende voldoening. Verdomme, dacht hij, zou het niet prachtig zijn als we ze te pakken kregen? Ik bedoel wíj, niet de stadspolitie.

'Wie hier niet gauw in beweging komt, kan een schop onder zijn kont krijgen,' riep hij.

'Jawel,' sprak de stem van mevrouw Jenkins. 'Ze zijn in beweging, inspecteur.'

Verkeersleiding

Bij de Verkeersleiding was iedereen ineens erg opgewonden toen een dienstleider aan een IND-paneel langs zijn neus weg opmerkte dat hij had uitgevlooid hoe de kapers van plan waren te ontsnappen.

'Ze gaan de oude Beach-tunnel gebruiken.'

Zijn bewering trok direct de aandacht van zijn collega's. Als verklaring voor degenen die wilden weten wat die verrekte Beach-tunnel dan wel was, schoof hij zijn sigaar in zijn mondhoek zodat hij kon praten en begon uit te leggen. In 1867 had ene Alfred Ely Beach, die niet werd gehinderd door een spoorwegvergunning of ander wettelijk ongemak, een kelder gehuurd in een gebouw op de hoek van Broadway en Murray Street. Daar was hij begonnen de eerste ondergrondse van New York te bouwen in een tunnel die over een afstand van 104 meter tot aan Warren Street liep. Hij stelde er één enkele wagon in op en blies die heen en weer in zijn privétunnel met behulp van samengeperste lucht. Het publiek werd uitgenodigd voor een ritje, maar men had er weinig interesse voor. Het project verzandde.

'De lokale Lex komt precies bij die oude tunnel voorbij,' zei de radioman. 'Die kerels gaan die tunnel in en verbergen zich –'

De IND-verkeersleider, die had meegeluisterd, schoof zijn eigen sigaar in zijn mondhoek en zei: 'Die ouwe tunnel is er al zeker zeventig jaar niet meer. Ze hebben hem gesloopt toen ze de eerste echte ondergrondse gingen graven, in 1900 of zoiets. Da's toch logisch?'

'Ik geef toe dat het logisch is,' zei de radioman. 'Maar ook al is het logisch, dan wil dat nog niet zeggen dat het zo ís. Heb je bewijzen?'

'Bewijzen,' zei de verkeersleider. 'Een stel van de oorspronkelijke stenen van de ouwe Beach-tunnel hebben ze gebruikt in de muur van de huidige IRT-tunnel. Volgende keer als je daar langskomt, moet je maar eens uit je raam kijken, net na City Hall, dan zie je de oude stenen zitten.'

'Ik heb nog nooit van mijn leven uit het raam van een ondergrondse gekeken,' zei de dienstleider. 'Wat is er nou te zien?'

'De stenen van de ouwe Beach-tunnel.'

'Nou ja, het was zomaar een idee,' zei de radioman en hij schoof de sigaar weer naar het midden van zijn mond.

'We kunnen maar beter weer aan het werk gaan,' zei de verkeersleider.

18

Ryder

LONGMAN VROEG: 'KAN IK ER een schepje bovenop doen?'

'Nee,' zei Ryder. 'Recht zo die gaat.'

'Zijn we die agenten voorbij die daar verborgen zaten?'

'Ik denk het wel,' zei Ryder. Hij zag dat de linkerhand van Longman over de knop van de rijcontroller bleef wrijven. 'Houden zo.'

'Pelham One Two Three, Prescott hier. Meldt u zich, Pelham One Two Three.'

Voor zich uit zag Ryder een lange strook licht: het perron van station 23rd Street. Hij pakte de microfoon. 'Zeg het maar, Prescott.'

'Waarom zijn jullie vertrokken? Het traject is nog niet vrij tot aan South Ferry en wij hebben nog vijf minuten. Waarom rijden jullie al?'

'De plannen zijn een beetje veranderd. We vonden dat we uit de buurt moesten zien te komen van al die agenten die jullie daar achter in de tunnel hebben verborgen.'

'Och, verrek jij,' zei Prescott. 'Er zaten daar geen agenten. Luister, als jullie zo door blijven rijden, dan stuit je straks op rode seinen en ik wil niet dat je ons daar de schuld van gaat geven.'

'We stoppen zo en wachten dan tot u het traject hebt vrijgemaakt. U hebt nog vijf minuten.'

'Hoe staat het met de passagiers?'

'Met de passagiers gaat het goed, tot dusver. Maar geen geintjes!'

'Júllie hebben óns belazerd door te gaan rijden.'

'Mijn verontschuldigingen. De instructies blijven dezelfde. Roep me weer op wanneer het traject vrij is. Over en sluiten.'

Longman vroeg: 'Denk je dat ze iets weten? Ik bedoel – al die vragen?'

'De vragen zijn begrijpelijk,' zei Ryder. 'Ze denken precies zoals wij willen dat ze denken.'

'Verdomme,' zei Longman. 'Moet je ze daar over de rand van dat perron zien hangen. Toen ik nog machinist was, had ik nachtmerries dat een paar af vielen, recht voor mijn trein.'

Toen de wagon de noordkant van het station 23rd Street binnenreed, konden ze het geschreeuw op het perron horen. Er werden vuisten geschud en verschillende mensen spuugden naar hen. Ryder zag er een paar blauwe uniformen tussen. Net voordat ze het perron voorbij zouden zijn, zag hij dat een man zijn vuist balde en uithaalde voor een klap tegen de wagon.

Wijkcommandant

De auto van de hoofdcommissaris reed met een bons de stoeprand af en draaide Park Avenue South in. De commissaris en de wijkcommandant zaten naast elkaar achterin. Bij de 24th Street was een agent druk bezig het kruisende verkeer tegen te houden.

'We hadden misschien vlugger kunnen opschieten met de ondergrondse,' zei de commissaris.

De wijkcommandant keek hem stomverbaasd aan. In al die jaren dat hij de hoofdcommissaris kende, had hij hem nog nooit een grapje horen maken.

De chauffeur zette zijn sirene aan en schoot over het kruis-punt. De agent op de hoek salueerde toen ze voorbijreden.

De wijkcommandant sprak in de microfoon. 'Rijden ze nog?'

'Jawel, meneer. Ze rijden langzaam, in lage versnelling, wat men schakelpositie noemt.'

'Waar zitten ze?'

'Bijna bij 23rd Street.'

'Bedankt.'

De hoofdcommissaris tuurde door het achterraampje. 'We worden gevolgd. Een televisiewagen. Ik geloof dat er nog een tweede achter zit.'

'Verdomme,' zei de wijkcommandant. 'Ik had opdracht moe-ten geven om die tegen te houden. Stelletje vervelende zei-kerds.'

'Persvrijheid,' zei de commissaris. 'We moeten ze te vriend houden. Als dit achter de rug is, hebben we alle vriendjes no-dig die we kunnen krijgen.'

De radio kraakte. 'Ze rijden station 23rd Street binnen, me-neer, snelheid nog ongeveer 8 kilometer per uur.'

'Een of andere verkeersopstopping vóór ons,' zei de commis-saris. De stem op de radio zei: 'Ze stoppen niet. Ze rijden stati-on 23rd Street voorbij.'

'Laat je horen,' zei de wijkcommandant tegen de chauffeur. 'Laat je sirene maar zingen.'

Hoofdinspecteur Daniels

In de cabine van de verduisterde eerste wagon van Woodlawn One Four One keek de hoofdinspecteur ongeduldig toe, terwijl de machinist zijn instrumenten weer op het bedieningspaneel aanbracht.

'Luister,' zei hij, 'begrijp je nou wat ik van je wil?'

'Die trein volgen, toch?'

De hoofdinspecteur meende een spottende klank te horen en keek de machinist scherp aan. 'Schiet op,' zei hij ruwweg. 'Rij niet te snel en zorg dat je er niet te dicht bij komt'

De machinist duwde de rijcontroller naar voren en de wagon reed met een schok weg.

'Een beetje harder,' zei de hoofdinspecteur. 'Maar niet té. Ik wil niet dat ze ons zien of horen.'

De machinist duwde de rijcontroller in serieschakeling. 'Zien is één ding. Horen is wat anders. Geluidloze ondergrondsetreinen bestaan nu eenmaal niet.'

Ze stoven langs station 28th Street, dat op een paar agenten na helemaal leeg was. Toen de lichten van het perron op station 23rd Street zichtbaar werden in de verte, zei de hoofdinspecteur: 'Langzaam aan nu. Kruipen. Hou je ogen open. Kijk goed uit naar hun lichten. Kruipen. En maak niet zo veel lawaai.'

'Dit is een ondergrondsetrein, meneer. "Geen lawaai" bestaat niet.' De hoofdinspecteur tuurde ingespannen door het raampje. Hij voelde dat zijn ogen ervan gingen tranen.

'Rood sein daar op de lokale baan,' zei de machinist. 'Dat wil zeggen dat ze er net voorbijgekomen zijn.'

'Langzaam,' zei de hoofdinspecteur. 'Heel langzaam. Kruipen. En rustig. Geen enkel geluid.'

'U vraagt nogal wat van zo'n gewone, oude ondergrondse trein, meneer,' zei de machinist.

De stad: straattoneel

De antenne van de menigte – een orgaan dat altijd was afgestemd op een golflengte van wantrouwen – evalueerde het vertrek van de auto van de commissaris als een teken dat het einde in zicht was. Toen daarna de politieauto's en de manschappen ook vertrokken, werd hun mening daardoor alleen maar versterkt. Een paar toeschouwers begonnen achter de vertrekkende politie aan te lopen in de hoop de actie in te kunnen halen, maar zij werden met minachting bekeken. De berg zou misschien naar Mohammed kunnen komen, maar ging hem natuurlijk niet achteraan jagen.

Na een paar minuten bestond de menigte als zodanig al niet meer. Schuifelend en daarna duwend vocht men zich een doorgang en toen men eenmaal vrij was, stapte men stevig door, want tijd was geld en die moest niet worden verspild met zomaar een beetje rondhangen. Een paar honderd bleven er achter, leeglopers of romantici, die zich vastklampten aan de ijdele hoop dat er voor hun ogen nog een schietpartij ging plaatsvinden. Filosofen en theoretici hielden zitting in kleine groepjes. Enkelingen gaven hun opinie ten beste.

'Wat dacht je van die burgemeester! Die konden ze hier nou net missen als kiespijn.'

'Ze hadden daar schietend naar binnen moeten trekken. Zo gauw je gangsters in de watten gaat leggen, maken ze daar misbruik van. Een goede gangster weet wat psychologie is.'

'Op de keper beschouwd zijn het maar kruimeldieven. Als ik het geweest was had ik tíén miljoen gevraagd. En gekregen ook!'

'De hoofdcommissaris van politie? Die ziet er niet eens uit als een smeris. Hoe kun je nou iemand respecteren die er niet eens uitziet als een smeris?'

'Wat dacht je van die burgemeester! Dacht je dat een rijke vent werkelijk iets gaf om een arme vent? Dat botert nooit tussen die twee!'

'Noem me nou eens één ding, gewoon één klein ding, waarin de kapers verschillen van grote zakenlui. Ik zal je het enige

noemen: grote zaken worden door de wet beschermd. Zoals altijd springen ze de kleine man in zijn nek.'

'Weet je hoe ze wegkomen? Ik heb het uitgevlooid. Ze vlie-
gen met die trein naar Cuba!'

'Wat is er aan de hand, joh?'

19

Ryder

DE NOODUITGANG LAG TEN NOORDEN van station 14th Street, een opening in de muur van de tunnel waardoor je bij een ladder kwam die uitliep op een rooster in het trottoir aan de oostkant van Union Park Square, bij 16th Street. Ryder keek hoe Longman de rem bediende en de wagon tot staan bracht op een meter of dertig van het witte licht dat de uitgang aangaf.

'Goed zo?' vroeg Longman.

'Prima,' zei Ryder.

Longman zweette en het drong voor het eerst tot Ryder door hoezeer het stonk in de kleine cabine. Maar ja, dacht hij, we kunnen onze werkomstandigheden niet uitzoeken op basis van hygiënische principes en een slagveld rook nou eenmaal niet als een wei met madeliefjes. Hij stak voorzichtig zijn hand in zijn koffer en pakte er twee handgranaten uit. Hij controleerde de pinnen en stak toen de granaten in de diepe zak van zijn regenjas. Hij opende de eerstehulpdoos en haalde er de rol leukoplast uit. Die gaf hij aan Longman, die hem even betastte met zijn vingers.

'Hou hem stevig vast,' zei Ryder.

Hij trok twee stroken van ongeveer veertig centimeter van de rol en wond die losjes om de granaten.

'Die dingen maken me nerveus,' zei Longman.

'Alles maakt jou nerveus,' merkte Ryder op. 'Ze zijn zo veilig als tennisballen, zolang de pinnen er maar in blijven zitten en de hendel op zijn plaats blijft.'

'Móét je dat nou doen?' vroeg Longman. 'Ik bedoel – stel dat ze níét achter ons aan rijden op de expresbaan?'

'In dat geval hebben we een onnodige voorzorgsmaatregel genomen.'

'Maar als ze niet achter ons aanrijden, dan komt er op de duur een onschuldige exprestrein overheen –'

'Hou erover op,' zei Ryder. 'Ik wil dat je meteen aan het werk gaat zo gauw ik weg ben. Je moet klaar zijn wanneer ik terugkom, zodat we de trein direct in beweging kunnen zetten.'

'Verkeersleiding roept Pelham One Two Three op. Verkeersleiding aan Pelham One Two Three.'

Ryder drukte de zendknop in. 'Pelham One Two Three. Is het traject al vrij?'

'Nog niet helemaal. Nog twee of drie minuten.'

'Schiet een beetje op. En geen politie langs de spoorbaan, nergens, of we nemen maatregelen. U begrijpt wat voor maatregelen dat zijn, inspecteur Prescott?'

'Ja. We volgen jullie instructies op, het is niet nodig om iemand te vermoorden. Bevestig dat, Pelham One Two Three.'

Ryder hing de microfoon weer aan de haak. 'Geef geen antwoord,' zei hij tegen Longman. 'Hij wordt het vanzelf wel zat en houdt er over een tijdje mee op. Oké. Begin maar.'

Hij draaide de knop om en verliet de cabine. Welcome hing tegen de middenstang en liet zijn machinepistool naar beneden bungelen. Ryder onderdrukte een opwelling van woede en liep hem zonder iets te zeggen voorbij. Steever ging staan toen hij eraan kwam en schoof de kopdeur open.

'Geef me dekking,' zei Ryder.

Steever knikte.

Ryder stapte op de voetplaten, hurkte in elkaar en sprong

soepel op het ballastbed. Hij kwam overeind en begon op een drafje tussen de glimmende rails noordwaarts te lopen.

Tom Berry

Toen de leider uit de cabine tevoorschijn kwam, zag Tom Berry nog net hoe de kleinste van de kapers een of andere zware, metalen constructie uit een koffer haalde. De deur klapte dicht en de leider liep de wagon door. Hij zei iets tegen de potige man bij de achterdeur en sprong toen op de spoorbaan. Wat zal ik nu doen, Deedee, dacht Berry, zal ik gebruikmaken van de afwezigheid van de leider om het fort te bestormen? Nee, Deedee, ik zal mijn reet nog geen millimeter van mijn bank verheffen.

Och, Deedee, dacht hij, wat voor recht heb ik om jou te bespotten? Jij gelooft tenminste in iets, terecht of ten onrechte, jij hebt een standpunt ingenomen. Maar wie ben ik? Voor de helft agent en voor de helft een knorrige twijfelaar. Als ik met overtuiging agent was, zou ik nu waarschijnlijk dood zijn, maar wel eervol dood volgens hun boekje. En als ik er niet in geloofde, zou ik nu niet worden opgevreten door twijfel. Maar, Deedee, waarom, verdomme, moet ik me schuldig voelen omdat ik geen zelfmoord wil plegen?

En zolang ik toch egoïstisch ben, dacht Berry, hoop ik dat de kapers erin slagen zonder slag of stoot te ontsnappen, zodat ik niet per ongeluk word doodgeschoten in een kruisvuur tussen schietgrage boeven en schietgrage smerissen. Niet dat zo'n ontsnapping zo gemakkelijk of zelfs maar mogelijk leek, gezien het feit dat de kapers in een tunnel zaten opgesloten, terwijl de politie alle uitgangen dichthield. Toch mocht je aannemen dat de kapers vindingrijk waren en een gelukkig einde voor hun avontuur hadden bedacht, of niet soms? Nou ja, dat is hun probleem, niet het mijne. Tom Berry past.

'Ssst,' zei de hoofdinspecteur. 'Rustig rijden.'

'Kan niet,' zei de machinist. 'Treinen kunnen nou eenmaal niet op hun tenen rijden.'

'Ssst!' De hoofdinspecteur tuurde uit de voorruit met zijn voorhoofd bijna tegen het glas. De machinist remde ineens en de hoofdinspecteur stootte zijn neus tegen het raam. 'Jezus!'

'Daar staat 'ie,' zei de machinist. 'Als je goed kijkt, kun je hem daarginds zien staan.'

'Dat beetje licht?' vroeg de hoofdinspecteur twijfelachtig.

'Dat is 'm,' zei de machinist. 'Hij staat stil.'

De radio kraakte en de hoofdinspecteur luisterde ingespannen naar het deel van een gesprek met Pelham One Two Three dat op de Verkeersleiding te horen was.

'Hij staat daar, net zoals je zei,' zei de hoofdinspecteur tegen de machinist. Hij luisterde naar de Verkeersleiding die het gesprek met Pelham One Two Three probeerde voort te zetten, maar de kapers gaven kennelijk geen antwoord meer. 'Ze antwoorden niet meer. Arrogante rotzakken.'

'Wat doen we?' vroeg de machinist. 'Blijven we hier staan?'

'We kunnen niet veel dichterbij komen, anders zien ze ons. Mijn hemel, ik heb me in mijn hele leven nog nooit zo machteloos gevoeld.'

'Zie je daar iets op de baan?' vroeg de machinist.

'Waar?' De hoofdinspecteur staarde door het raampje. 'Ik zie geen barst.'

'Zag eruit als een mens,' zei de machinist. 'Maar nou zie ik niks meer. Misschien heb ik me wel vergist.'

'Zie je nou niks meer?'

'Natuurlijk wel. Ik zie de trein.'

'Dat is ook alles wat ik zie. Blijf opletten. Laat me weten als je iets ziet bewegen.'

'Alleen de trein, maar en die beweegt zich niet.' De machinist keek op zijn horloge. 'Als dit niet was gebeurd, zou ik nou al lekker thuis zitten. Strikt genomen is dit overwerk. Honderdvijftig procent uitbetaling, maar ik zat liever thuis.'

'Blijf opletten.'

'Honderdvijftig procent maakt niet veel uit voor mij. Het gaat toch naar de belasting.'

Longman

De onderdelen van het Hulpstuk lagen netjes naast elkaar in een van de koffers – Longman had hem zelf ingepakt – en afgezien van het gewicht van het gietijzeren stuk dat over de rijcontroller paste, was alles net zo gemakkelijk als bij de oefening. Toch wist hij nog hoe het allesoverheersende probleem, dat door het Hulpstuk uiteindelijk was opgelost, hopeloos had geleken en hoe hun hele plan tot mislukken gedoemd leek. Zo had híj er tenminste over gedacht. Ryder was kalm gebleven.

'Een paar jaar geleden,' had hij tegen Ryder geklaagd, 'was de dodemansknop een nippel in de kop van de rijcontroller. Dan hadden we dat alleen maar met tape omlaag hoeven houden en een manier hoeven vinden om hem in de startstand te duwen. Maar zoals het nu is, met die veiligheid in het mechanisme zelf ingebouwd, is dat onmogelijk. Je zou de hele rijcontroller met tape omlaag kunnen trekken en vastzetten op het paneel; dan zou je de dodemansknop buiten werking stellen, maar dan kon je hem niet meer in de startstand krijgen. Als het alleen een nippel was –'

'Het is geen nippel,' zei Ryder, 'dus het heeft geen zin om daarover te blijven denken. Concentreer je maar op het probleem zoals het er nu ligt.'

Het probleem zoals het er nu lag, was dat je met geen mogelijkheid een trein kon laten rijden zonder machinist. Toch, toen ze eenmaal de oplossing hadden gevonden, had zijn vroegere wanhoop belachelijk geschenen. Het belangrijkste deel van het Hulpstuk was een zware, gietijzeren mal die ongeveer in de vorm van de rijcontroller was gegoten. Wanneer die op zijn plaats zat over de rijcontroller heen, had zijn gewicht dezelfde uitwerking als de druk van de hand van een machinist. Het stelde de dodemansknop buiten werking, maakte het mogelijk dat de rijcontroller in startpositie geschoven werd en, het belangrijkste van alles, door zijn gewicht blééf de dodemansknop uitgeschakeld.

Prachtig eenvoudig, dacht Longman, en hij kreunde toen hij met moeite het Hulpstuk uit de koffer tilde en die over de rijcontroller plaatste. De rest was al even eenvoudig. Drie stukken pijp die op elkaar pasten: het eerste stuk, minder dan vijftien centimeter lang, paste in een kraag die voor op de gietijzeren kop zat; het tweede stuk, ongeveer een meter lang, liep in een hoek naar beneden naar de rails; het derde was ook een meter lang en liep in een rechte hoek naar de tunnelmuur.

De stukken pijp waren zo gemaakt dat ze niet overal even precies in elkaar pasten. Het korte stuk zat stevig in de kraag op het Hulpstuk, het tweede stuk paste losjes aan het eerste maar aan het andere eind weer stevig aan het derde. Voordat hij de stukken pijp in elkaar kon zetten, moest Longman de voorruit eruit breken. Het was idioot, maar dat zat hem niet lekker, hij voelde zich een vandalist. Met de kolf van het machinepistool opgeheven aarzelde hij een moment en klapte hem toen tegen het raam. Hij brak er een groot gat in met scherpe glaspunten. Hij sloeg nog een paar keer totdat er niets meer van het glas overbleef dan een paar kleine tandjes die in de randen van de lijst bleven zitten. Daar had hij het wel bij willen laten, maar Ryder had voet bij stuk gehouden: 'Geen glas. Absoluut geen glas, anders breekt dat de illusie.'

Met de loop van zijn pistool schraapte Longman alle kleine stukjes uit de lijst.

Ryder

Vanaf de achterzijde van de wagon liep Ryder ongeveer honderd meter naar het noorden. Hij hield stil en knielde in één beweging neer naast de binnenste expresrail. Hij haalde een van de granaten uit zijn zak, trok de tape eraf en scheurde die door in twee ongelijke stukken van vijftien en vijfentwintig centimeter. Hij wachtte even en keek gespannen langs de spoorbaan. In de verte zag hij de donkere, logge vorm van een trein. Hij knikte alsof hij bevestigde dat zijn verwachting was uitgekomen en vergat het toen verder.

Hij hield de granaat in de palm van zijn linkerhand en bedekte de hendel in de lengte met tape, waarbij hij de tape aan beide zijden van de granaathuls een paar centimeter liet uitsteken. Hij bracht zijn hoofd bijna op de hoogte van de rail, plaatste de granaat onder de flens van de rail en streek de loshangende stukken tape voorzichtig glad, zodat ze de granaat op zijn plaats hielden tegen de rail. Het korte stuk tape scheurde hij in tweeën en plakte de stukken in de breedte over de granaat om te voorkomen dat hij los zou schudden. Toen hij zich overtuigd had dat de granaat stevig op zijn plaats zat, trok hij de pin eruit. Toen ging hij naar de buitenste rail en deed precies hetzelfde met de tweede granaat.

Hij richtte zich op en zonder nog om te kijken liep hij op een drafje terug naar Pelham One Two Three. Doordat de veiligheidspinnen eruit getrokken waren, stonden de granaten op scherp. Als het wiel van een trein eroverheen reed, zouden de losjes vastgeplakte granaten van de rail vallen en daarbij zouden automatisch de hendels eraf springen. De granaten zouden binnen vijf seconden ontploffen. Steever hield de wacht bij de achterdeur. Ryder knikte naar hem en liep langs de vuile zijwanden van de wagon naar voren. Het middelste stuk pijp stak naar buiten. Hij stak zijn hand uit en Longman gaf hem het derde stuk pijp aan. Hij schroefde het stevig vast aan het tweede stuk, zodat het uiteinde naar de tunnelmuur wees.

Wanneer de constructie van de pijp naar binnen werd gedrukt, naar de trein toe, dan zou het de rijcontroller door de startpositie in serieschakeling duwen en het gewicht van de gietijzeren mal zou voorkomen dat hij doorschoot in gelijkschakeling. Door een flinke ruk naar achteren zouden de twee lange stukken pijp losraken en alleen het korte eerste stuk zou blijven zitten, van buiten af niet te zien.

Voor de rest rekende Ryder erop dat De kracht van de veronderstelling zou triomferen over de werkelijkheid. Glas zag je niet en als er dus geen scherven waren om licht te weerkaatsen, zouden de mensen gewoon aannemen dat er glas zat. De politie zou weten dat een trein niet kon rijden zonder machinist (hoe meer ze ervan afwisten, des te zekerder zouden ze dat feit accepteren) en ze zouden dus aannemen dat er een machinist in de verduisterde cabine stond. Hij hield er rekening mee dat een of andere toeschouwer wel over die psychologische barrière heen zou komen en misschien de werkelijkheid zou inzien, maar ook dan zou er nog zo lang aan worden getwijfeld, dat zij tijd hadden voor hun ontsnapping.

Toen hij had vastgesteld dat de pijpconstructie goed zat, trok Ryder zich omhoog de wagon in en stapte de cabine in. Hij duwde Longman even opzij en controleerde de positie van het gewicht over de rijcontroller.

'Alles is klaar,' zei Longman ongeduldig. 'Ik wou dat we vertrokken.'

'We vertrekken zodra de Verkeersleiding ons zegt dat de baan vrij is.'

'Dat weet ik,' zei Longman. 'Ik word alleen wat zenuwachtig.'

Ryder zweeg. Hij schatte dat Longman nog zowat tien minuten moed over had – voor zover je het moed kon noemen – voordat hij in elkaar zou klappen. Nou ja, tien minuten moest genoeg zijn; over tien minuten was de zaak bekeken.

Welcome

Vanaf het moment dat de lichten weer aan waren, had Joe Welcome zich rot gevoeld. Op de eerste plaats zei die griet hem niet veel meer. Het heldere licht had haar iets ontnomen. Nog steeds een hete griet, dat wel, maar ze had betere dagen gekend. Niet dat hij niet op oudere wijven viel – hij viel op wijven, punt uit – maar deze begon er te professioneel uit te zien en hij was er niet zo gek op dat er al ongeveer duizend kerels vóór hem dezelfde weg waren gegaan.

Ze zat nog steeds met hem te flirten, maar hij was al lang zo geil niet meer. Nee, hij begon een beetje de zenuwen te krijgen van de hele operatie. Het duurde hem te lang en er was niet genoeg actie. Het beste deel was het begin geweest, toen hij zijn gang had kunnen gaan met die vetzak op de rails. Zo mocht hij het graag zien: snel en hard. Ryder had hersens en Longman had hersens, maar ze wilden het te mooi maken. Hijzelf zou het rechttoe rechtaan hebben gedaan.

Wil je ergens uit komen? Doe het dan snel en kom er schietend uit. Natuurlijk, het barstte van de smerissen, maar zij hadden toch vier snelle blaffers? Een mooi stuk soldaat was die Ryder! En de machinepistolen, die zaten hem ook helemaal niet lekker. Hij wist niet hoe hij het had toen Ryder zei dat ze die achter moesten laten en hij was het er voor geen cent mee eens. De hele kracht van de zaak lag in de bewapening, in de tommyguns, daarom was iedereen bang voor je en likten de smerissen je kont. Waarom zou je je dan verzwakken op je sterkste punt? Als je het op Ryders manier deed en je snelle blaffers liet liggen, dan had je alleen nog maar vier revolvers als er iets fout ging. Met revolvers tegen zo'n honderd smerissen? Maar als hij een tommygun had, kon hij het wel tegen duizend smerissen opnemen.

Het meisje schoot weer een van die zaadvragende blikken op hem af met haar mond open – ze kende inderdaad de trucjes van het vak – en hij begon zich alweer een beetje geil te voelen, maar toen klom Ryder net door de voordeur naar binnen. Jammer meid, het is bijna tijd dat we er vandoor gaan.

Anita Lemoyne

Op een bepaald punt, besefte Anita Lemoyne, was ze haar grip op die engerd kwijtgeraakt. Oké, dan was ze die engerd dus kwijt. Wat moest ze daaraan doen, een kogel door haar kop schieten? Nu het erop begon te lijken dat ze er allemaal heelhuids uit zouden komen, waren er belangrijker zaken om over te na denken: wat ze bijvoorbeeld tegen die tv-kerel moest zeggen, aangenomen dat hij de telefoon er niet op zou smijten als ze hem belde. Eén ding wist ze zeker: hij zou er niet van overtuigd zijn dat ze een redelijk excuus had om hem te laten zitten. Ze kende hem zo goed dat ze zich praktisch het hele gesprek kon voorstellen.

'Natuurlijk geloof ik dat je betrokken was bij die kaping in de ondergrondse, maar dat heeft niets te maken met het belangrijkste punt, namelijk dat je daarbij betrokken wílde zijn.'

'Ja tuurlijk. Ik werd vanmorgen wakker en zei tegen mezelf: "Anita, schat, laten we eens zien of we ons vandaag niet voor onze raap kunnen laten schieten."'

'Precies. Alleen niet bewust. Heb je nooit gehoord van mensen die kicken op ongelukken? Nou, zo zijn er ook mensen die kicken op gevaar, die het gevaar opzoeken zonder dat ze zich bewust zijn –'

'Je lult uit je nek, klootzak.'

'Luister, met dat soort praat kun je wel in bed aankomen, maar verder niet.'

'Het spijt me, schat. Maar dat geklets over erop kicken. Misschien kick ik er wel op om ergens op te kicken.'

'Probeer nou niet grappig te doen.'

'Alles wat ik heb gedaan is met die verrekte ondergrondse reizen, schat.'

'Precies. Zeg, wanneer heb jíj voor het laatst met de ondergrondse gereisd?'

'Ik had gewoon vandaag een zuinige bui. Is dat zo misdadig?'

'Met al het geld dat jij verdient door met je kont te leuren en gezien de bekende kwistigheid van hoeren, verwacht je dat ik dat geloof?'

'Oké. Prima. Je hebt me te pakken. Ik nam de ondergrondse, omdat ik wist dat hij zou worden gekaapt. Dat niet alleen, maar ik wist ook precies welke lijn en precies de tijd – allemaal omdat ik erop kick, nou goed?'

'Een hoer zonder ontwikkeling moet geen gevestigde psychiatrische veronderstellingen aanvechten. Allerlei variabele factoren hebben vanmorgen voordat je wegging je activiteiten beïnvloed: even teruglopen voor een zakdoek, vijf minuten langer dan gewoonlijk in bad blijven zitten –'

'Voor jou, schat, om mijn poesje lekker te laten ruiken.'

'– even naar de drankwinkel om iets te bestellen, terwijl je dat net zo goed vanavond had kunnen doen, een andere weg nemen naar de ondergrondse dan anders –'

'Toevallig heb ik vandaag al boodschappen gedaan en ik ben op de ondergrondse gestapt bij station 33rd Street.'

'Je hebt mijn seks-sandwich verpest, vuile hoer.'

'Ik weet het en ik vind het rot. Want ik ben nog nooit zo lekker genaaid als door jou, iedere keer. Jij bent de beste, schat.'

'Je hebt mijn seks-sandwich bedorven.'

'Die stomme ondergrondse, ik ga van mijn leven niet meer in dat rotkreng.'

'Je hebt mijn seks-sandwich verpest.'

Zo zou dat gaan, dacht Anita, en uiteindelijk zou ze hem kwijtraken. Klanten zoals hij waren dun gezaaid. Als ze nog eens ooit met die boetiek wilde beginnen, moest ze zuinig zijn op iedere klant. Nou ja, misschien kon ze op haar knieën voor hem kruipen, zijn kont likken, zijn verrekte voeten kussen... Verdomme, dat deed ze evengoed al, met die seks-sandwiches. Somber keek ze terwijl hoe de leider de trein weer in klom.

Wijkcommandant

'Daaronder zitten ze,' zei de wijkcommandant, terwijl hij naar de bodemplaat van de auto wees. 'Als de straat inzakte, zouden we waarschijnlijk boven op hen terechtkomen.' De hoofdcommissaris knikte.

Rechts van hen lag Union Park Square, bedrieglijk aantrekkelijk in de vallende schemering. Een straat verder naar het zuiden lag S. Klein, een bouwvallig warenhuis. De menigte die normaal de trottoirs bevolkte begon samen te klitten, aangetrokken door de zwermen politieauto's die in de buurt waren verschenen. Het verkeer begon vast te raken en politieagenten probeerden het op de kruispunten de zijstraten in te dirigeren.

De chauffeur draaide zich om. 'Meneer, we hebben een gat. Wilt u dat ik doorrij?'

'Blijf hier maar hangen,' zei de wijkcommandant. 'Ik heb nog niet zo dicht bij die rotzakken gezeten sinds de zaak is begonnen.'

De commissaris keek door het raam en zag hoe een agent naar voren werd geduwd door een plotselinge zwelling in de menigte op de trottoirs. Hij krabbelde overeind en duwde een vrouw aan de kant.

'Als de straat inzakte,' zei de hoofdcommissaris, 'dat zou nog niet zo'n slecht idee zijn. De hele stad zou erin wegzakken. Niet gek...'

Het pessimisme van de commissaris kwam als een nieuwe verrassing voor de wijkcommandant. Maar in plaats van iets te zeggen, staarde hij naar het park en koesterde een prettige herinnering.

'De mensen,' zei de commissaris. 'Als je de mensen weghaalt uit het decor, zou je de boeven gemakkelijk kunnen vangen.'

De wijkcommandant maakte met tegenzin zijn blik los van het park waarvan de omringende muur langzaamaan begon te verdwijnen achter de aangroeiende menigte. 'Weet u wat ik zou willen, commissaris? Ik zou door een van die roosters willen kruipen en al die klootzakken voor hun donder schieten.'

'Hebben we het daar niet al eerder over gehad?' vroeg de commissaris mat.

'Ik praat maar wat. Ik voel me er beter door.'

De wijkcommandant keek omhoog naar de kale, dunne takken in het park en zijn oude herinnering kwam boven. 'Hier had ik mijn eerste dienst toen ik net bij de politie was. 1933. Of was het 1934? 1933 of 1934. Ik was bereden agent en ik moest meehelpen de orde handhaven bij een parade op 1 mei. Weet u nog dat ze daar toen zo veel werk van maakten?'

'Ik heb nooit geweten dat jij bij de bereden politie bent geweest,' zei de commissaris.

'Mijn paard heette Daisy. Een schoonheid, met een witte bles op het voorhoofd. Zowat ieder uur hadden we wel een akkefie-

tje. We timmerden erop, of Daisy trapte er een paar op hun po-
ten. Maar de tijden waren anders. Elkaar afmaken was er niet
bij. En als je al eens een paar Rooie Rakkers in elkaar ramde,
dan werd er geen moord en brand geroepen, behalve door de
Rooie Rakkers zelf. Hoe dan ook, radicalen waren in die dagen
een stuk handelbaarder.'

'En hun koppen?'

'Hun koppen?' De wijkcommandant dacht even na. 'Ik begrijp wat u bedoelt. Ja, we gebruikten de wapenstok toen heel
wat vaker. Wreedheid van de kant van de politie. Dat had je
toen geloof ik wel meer.'

'Misschien.' De stem van de commissaris klonk vlak en zonder emotie.

'Daisy,' zei de wijkcommandant. 'De Rooie Rakkers haatten
die paarden bijna even erg als de agenten. In hun celbijeen-
komsten zaten ze elkaar dan op te jutten: "Snij de kniepezen
van de paarden door!" En dan bespraken ze hoe ze met een mes
onder de buiken van de paarden konden kruipen en de kniepezen doorsnijden. Maar ik heb nooit gehoord dat dat echt gebeurde.'

'Wat is dit nou, verdomme!' zei de commissaris. 'Zij zitten
daar beneden en wij zitten hierboven, het lijkt wel een vakan-
tie-uitstapje.'

'Kijk, daar,' zei de wijkcommandant, 'aan de kant van 17th
Street, op dat balkon, daar staken de Rooie Rakkers altijd hun
redevoeringen af. Maar de rottigheid kon overal uitbreken op
het plein of in het Park. Veertig jaar geleden. Hoeveel van die
Rooie Rakkers denkt u dat er nu nog Rooie Rakker zijn? Niet
één. Het zijn allemaal zakenlui geworden, uitbuiters van de
massa en ze wonen in de voorsteden en ze zouden een paard
nog niet de kniepezen doorsnijden al draaide je het ondersteboven en hield je het hoofd vast.'

'Hun kinderen zijn nu de radicalen,' zei de commissaris.

'En van een heel wat harder soort. Die zouden de kniepezen wél doorsnijden. Of een bom aan een paardenstaart binden.'

De radio knetterde. 'Centrale aan hoofdcommissaris. Meld u, meneer.'

De wijkcommandant gaf antwoord. 'Zegt u het maar.'

'Meneer, ze geven nu door aan de kapers dat de baan vrij is.'

'Oké, bedankt. Laat ons weten zo gauw ze gaan rijden.'

De wijkcommandant beëindigde het gesprek en keek naar de commissaris. 'Wachten we of gaan we?'

'We gaan,' zei de commissaris. 'Dan zijn we hen eindelijk eens een keer vóór, in plaats van achter hen aan te rijden.'

20

Ryder

'VERKEERSLEIDING AAN PELHAM ONE TWO THREE.'

Ryder drukte de zendknop in. 'Hier Pelham One Two Three. Zeg het maar.'

'De baan is vrij. Ik herhaal: de baan is vrij.'

Longman stond tegen hem aan gedrukt zwaar te ademen en te zuchten, waardoor hij zijn masker telkens in zijn mond zoog. Ryder keek even naar hem en dacht: het gaat mis met hem. Wat er ook gebeurt, hoe goed het ook afloopt, op de duur zal het misgaan met Longman.

Hij sprak in de microfoon. 'Is het traject helemaal vrij tot aan South Ferry toe? Bevestig dit.'

'Ja.'

'U weet wat erop staat wanneer u liegt?'

'Ik zal jou eens wat vertellen. Je krijgt de kans niet om dat geld op te maken. Daar heb ik een sterk voorgevoel van. Hoor je me?'

'We gaan nu rijden,' zei Ryder. 'Over en sluiten.'

'Let op mijn woorden –'

Ryder schakelde uit. 'We gaan,' zei hij tegen Longman. 'Ik wil die trein in dertig seconden in beweging hebben.'

Hij opende de deur en gaf Longman een duwtje. Longman struikelde half door de deur. Ryder keek nog een laatste keer naar het Hulpstuk en liep toen achter Longman aan de cabine uit.

Het koord van de noodrem bungelde uit een gat met een metalen rand in het plafond van de wagon, vlak achter de cabine. Het zag eruit als een springtouw met een rood, houten handvat dat vijftien centimeter uit het plafond hing. Tom Berry keek toe terwijl de kleine kaper omhoogreikte met een lange, dunne schaar, die een paar centimeter in het gat stak en het koord doorknipte. Het houten handvat rolde kletterend over de vloer. Uit zijn ene ooghoek zag Berry hoe de potige man aan het andere einde van de wagon het tweede koord doorknipte. Hij ving het op toen het viel en stak het in zijn zak.

De kleine man gaf een teken en Berry zag dat de potige man het bevestigde met een hoofdknik voordat hij de achterdeur opende, hurkte en zich op de rails liet vallen. De kleine man bewoog zich onhandig langs de leider, die de passagiers onder schot hield met zijn tommygun, en trok de deur aan de voorkant open. Hij ging zitten voordat hij zich op de rails liet vallen. De leider knikte kort naar de man in het midden van de wagon die zich omdraaide, toen inhield en een handkusje naar het meisje met de soldatenhoed blies. Toen draafde hij soepel naar achteren. Hij opende de deur, zakte nauwelijks door zijn knieën en sprong naar beneden.

De leider keek naar de passagiers en Berry dacht: nu gaat hij een afscheidsspeech houden, ons vertellen wat een geweldige gijzelaars we zijn geweest...

'U blijft op uw plaatsen zitten,' zei de leider. 'Probeer niet op te staan. Blijf zitten.'

Hij tastte achter zich naar de deurknop en schoof de deur open. Hij stapte naar buiten op de stalen plaat en Berry dacht: dit is het moment, hij staat met zijn rug naar je toe, trek je pistool en schiet hem voor zijn donder... De leider verdween uit het gezicht. Net voordat de deur dichtgleed, zag Berry een glimp van de kleine man op de rails. Hij hield iets vast wat op een stuk pijp leek en ineens werd het Berry duidelijk wat er met de trein ging gebeuren, ineens kon hij raden hoe ze van plan waren hun achtervolgers kwijt te raken en – zoals de pers het ongetwijfeld zou noemen – hun briljante en gewaagde ontsnapping uit te voeren.

Hij geloofde zelf niet wat hij nu deed. Hij zat natuurlijk nog gewoon op zijn plaats en rende nu niet voorovergebogen met getrokken revolver door de wagon. De trein startte met een plotselinge ruk en door de vaart werd hij voorbij de stangen in het midden geslingerd tot bijna achterin. Zijn hand raakte het gele metaal van de deurknop. Hij greep hem vast en schoof de deur open. Hij staarde naar de rails die onder hem naar achteren gleden en dacht: je bent parachutist geweest, je weet hoe je moet landen. En toen dacht hij: je hebt nog steeds de tijd om terug te lopen en te gaan zitten.

Hij sprong, zweefde eventjes en voelde toen enige ogenblikken van intense pijn voordat alles zwart werd.

De Toren van Grand Central

Toen de rode puntjes op het Routebord in de Toren van Grand Central aangaven dat Pelham One Two Three in beweging kwam, was Marino redelijk beheerst. 'Ze zijn vertrokken,' zei hij.

Het duurde maar een paar seconden voordat de informatie vanuit het Politiehoofdkwartier aan alle auto's was doorgegeven.

Gelijktijdig met Marino zei mevrouw Jenkins met haar rustige stem tegen inspecteur Garber: 'Pelham One Two Three is gaan rijden en is op het ogenblik ongeveer dertig meter ten zuiden van zijn vorige positie.'

Alle wijkagenten en wagons werden op de hoogte gebracht van de nieuwe ontwikkeling. De hele meute, boven en onder de grond, stormde naar het zuiden alsof ze met onzichtbare draden aan Pelham One Two Three waren verbonden.

Ryder

Longman had het te goed willen doen en hij was gestruikeld nadat hij de pijp naar voren geduwd had. Hoewel hij was blijven vasthouden, stond hij te wankelen toen de trein in beweging kwam en hij bleef met de pijp in zijn handen staan. Ryder trok hem van de spoorbaan af naar de veilige tunnelmuur en legde zijn arm over zijn trillende borst, terwijl de wagon voorbijdenderde. Een dreigende, angstaanjagende massa.

Ryder pakte het stuk pijp uit de slappe hand van Longman en wierp hem over de rails. Het ketste tegen een pilaar en stuiterde de noordwaartse baan over. Steever en Welcome stonden op hen te wachten, dicht tegen de tunnelmuur, een wagonlengte terug. 'Laten we opschieten,' zei Ryder.

Zonder om te kijken of ze volgden, liep hij op een drafje langs de spoorbaan en bleef staan in de witte glans van het licht dat de nooduitgang aangaf. De anderen voegden zich daar bij hem.

'Opschieten, mannen,' zei Ryder scherp. 'We hebben er vaak genoeg voor geoefend.'

'Ik meende dat ik iets van de achterkant af zag vallen,' zei Steever. 'De achterkant van de wagon.'

Ryder keek achterom de rails af. Het licht van de rijdende wagon stierf weg. 'Hoe zag het eruit?'

Steever haalde de schouders op. 'Groot. Een schaduw. Kan een vent geweest zijn. Maar ik weet niet eens zeker of ik het echt heb gezien.'

Welcome zei: 'Als er iemand achter uit die wagon is gevallen, dan kan hij zo naar het kerkhof.' Hij hief zijn machinepistool omhoog. 'Wil je dat ik even ga kijken? Als daar iemand is en hij leeft nog, dan maak ik hem wel af.'

Ryder keek nogmaals de rails af. Er was niets of niemand te zien. Hij keek even naar Steever. Zenuwen? Hij wist hoe spanning geesten kon oproepen, ook bij mannen die even veel zelfbeheersing en even weinig verbeeldingskracht hadden als Steever. Soldaten op nachtpatrouille die plotseling een waarschuwing gilden, terwijl er niets aan de hand was. Wachtposten die als razenden op schaduwen vuurden. Het zou zelfs Steever kunnen overkomen, als je er rekening mee hield dat hij toch wel pijn aan die wond moest hebben en dat hij misschien duizelig was door bloedverlies.

'Vergeet het maar,' zei hij.

'Ik heb er de hele middag pas eentje koud gemaakt,' zei Welcome. 'Ik zou best nog een willen doen.'

'Nee,' zei Ryder.

'Nee,' aapte Welcome hem na. 'En als ik nou eens besluit dat ik dat graag wil doen?'

'We verknoeien onze tijd,' zei Ryder. 'Laten we beginnen.'

'Compagnie, geef acht!' zei Welcome treiterend.

Longman zei: 'Weet je zeker dat het daarboven veilig is?' Hij wees met zijn kin naar boven. 'De agenten gaan er vandoor?'

'Ja,' zei Ryder. 'Zij gaan achter de trein aan.' Hij hoorde dat zijn stem schor van ongeduld klonk en hij wachtte even. 'Klaar? Ik zal de bevelen geven.'

'Bevelen,' hoonde Welcome. 'Moet je hem horen.'

Ryder schonk geen aandacht aan hem. Ze zouden de handelingen precies in volgorde uitvoeren, niet omdat ze dat leuk vonden, maar omdat het noodzakelijk was. Bij de repetitie vergaten ze altijd een of ander detail als ze het zelf moesten doen en daarom had hij een eenvoudige procedure ontworpen waarbij ze het op bevel deden. Hij had ook besloten dat ze op dit moment nog niet de ruimte van de nooduitgang zouden betreden, omdat het mogelijk was dat er een voorbijganger door het rooster boven de ontsnappingsladder zou kijken en hen zou zien of horen.

'Machinepistolen,' zei Ryder beslist. Hij legde zijn wapen op het ballastbed. Steever en Longman volgden zijn voorbeeld, maar Welcome bleef het zijne in de hand houden en het betasten alsof het zijn eigendom was.

Steever zei: 'Kom op, Joe, je hebt twee handen nodig om te werken.'

Welcome zei: 'Ben jij soms opeens de assistent-kapitein?' Maar hij legde zijn wapen neer, zij het onwillig.

'Hoeden en maskers,' zei Ryder.

Het was vreemd om hun gezichten weer te kunnen zien en Ryder dacht: de maskers leken echter. Hij was verrast toen Welcome iets zei wat zijn eigen gevoelens onder woorden bracht: 'Ik zal je eens wat zeggen,' zei Welcome, 'jullie zagen er allemaal beter uit met je maskers op.'

'Vermomming,' zei Ryder.

Hij had de proppen uit zijn wangen gehaald voordat hij zijn masker aantrok en Longman had zijn bril afgezet. Steever moest alleen nog zijn witte pruik afzetten en Welcome de snor en de kunstig gebogen bakkebaarden lostrekken.

'Jassen,' zei Ryder. 'Uittrekken, binnenstebuiten keren, weer aantrekken.'

De marineblauwe regenjassen konden binnenstebuiten worden gedragen. Bij Welcome zat er een licht beige, waterdichte voering in, die van Steever was grijsachtig met een zwarte bontkraag, bij Longman was het tweed met een bruine visgraat en zijn eigen voering was van zandkleurige tweed. Hij keek nauwkeurig toe terwijl ze de jassen omkeerden en dichtknoopten over de uitpuilende geldvesten.

'Hoeden.'

Ze haalden hun hoeden uit de zak. Die van Welcome was een lage, lichtblauwe hoed met een smalle rood en marineblauw gestreepte band; Steever had een grijze met een smalle omgekrulde rand, Longman een grijze bontmuts en hijzelf een sportieve bruine pet met een korte klep.

'Handschoenen.'

Ze trokken hun handschoenen uit en lieten ze vallen.

'Revolver in jaszak? Controleer dat.' Hij wachtte. 'Oké. Portefeuilles. Laat je identiteitskaart zien en je penning.'

Hij hoopte dat ze die niet nodig zouden hebben, maar het zou kunnen zijn dat er nog een paar agenten waren achtergebleven en hen zouden aanhouden. In dat geval moesten ze zeggen dat ze bij een groep politie hoorden die in de tunnel was gestationeerd en hun identiteitsbewijs laten zien. Het was duurder geweest om die te pakken te krijgen dan de wapens.

'Kan het niet wat vlugger?' vroeg Longman.

'Deze gozer is nog bang van het geluid van zijn eigen scheten,' zei Welcome.

'Bijna klaar,' zei Ryder. 'Pak de machinepistolen op, haal de magazijnen eruit, steek die in de zak. Leg het machinepistool weer neer.' Dat was een eenvoudige voorzorgsmaatregel; hij wilde geen geladen wapens achterlaten.

Alle vier bukten ze om hun wapens op te pakken, maar slechts drie van hen haalden de magazijnen eruit.

'Ik niet,' zei Welcome glimlachend. 'Ik neem mijn kleine blaffer lekker mee.'

De Toren van Grand Central

Marino's stem klonk luid in de stilte van de Torenkamer: 'Pelham One Two Three is juist station 14th Street gepasseerd en is nu op weg naar station Astor Place.'

'Enig idee over de snelheid?'

'Nou ja,' zei Marino, 'hij rijdt. Ik zou zeggen dat hij in serie staat.'

'Wat wil dat zeggen?'

'Zo'n vijfenveertig kilometer per uur. Kunnen de politieauto's hen bijhouden door het verkeer?'

'Dat hoeven we niet. We hebben overal langs de route auto's klaarstaan. Zij nemen het over zodra de trein hun sector binnenrijdt.'

'Ze zitten nu halverwege 14th en Astor Place.'

'Goed zo. Hou me op de hoogte.'

Centraal Zenuwstelsel

In het Centraal Zenuwstelsel overhandigde een dienstleider een boodschap aan inspecteur Garber. Hij las die terwijl hij naar mevrouw Jenkins luisterde. Een agent op station 14th Street had gerapporteerd dat Pelham One Two Three voorbij gereden was zonder te stoppen.

'Pelham One Two Three is nu ongeveer vijfhonderd meter zuidelijk van station 14th Street.'

Door de zachte, zorgvuldige uitspraak in haar stem stelde inspecteur Garber zich mevrouw Jenkins voor als een slanke, ranke blondine, voor in de dertig.

'Blijf me op de hoogte houden, schat,' zei hij.

Clive Prescott

Aan het paneel van de verkeersleider in de Centrale staakte Prescott de pogingen om contact te leggen met Pelham One Two Three. Hij luisterde naar de stem van mevrouw Jenkins over de luidspreker en probeerde zich haar voor te stellen. Zo'n vijfendertig, mooi bruin kleurtje, gescheiden, zelfverzekerd, liefdevol en ervaren. Hij stelde zich voor hoe zij hem op haar ervaren wijze zou kunnen troosten en verweet zichzelf meteen ontrouw tegenover zijn vrouw.

'...blijft de stad uit rijden, vermoedelijk in seriepositie geschakeld.'

Geen touw aan vast te knopen, dacht Prescott. Hun positie kon centimeter na centimeter worden gevolgd, hoe konden ze dan hopen aan een achtervolging te ontsnappen? Maar wie beweerde er dat misdadigers slim waren? En toch, tot dusver hadden ze nog geen enkele fout gemaakt.

Hij keerde zich naar het paneel. 'Pelham One Two Three. Verkeersleiding roept Pelham One Two Three...'

Anita Lemoyne

Over precies één minuut, dacht Anita Lemoyne, ga ik hysterisch worden. *Kunnen die stomme eikels niet tellen?* Iedereen zat te zeiken over de hippie die eruit was gesprongen, zelfs die ouwe zak die ze de hele tijd voor de verstandigste van de passagiers had aangezien.

'Zo'n snelheid,' zei de oude man. 'Met zo'n snelheid kan hij het er niet levend hebben afgebracht.'

Iemand anders zei: 'Waarom deed hij dat?' en gaf toen zichzelf antwoord: 'Stoned natuurlijk. Ze worden stoned en dan doen ze zulke gekke dingen en verongelukken.'

'Waar brengen ze ons naartoe?' vroeg de moeder van de jongens. 'Denkt u dat ze ons gauw laten gaan, zoals ze zeiden?'

'Tot nu toe,' zei de oude man, 'hebben ze hun woord gehouden.'

Anita sprong op en gilde: 'Stomme sukkels, kunnen jullie

dan helemaal niet tellen? Ze zijn alle vier uitgestapt. Niemand bestuurt die verrekte trein!'

De oude man leek even te schrikken, schudde toen zijn hoofd en glimlachte: 'Mijn beste meid, als ze allemaal waren uitgestapt, zouden we nu stilstaan. Eentje moet er achtergebleven zijn.'

Anita's blik vloog van het ene onzekere gezicht naar het andere en bleef rusten op dat van de moeder. Die moest ook aan het rekenen zijn geslagen, dacht Anita, want ze zag eruit alsof ze het begon te snappen.

De moeder gilde langdurig en snerpend en Anita dacht: als de rest het nou nog niet gelooft, dan weet ik het ook niet meer.

21

Tom Berry

DE KLEINE TOM BERRY KREEG van zijn vader op zijn kop voor een
of andere streek die hij niet had uitgehaald. Hij voelde de gese-
ling van die koude stem die pijn kon doen. Zijn moeder nam
het voor hem op, maar haar stem klonk vreemd. Het klonk als
een mannenstem. Hij opende zijn ogen en de pijn verdreef de
droom, hoewel de stemmen bleven.

Hij lag tegen een pilaar naast de spoorbaan en hij wist dat
hij gewond was. Zijn hoofd, zijn schouders, zijn borst... Hij legde zijn hand tegen zijn mond. Die voelde zacht en vochtig aan.
Zijn vingers kropen omhoog naar zijn neus, waaruit langzaam
vocht drupte in het geultje van zijn bovenlip. Hij betastte zijn
hoofd en voelde een dikke bult. De stemmen verontrustten
hem. Hij hief zijn hoofd een klein stukje en zag waar ze vandaan kwamen.

In de schemering van de tunnel kon hij de afstand niet schat-
ten, maar hij zag hen duidelijk genoeg, alle vier. Ze stonden op
een rijtje tegen de muur en waren zich aan het omkleden. Ze
droegen geen nylon maskers meer en hun gezichten werden
door de kale lamp die de nooduitgang aangaf onregelmatig verlicht. De leider was bijna steeds aan het woord. Langzaamaan
begon het tot Berry door te dringen wat ze van plan waren. Ze
hadden andere jassen aan en hoeden op, ze waren zich aan het
vermommen. In hun nieuwe kleding en met de politie volop

achter de trein aan, zouden ze door de nooduitgang naar boven klimmen en eenvoudig tussen de mensen verdwijnen.

Zijn revolver. Hij had hem in zijn hand toen hij sprong. Ergens moest hij hem kwijtgeraakt zijn. Hij verhief zich op zijn elleboog om ernaar te zoeken en kroop in plotselinge paniek weer achter de pilaar. Ze zouden hem kunnen zien, het wit van zijn gezicht zou hem verraden. Maar hij kon niet naar zijn revolver zoeken als hij met zijn gezicht op de vloer van de tunnel bleef liggen. Die revolver kon hem gestolen worden. Hij kon altijd nog een nieuwe revolver krijgen, maar geen nieuw gezicht. Hij kreunde en onderdrukte toen haastig het geluid. Waarom was hij hier? Waarom was hij van de regen in de drup gesprongen? Waar zat hij met zijn verstand?

De vier kapers stonden ruzie te maken. Nee, twee van hen. De boze stem herkende hij als die van die machokerel. De koude stem zonder uitdrukking behoorde aan de leider. De andere twee stonden zwijgend toe te kijken. Gangsters die ruzie kregen met elkaar? Zouden ze elkaar nu afmaken met hun machinepistolen? Als ze dat deden, zou hij niet aarzelen om ernaartoe te kruipen en hen in de kraag te grijpen.

'Jullie vieren, al ben je dan dood, staan onder arrest. U mag ieder één telefoontje plegen en ik stel u hierbij in kennis van uw rechten onder de jurisprudentie van het Hoogste Gerechtshof...'

Waar was de revolver? Die zou overal tussen 14th Street en 23rd kunnen liggen. *Waar is mijn revolver?* Hij begon met zijn hand op de vuile grond van de tunnel te tasten.

Hoofdinspecteur Daniels

Door het raam van Woodlawn One Four One begon de zwakke, verlichte rechthoek die Pelham One Two Three aanduidde trillend te vervagen. Hoofdinspecteur Daniels wreef in zijn ogen.

'Ze gaan net rijden,' zei de machinist.

'Nou, waar wacht je dan verdomme nog op!' schreeuwde de hoofdinspecteur.

'Op uw teken, zoals u had gezegd. U knijpt mijn arm eraf, meneer, zo kan ik die trein niet besturen.'

De hoofdinspecteur verslapte zijn greep een beetje. 'Vooruit. Niet te snel.'

'Zij zetten er anders aardig de sokken in,' zei de machinist. Hij duwde de rijcontroller naar voren en de trein begon vooruit te kruipen. 'Ze zijn ervandoor gegaan als de gesmeerde bliksem. Zie je hoe snel die groene seinen rood worden? Weet je zeker dat u me zo langzaam wilt laten rijden?'

'Ik wil niet dat zij ons zien.'

'Met deze vaart zullen ze ons zeker niet zien. En wij hen ook niet.'

'Ga dan sneller, verdomme, als je denkt dat dat beter is.'

'Sneller,' zei de machinist. 'Dat denk ik ja.'

Hij duwde voorzichtig de rijcontroller in serieschakeling en de trein schoot vooruit, maar niet voor lang. De voorste wielen maakten een zwak, metaalachtig geluid en toen leek de hele tunnel te exploderen. De achterkant van de wagon kwam van de rails omhoog en bleef even zweven voordat hij log terugviel. De grote wielen ketsten van de rails en groeven zich in de bodem van de spoorbaan. De wagon zwaaide en danste als een idioot en toen de machinist remde, beukte hij met de zijkant een stuk of zes pilaren voordat hij tot stilstand kwam in een nevel van stof en oververhit metaal.

'Godverdomme,' zei de machinist. Naast hem hield de hoofdinspecteur zijn hand tegen zijn hoofd. Zijn ogen loensten en een straaltje bloed drupte onder zijn haren uit en zocht zich langzaam een weg langs zijn voorhoofd.

De hoofdinspecteur duwde de machinist opzij en liep de cabine uit. Daar leunde hij tegen de deur om steun te zoeken en bekeek het interieur. Iedereen leek te schreeuwen. Een stuk of vijf agenten lagen op de vloer. Overal lagen wapens. Een lichtgekleurd, scherp ruikend vleugje rook dreef traag door de wagon.

De hoofdinspecteur keek toe terwijl de mannen van de vloer omhoogkrabbelden en hij voelde zich vreemd zweven boven het toneel. Een man lag om en om te rollen en met vreemde, beheerste snikken te roepen, terwijl hij zijn handen om zijn knie gekneld hield.

'Help die man,' zei de hoofdinspecteur. Hij wilde nog wat anders zeggen, maar raakte de draad kwijt. Hij tastte naar de bloedige plek op zijn hoofd. Het deed geen pijn. Het leek zelfs alsof hij hem niet kon voelen met zijn vingertoppen.

'Bent u gewond, meneer?' Het was een stoere sergeant die heel kalm sprak. 'Wat is er gebeurd, meneer?'

'Boobytrap,' zei de hoofdinspecteur. 'Zeg tegen je mensen dat ze gaan zitten, sergeant. Die klootzakken hebben ons van de rails af geblazen.'

Hij had plezier in de vreemde manier waarop de sergeant hem aankeek. Een jonge vent, die sergeant, te jong voor de grote oorlog: hij wist niets over boobytraps en herkende een granaat niet aan zijn stank.

'Maar ik bedoel, meneer,' zei de sergeant, 'wat doen we nu? Hoe luidt onze opdracht, meneer?'

'We zijn van de rails af,' zei de hoofdinspecteur. Hij raakte de draad weer kwijt. 'Ik ga even verkennen. Jullie blijven hier.'

Hij ging de cabine in. De machinist had zijn zitje uitgeklapt. Hij zat erop, zijn hoofd heen en weer schuddend.

'Rapporteer het gebeurde, sergeant,' zei de hoofdinspecteur. 'Vraag hoe snel er hulp kan zijn om ons terug te zetten op de rails of om ander transport voor ons te verzorgen.'

'Een ploeg wagenmeesters heeft wel een paar uur nodig om ons op de rails te krijgen,' zei de bestuurder. 'En hoe bedoelt u: "sergeant"? Ben je een beetje de kluts kwijt?'

'Niet tegenspreken, sergeant. Pak je radio en breng rapport uit.'

Hij ging de wagon in en schoof de voordeur open. Toen hij hurkte voor het springen zei de agent die hem al eerder had aangesproken: 'Kunnen we u ergens mee van dienst zijn, meneer?'

De hoofdinspecteur glimlachte en schudde zijn hoofd. Een vreemd, nieuw ras agenten. Verpest door auto's en collega's en computers. Ze beseften niet dat je vroeger alleen door je wijk liep en niet bang was, en wee de boosdoener die je een duimbreed in de weg legde. Hij liet zich op de rails vallen en de schok rammelde hem wat door elkaar, maar hij kwam snel weer overeind. Toen begon hij zijn wijkdienst te lopen met zijn handen op zijn rug en zijn ogen langzaam en waakzaam van links naar rechts bewegend.

Ryder

Toen hij tegenover Welcome stond in de eerste stilte sinds ze de trein hadden verlaten, hoorde Ryder de onverklaarbare geluiden van de tunnel: geritsel, gekraak, echo's, de zwakke zucht van de vaag naar olie ruikende wind. Steever en Longman stonden hem vragend aan te kijken.

'Zoals gezegd,' zei hij. 'Verwijder magazijn.'

Bijna precies gelijk met Steever en Longman haalde hij het magazijn uit het wapen en liet het in de linkerzak van zijn jas glijden. Welcome schudde glimlachend zijn hoofd. Ryder zei vriendelijk: 'Haal het magazijn uit je pistool, Joe, dan kunnen we hier weg.'

'Ik ben al klaar,' zei Welcome. 'Dit pistool en ik gaan hier samen weg.'

'Je kunt het niet meenemen,' zei Ryder, nog steeds vriendelijk.

'Mijn vriendje gaat mee. Goeie, ouwe vuurkracht, weet je wel, voor als de politie op de proppen komt.'

'Het hele punt bij de ontsnapping is om onopgemerkt weg te kunnen lopen. Dat kun je niet wanneer je een machinepistool draagt.'

Het meningsverschil – zelfs de woorden die hij gebruikte – hoorde hij voor de zoveelste keer. In de afgelopen weken was het meerdere malen naar voren gekomen, maar Welcome had uiteindelijk toegegeven – zo leek het tenminste.

'Niet drágen.' Welcome keek Steever en Longman aan als om bevestiging dat hij een belangrijke slag vóór lag. 'Ik steek hem onder mijn jas.'

Steeds weer hetzelfde liedje, dacht Ryder. 'Een machinepistool kun je niet onder een jas verbergen.'

Longman zei schel: 'Dit is gekkenwerk. We moeten opschieten.' Steevers gezicht stond nietszeggend. Hij toonde zich niet geïrriteerd en liet niet zien of hij partij koos. Longman was weer gaan zweten. Welcome glimlachte nog steeds en keek met felle, half dichtgeknepen ogen naar Ryder.

Ryder zei: 'Laat je je wapen achter?'

'Val maar dood, Generaal.'

Hij glimlachte nog steeds toen Ryder door zijn jaszak vuurde en hem door zijn keel schoot. Het schot was geluidloos, omdat het werd overstemd door een donderende explosie verderop in de tunnel. Welcome zakte in elkaar. Longman liet zich slap tegen de tunnelmuur zakken. Welcome lag op zijn zij. Zijn benen bewogen nog, zijn linkerhand klauwde naar zijn keel en zijn vingers werden rood gekleurd. Zijn hoed was weggerold en zijn lange, zwarte haren vielen over zijn voorhoofd. Hij hield nog steeds het machinepistool in zijn rechterhand. Ryder schopte het eruit. Hij bukte, trok het magazijn uit het wapen en stak het in zijn zak. Longman leunde tegen de muur en braakte met lange uithalen.

Ryder ging op zijn hurken zitten om Welcome goed te kunnen bekijken. Zijn ogen waren gesloten, zijn huid had de kleur van perkament en hij ademde nauwelijks. Ryder haalde zijn revolver tevoorschijn en plaatste die tegen Welcomes hoofd. Hij keek op naar Steever.

'Hij zou het nog lang genoeg uit kunnen houden om te praten,' zei hij en hij haalde de trekker over. Het hoofd van Welcome rukte opzij door het inslaan van de kogel en een stuk bloederig bot sprong weg. Hij keek weer omhoog in het nietszeggende gezicht van Steever. 'Zie jij Longman wat op te knappen.'

Hij knoopte de jas van Welcome open en maakte de strikken van zijn geldvest los. Aan de randen van een van de pakjes geld zat bloed. Om het geldvest uit te kunnen trekken, hield Ryder een uiteinde vast en trok er Welcome mee op zijn buik. Hij ging rechtop staan met het vest in zijn handen. Verderop in de tunnel hing een wolk van rook en stof tussen de spoorbaan en het dak.

Steever ondersteunde Longman met een hand om zijn middel en veegde de voorkant van zijn jas af met een zakdoek. Longman zag er ziek uit. Zijn gezicht was lijkbleek en zijn roodomrande ogen traanden.

'Knoop zijn jas open,' zei Ryder.

Longman stond er slap en hulpeloos bij, terwijl Steever aan de knopen van zijn jas trok. Toen Ryder op hem af kwam met het geldvest, keek Longman dodelijk verschrikt.

'Ik?' vroeg Longman. 'Waarom ik?' en Ryder besefte dat zijn vrees de grenzen van het redelijke had overschreden en dat hij verder voor alles bang was.

'Jij bent de magerste van ons. Twee vesten onder jouw jas zijn niet te zien. Doe je armen opzij.'

Terwijl hij het vest om Longman heen trok en het dichtbond, werd Ryder misselijk van de stank van braaksel en doodsangst. Maar hij werkte systematisch en voelde het met zweet doordrenkte lichaam van Longman beven onder zijn aanraking. Toen het vest goed zat, knoopte hij de jas van Longman dicht.

Steever zei op conversatietoon: 'Die trein plofte lekker.'

'Ja,' zei Ryder. Hij bekeek Longman nog even. 'Oké. Ik geloof dat we nu klaar zijn om naar boven te gaan.'

Wijkcommandant

'Dat uitstapje dat ze naar Union Square maakten,' zei de wijkcommandant. 'Dat stond niet in het draaiboek. Ik maak me er zorgen over.'

Ze reden in volle vaart, met loeiende sirene, en het verkeer trok haastig naar de rand van de straat om uit hun weg te komen.

De commissaris volgde een eigen gedachtegang. 'Zij weten dat wij al hun bewegingen kunnen volgen. Ze weten dat we hen boven de grond vlak op de hielen zitten. Maar ze trekken zich daar blijkbaar niets van aan. Ze kunnen onmogelijk zo stom zijn, dus waarschijnlijk zijn ze heel erg slim.'

'Ja,' zei de wijkcommandant. 'Daar dacht ik ook net aan. Dat stoppen bij Union Square. Ze zeiden dat ze dat deden om uit de buurt van de politie te komen die in de tunnel zat. Waarom?'

'Ze zijn niet wild op de politie.'

'Ze wisten al eerder dat wij in de tunnel zaten en toen gaven ze er niets om. Waarom nu wel?'

De wijkcommandant zweeg zo lang dat de commissaris ongeduldig zei: 'Nou, waarom?'

'Dit keer wilden ze niet dat we konden zien wat ze aan het doen waren.'

'Wat waren ze aan het doen?'

'Ze geven er niets om dat wij hen volgen – toch? Een beetje overdreven zou je kunnen zeggen dat ze wíllen dat wij hen volgen op hun weg uit de stad – toch?'

'Je hoeft het niet zo uit te spinnen,' zei de commissaris. 'Als je een theorie hebt, laat die dan horen.'

'Mijn theorie,' zei de wijkcommandant, 'is dat ze niet in die trein zitten.'

'Ik dacht al dat dat je theorie zou zijn. Maar hoe kan de trein rijden als zij niet aan boord zijn?'

'Daar gaat het om. Behalve dat ene klopt alles. De hele meute rent naar het zuiden, maar zij blijven bij Union Square en knijpen ertussenuit via een nooduitgang. Hoe klinkt dat: drie stappen uit en één blijft om de trein te besturen?'

'Een onbaatzuchtige misdadiger die zich opoffert voor de anderen? Heb jij ooit zo'n misdadiger meegemaakt?'

'Nee,' zei de wijkcommandant. 'Een meer logische gedachtegang: stel dat ze een of andere manier hebben verzonnen om de trein te laten rijden zonder machinist?'

'Als ze dat hebben gedaan, dan zijn ze er gloeiend bij. Daniels zit achter hen aan op de expresbaan. Hij zou hen zien.'

'Misschien niet. Misschien zouden ze zich kunnen verstoppen totdat hij voorbij was.' Hij schudde zijn hoofd. 'Die korte zet. Die onverwachte zet.'

'Nou?' vroeg de commissaris. 'Wil je op je ingeving handelen?'

'Jawel, meneer,' zei de wijkcommandant. 'Met uw toestemming.'

De commissaris knikte. De wijkcommandant boog zich voorover naar de chauffeur. 'Bij de volgende hoek,' zei hij, 'omkeren en terug naar Union Square.'

De radio onderbrak hem. 'Meneer, de machinist van de trein van hoofdinspecteur Daniels heeft gerapporteerd dat ze van de rails afgeblazen zijn. Door explosieven die op de rails waren geplaatst.'

De commissaris vroeg naar gewonden en kreeg te horen dat er een agent gewond was, maar niet ernstig. 'Dat was het doel van de korte zet,' zei hij tegen de wijkcommandant. 'Ze wilden geen pottenkijkers, terwijl ze de rails ondermijnden.'

'Vergeet dat omkeren,' zei de wijkcommandant tegen de chauffeur. 'Door blijven rijden maar.'

De oude man

De oude man dacht aan wat hij vroeger zou hebben gedaan en volgde impulsen die hij al lang niet meer had gehoorzaamd. Hij stak zijn hand op (die beroemde hand die eens een scepter was geweest, gehoorzaamheid eisend bij hem thuis, dienstbaarheid op de zaak) en zei: 'Rustig nu. Laat iedereen eens even rustig blijven.'

Hij zweeg om te genieten van de opwinding al die gezichten zich naar hem te zien keren, naar de Autoriteit. Maar voordat hij kon spreken was hij ze al weer kwijt. De grote man, de toneelcriticus, was naar voren gewankeld en probeerde de verzonken hendel van de cabinedeur om te draaien. Toen begon hij met zijn vuist op de deur te slaan. De deur rammelde, maar bleef stevig gesloten. De grote man hield ermee op, draaide zich met een ruk om en ging weer naar zijn plaats. Ze reden een station binnen. Bleecker Street? Misschien Spring Street al, hij kon de borden niet lezen. Verschillende passagiers hadden de raampjes naar beneden gedraaid en gilden om hulp naar de menigte op het perron. De menigte schreeuwde woedend terug. Iemand smeet met een opgevouwen krant die tegen het raam stuitte, open waaide en in een regen van pagina's op het perron neerdaalde.

'Beste vrienden...' De oude man ging staan en reikte naar een metalen handgreep. 'Beste vrienden, de situatie is niet zo erg als hij eruitziet.'

De Afro-Amerikaan lachte met een snurkend geluid in zijn bloederige zakdoek (míjn zakdoek, dacht de oude man), maar de rest begon tenminste naar hem te luisteren.

'Op de eerste plaats hoeven we ons geen zorgen meer te maken over die rotzakken.' Drie, vier gezichten keken bang naar de cabinedeur. De oude man glimlachte. 'Zoals de jongedame al zei: ze zijn van de trein af. Aju paraplu.'

'Wie bestuurt hem dan?'

'Niemand. Op een of andere manier hebben ze hem op gang gebracht.'

'We zullen allemaal verongelukken!' Een hartverscheurende kreet van de moeder van de jongens.

'Helemaal niet,' zei de oude man. 'Ik geef toe dat we op dit moment in een op hol geslagen trein zitten, maar dat is tijdelijk. Puur tijdelijk.'

De wagon begon aan een bocht en schudde heftig met knarsende en schokkende wielflenzen, die zich vastbeten om te weerstaan aan de trekking van de wagon die zijn baan wilde vervolgen en uit de rails dreigde te lopen. De passagiers wankelden, vielen tegen elkaar aan. De oude man, die wanhopig vast bleef houden aan zijn handgreep, werd half van de vloer getild. De Afro-Amerikaan stak een met bloed besmeurde hand uit en ondersteunde hem. De trein kwam weer op een recht spoor.

'Dank u,' zei de oude man.

De man negeerde hem. Hij boog zich over het middenpad en wees met zijn vinger naar de twee koeriers. Hun gezichten zagen asgrauw. 'Broeders, jullie hebben nog één laatste kans om te laten zien dat je echte kerels bent.'

De jongens keken elkaar stomverbaasd aan en een van hen vroeg: 'Man, waar heb je het over?'

'Laat zien dat je een kerel bent, broeders. Het ergste dat jullie kan overkomen is de dood.'

Zachtjes, met een stem die nauwelijks boven het geraas van de trein uitkwam, zei de jongen: 'Da's erg genoeg.'

Het meisje met de soldatenhoed stond half op. 'Schei nou eens uit met al dat geleuter, verdomme, en laat iemand die deur inrammen.'

'Dames en heren.' De oude man stak zijn hand op. 'Luistert u nu eens naar mij. Ik weet toevallig iets meer over de ondergrondse en ik zeg u dat u zich niet te veel zorgen hoeft te maken.'

Hij glimlachte geruststellend, terwijl de passagiers zich weer naar hem keerden, angstig maar hoopvol – zoals zijn zonen vroeger naar hem opkeken wanneer ze om een nieuwe baseballhandschoen vroegen, zoals zijn employees om geruststelling smeekten dat er, recessie of geen recessie, niemand zou worden ontslagen.

'De ATB,' zei hij. 'De Automatische Trein Beveiliging. De veiligste spoorlijn van de wereld, zo noemen ze deze toch? Ze hebben van die dingen op de rails, ATB. Zogauw de trein door een rood licht rijdt, dan komt er zo'n ATB-dingetje naar boven, automatisch, en dat laat de trein stoppen!' Hij keek triomfantelijk om zich heen. 'Dus. We zullen wel gauw een rood sein tegenkomen, de ATB komt in actie en hupsakee! de trein stopt.'

De Toren van Grand Central

'Pelham One Two Three rijdt nu station Canal Street voorbij. Rijdt nog met dezelfde snelheid.'

In de galmende stilte van de Torenkamer, waar alleen de

stem van mevrouw Jenkins weerklonk, genoot Marino van de kalme, professionele vastheid van zijn stem.

'Ik heb je verstaan,' zei de dienstleider van de politie. 'Blijf aan de lijn.'

'Begrepen,' zei Marino kloek. 'Nog vier stations en dan zijn ze bij South Ferry.'

22

Tom Berry

BIJ DE EERSTE SCHOK VAN de explosie rolde Tom Berry zich helemaal in elkaar en liep daarbij opnieuw een lichte verwonding
op. Zijn knie stootte tegen een zwaar voorwerp en werd gevoel-
loos. Met zijn hand over zijn knie wrijvend hief hij zijn hoofd
een centimeter of vijf en zag een van de kapers op het ballastbed liggen. Het was die blitse jongen en Berry maakte eruit op
dat de explosie hem had geveld. Toen zag hij de leider op zijn
jas kloppen en hij besefte dat de explosie er niets mee te maken had: de leider had zijn makker via zijn jaszak neergeschoten.

Berry kreeg plotseling weer hoop toen hij terugdacht aan het
voorwerp waartegen hij zijn knie had gestoten. Hij tastte ra-
zendsnel de vuile bodem af en vond zijn revolver.

Hij liet zich op zijn buik rollen, nog steeds achter de pilaar
en legde de korte loop van de .38 op zijn linkerpols. Hij zocht
langs het vizier naar de leider, maar die was verdwenen. Toen
zag hij hem weer. Hij boog zich over het lichaam van de mooie
jongen. De leider knoopte zijn jasje los en verwijderde iets van
het lichaam. Het was het geldvest. Berry keek toe terwijl hij het
om de schouders van de kleine man liet glijden en het vast-
bond.

Hij had moeite met focussen. Hij sloot zijn ogen even en
drukte ze stevig dicht om het wazige zicht te verdrijven. Toen

hij zijn ogen weer opendeed, stapte de kleine man net door het gat in de tunnelmuur met de potige man vlak achter hem. Berry richtte zijn vizier op de brede rug van de zwaargebouwde man en vuurde. Hij zag hem ineenkrimpen en toen log achterover vallen. Hij verschoof snel zijn revolver om de leider te vinden, maar die was verdwenen.

Anita Lemoyne

Anita Lemoyne liep wankelend naar de voorzijde van de wagon. Achter haar stond de oude man, de zelf uitgeroepen profeet, nog steeds uitleg te geven. Anita zette zich schrap tegen het schudden van de wagon en keek door het raam. De rails, de tunnel, de pilaren: alles werd door de vaart van de trein opgeslokt, als door een reusachtige stofzuiger. Een station vloog voorbij, een oase van licht, drommen mensen. Twee namen. Brooklyn Bridge-Worth Street? Nog drie of vier, vóór South Ferry, de laatste halte. En wat dan?

'Ik heb nooit geweten dat die dingen zo snel gingen.'

De toneelcriticus stond achter haar, een boom van een vent, slordige kleren, piepend ademhalend alsof hij zijn grote lijf met moeite overeind hield. Er lag een drankkleur op zijn wangen en hij had blauwe ogen die onschuld en gewiekstheid combineerden. Dat betekende, dacht Anita, dat de onschuld maar voor de show was en de gewiekstheid niet helemaal kon worden verborgen.

'Ben je bang?' vroeg hij.

'Je hebt gehoord wat die ouwe vent zei. Hij kent de ondergrondse. Dat zegt 'ie tenminste.'

'Ik vroeg me af...' Zijn ogen stonden onschuldiger dan ooit toen hij lichtjes tegen haar aan schuurde. 'Heb jij ooit in een theater gewerkt?'

Mannen. Nou ja, je kon er de tijd mee doden. 'Twee jaar.'

'Dat dacht ik al.' Het gehijg hield op. 'Ik zie erg veel mensen, maar ik wist dat ik jou ooit in een theater had gezien. Ik vraag me af waar.'

'Ben je ooit in Cleveland in Ohio geweest?'

'Jazeker. Heb je daar gewerkt?'

'Het Little Gem Theater, daar heb ik gewerkt. Plaatsen aanwijzen en ijs verkopen.'

'Dat meen je niet.'

Hij lachte en profiteerde van het schudden van de trein door stevig tegen haar achterste te botsen. Uit gewoonte, automatisch, botste ze terug met een draaiende beweging en het zette hem weer aan het hijgen.

'Het is er helemaal de tijd niet naar om grapjes te maken. Over vijf minuten kunnen we allemaal dood zijn.'

Hij deed een stapje achteruit. 'Geloof je die oude man niet? Dat we zullen worden gestopt door een rood sein?'

'Zeker geloof ik hem.' Ze wees naar het raam. 'Ik sta op de uitkijk naar rode seinen. Maar ik zie alleen maar groene.'

Ze duwde haar achterste stevig tegen hem aan. Waarom niet? Het zou best eens de laatste keer kunnen zijn. Ze welfde haar rug en voelde dat hij reageerde. Ze liet hem een paar keer hotsebotsen om hem geïnteresseerd te houden en bleef kijken naar het naargeestige, voorbijvliegende landschap. Ze vlogen Fulton Street voorbij en doken de tunnel weer in. Zover als ze voor zich uit kon kijken zag ze niets anders dan helder groene seinen.

Wijkagent Roth

Wijkagent Harry Roth belde het hoofdkwartier zodra de trein voorbij station Fulton Street was gedenderd.

'Hij vloog net voorbij.'

'Oké. Dank je.'

'Luister, wil je iets geks horen?'

'Een ander keertje.'

'Nee, ik meen het. Zal ik je eens wat zeggen? Ik zag geen machinist in de cabine.'

'Waar heb je het verdomme over?'

'Ik zag niemand in de cabine. Ik geloof dat het voorraam eruit geslagen is en dat er niemand in de cabine staat. Ik stond helemaal aan de rand van het perron, maar ik zag niemand. Het spijt me, maar dat is nou eenmaal zo.'

'Weet jij niet dat treinen niet uit zichzelf kunnen rijden vanwege die dodemansknop?'

'Oké. Het spijt me.'

'Dacht je werkelijk dat er niemand in de cabine zat?'

'Misschien bukte hij net.'

'O, hij bukte net. Over en sluiten.'

'Ik weet wat ik heb gezien,' zei wijkagent Roth tegen zichzelf. 'Als hij me niet gelooft, kan hij de pot op. Het spijt me.'

Ryder

De pilaar was een positie die je kon verdedigen, maar Ryder kon zich niet veroorloven in de verdediging te gaan. De man die dat schot had gelost, moest worden gedood, en snel, anders kon hij niet eens terug naar de nooduitgang.

Hij had automatisch gehandeld toen het schot viel. Hij voelde dat hij niet langs het lichaam van Steever de nooduitgang kon bereiken zonder een tweede schot uit te lokken en daarom was hij gebukt de rails over gerend naar de bescherming van een pilaar. Het schot was vanuit zuidelijke richting gekomen en aangezien hij niemand op de spoorbaan had gezien, nam hij aan dat de vijand zich ook schuilhield achter een pilaar. Hij verspilde geen tijd met speculeren wie de vijand kon zijn, of met zichzelf verwijten maken. Geen van beide had er iets mee te maken. Of het een politieman was of de passagier die volgens Steever uit de trein was gesprongen, stond los van het probleem hoe hij hem zo snel mogelijk kon opruimen.

Hij keek naar de uitgang. Longman stond in de opening naar hem te staren. Hij wees dringend naar hem en maakte toen de gebaren van klimmen: handen die een aantal malen boven elkaar telkens naar iets grepen. Longman bleef staren. Hij herhaalde de gebaren met nadruk. Longman aarzelde nog even en draaide zich toen om naar de ladder. Steever lag waar hij was gevallen. Hij was met zo'n enorm geweld op zijn rug gesmakt, dat hij alleen al daardoor zijn rug had kunnen breken, voor zover de kogel dat niet had gedaan. Zijn ogen waren open en bewogen zich in zijn uitdrukkingsloze gezicht en Ryder wist zeker dat hij verlamd was.

Hij bande beide mannen uit zijn gedachten en hield zich weer met zijn probleem bezig. De vijand wist precies waar híj was, maar hij wist alleen ongeveer waar de vijand zat. De oplossing was de vijand te dwingen zich prijs te geven en dat kon hij alleen maar door iets te doen wat onder andere omstandigheden erg riskant zou zijn. Hij controleerde zijn revolver en stapte toen kalm achter de beschermende pilaar vandaan. Het schot weerklonk meteen en Ryder vuurde in de richting van de mondingsvlam. Voordat hij zich terugtrok achter zijn pilaar vuurde hij nog tweemaal. Hij luisterde ingespannen naar enig geluid, maar hoorde niets.

Hij kon onmogelijk te weten komen of een van zijn schoten raak was geweest en nu moest hij het ene risico na het andere gaan nemen. De vijand zou zich niet voor de gek laten houden door dezelfde truc en hij had geen tijd voor ingewikkelde manoeuvres. Hij stapte achter zijn pilaar vandaan en rende naar de volgende. Geen schot. Hij had ofwel de vijand geraakt of de vijand wachtte op een zekere vuurkans. Hij rende naar een volgende pilaar. Geen schot. Hij had nu een derde van de afstand afgelegd. En nu kon hij de vijand zien. Hij lag languit op de spoorbaan, met alleen zijn been nog achter de pilaar en Ryder wist dat hij was geraakt. Hij wist niet hoe erg – hij was wel bij kennis want hij probeerde zijn hoofd op te heffen – maar je mocht niet op zo veel mazzel rekenen, je mocht al blij zijn dat je een voordeeltje had. Dat had hij nu en hij hoefde er enkel nog maar van te profiteren.

Hij kwam achter de pilaar vandaan en liep midden over de spoorbaan naar de vijand toe. De vijand stak zijn rechterhand uit en Ryder zag de revolver op de spoorbaan liggen, enkele centimeters verder dan hij zijn vingers kon uitstrekken. De vijand zag of hoorde hem en probeerde naar de revolver te kruipen, maar viel slap op de grond.

Het wapen lag veilig buiten zijn bereik.

De oude man

Terwijl Pelham One Two Three station Wall Street voorbijreed, werden de passagiers weer zenuwachtig en verdrongen zich rond de oude man.

'Waar zijn de rode seinen?'

'We stoppen niet! We gaan er allemaal aan!'

De jonge moeder stootte een schelle, weeklagende gil uit die de oude man in het hart trof. Zestig, vijfenzestig jaar geleden had zijn moeder ook zo gegild toen zijn broer, haar oudste kind, door een autobus was overreden.

'Er komt beslist een rood sein!' riep hij uit. 'Er móét een rood licht komen!'

Hij wendde zich naar het meisje voor in de wagon. Ze schudde haar hoofd.

'De trein gaat stoppen,' stamelde de oude man en hij wist dat zijn leven voorbij was. De anderen zouden bij het ongeluk omkomen, hij was al gestorven aan mislukking.

Tom Berry

De eerste kogel had Tom Berry onder zijn opgeheven rechterarm geraakt en zijn revolver was uit zijn hand gevlogen. De tweede leek hem van voren te treffen en onder zijn borst naar beneden zijn lichaam in te glijden. Door de klap werd hij naar links geslingerd, op het ballastbed, waar hij bleef liggen in een vochtige plek waarvan hij weigerde te erkennen dat het zijn eigen bloed was.

Dat kwijtraken van zijn revolver leek wel een gewoonte te worden. Dit keer was hij hem niet echt kwijt. Hij lag op het ballastbed, duidelijk zichtbaar op nog geen twee armlengten van hem af, maar hij kon hem net zo goed helemaal kwijt zijn: hij kon er niet bij.

Hij keek toe terwijl de leider naderbij kwam: kalm, zonder haast, hand met pistool bungelend langs zijn zij. Hoe hard loopt hij per minuut? Precies zo veel tijd heb ik nog om te blijven leven. De leider had kunnen blijven staan om zorgvuldig te mikken en hem af te maken, maar, dacht Berry, hij moest en zou de perfectionist uithangen. Hij zou de *coup de grâce* op de traditionele manier toedienen: loop op de slaap, net als hij met zijn gewezen collega – de blitse jongen – had gedaan. Hij kon ervan op aan dat het professioneel zou gebeuren, alles tiptop. Een enkel moment van een monsterachtige, rode explosie en daarna vrede. Wat had je nou aan vrede? Wat had je godverdomme aan dat soort vrede?

Hij lag te snikken toen de leider boven hem stilhield. Even zag hij een paar degelijke, onmodieuze, zwarte schoenen. De leider bukte zich. Berry sloot zijn ogen. *Zal zij voor mij wenen?* Ergens in de tunnel riep iemand.

Wijkagent Severino

Op station Bowling Street stond wijkagent Severino zo dicht langs de rand van het perron dat Pelham One Two Three vlak langs hem heen raasde en een veeg van stof en vuil op zijn uniform achterliet. Hij keek recht in de cabine en toen hij via de radio rapport uitbracht aan het hoofdkwartier was dat zo beknopt en neutraal dat er niet kon worden getwijfeld aan de geloofwaardigheid.

'Niemand in de cabine. Ik herhaal, niemand in de cabine. Raam kapotgeslagen en niemand in de cabine.'

Hoofdinspecteur Daniels

Het toneel bleef wisselen in het hoofd van hoofdinspecteur Daniels, net als wanneer je even indut op een stoel. Het ene moment was hij weer op Iwo Jima met zijn oude divisie – die goeie ouwe Statue of Liberty, goeie ouwe 77e – en bombardeerde de Japanse marine hen tot moes en gilden zijn kameraden wanneer ze werden getroffen. Het volgende moment liep hij in een tunnel van de ondergrondse en voelde hij de vettig ruikende wind op zijn gezicht.

Maar de meeste tijd liep hij zijn oude wijkdienst. Dat was de 3rd Avenue in de jaren dertig. Nog veel Ieren, maar de meesten waren Armenen. Doc Bajian in de apotheek. Menjes, de kruidenier. Maradian in de Near East Food Store, dat spul kon je niet eten, te scherp, te sterk gekruid. Nee, Menjes was een Griek... Er waren rijen met kruisen, een paar bekende namen, onder het witte zonlicht van Iwo Jima. Weer mis. Dat was een foto die hij eens in een tijdschrift had gezien, graven van de dappere soldaten van de 77e die gesneuveld waren op Iwo Jima... Er liep bloed uit een wond aan zijn voorhoofd. Niets ernstigs, het deed niet eens pijn. Was er een Japanse geweerkolf langs geschampt?

Vóór hem liep er een man langs de straat. Hij fronste zijn wenkbrauwen en versnelde zijn pas. Hij liep op de spoorbaan, in de tunnel en voor hem uit liep een man langzaam tussen de rails van de lokale baan. Hij kende letterlijk iedereen in zijn wijk. Deze man herkende hij niet. Verdacht, die manier waarop hij liep. Wat deed hij hier 's avonds laat? Niets bijzonders, maar zijn vertrouwde instinct begon te werken, dat instinct van een agent waarmee hij herrieschoppers kon ruiken. Inhalen en hem controleren.

Een man op de rails. Hield wat vast. Een revolver? Kon een revolver zijn. In zíjn wijk hoorde niemand een revolver te dragen, niet in de wijk van een pientere, ambitieuze smeris die het tot hoofdinspecteur zou schoppen. Hij haalde zijn eigen revolver uit de holster. Zag dat de man stilhield. Naar beneden keek. Zich over iemand begon te buigen...

'Hé! Blijf staan, jij daar! Laat die revolver vallen!'

De man draaide zich bliksemsnel om, half hurkend, en de hoofdinspecteur zag het mondingsvuur. Hij schoot terug en de knal door de stille, middernachtelijke straten maakte zijn hoofd weer helder en hij wist opeens waar hij was. Hij was in een vuurgevecht gewikkeld met een gewapende gangster die in de kroeg van Paulie Ryan was binnengedrongen...

Ryder

Ryder kreeg geen kans voor een laatste gedachte. Hij stierf abrupt met op zijn tong de metaalachtige smaak van een .38-kogel die net onder zijn kin naar binnen drong, zijn tanden en verhemelte verbrijzelde en door het gewelf van zijn mond naar zijn hersens werd afgebogen .

Hoofdinspecteur Daniels

Prima schot, dacht hoofdinspecteur Daniels, net zo goed als vijfendertig jaar geleden toen hij die gewapende boef neerknalde die Paulie Ryans kroeg beroofde. Zijn eerste eervolle vermelding, om nog maar te zwijgen over het kistje whisky dat Paulie hem ieder jaar met Kerstmis stuurde, vijftien jaar lang totdat hij stierf en zijn hooggeleerde zoon, die het hoog in zijn bol had, de zaak overnam zonder enig gevoel voor de tradities van zijn vader.

Gek dat hij dat net weer helemaal opnieuw had gedaan. En wat deed hij in een tunnel van de ondergrondse?

Hij ging naar de gesneuvelde gangster toe die met zijn gezicht omhoog en met open ogen naar het dak van de tunnel lag te staren. Tunnel? De hoofdinspecteur boog zich over de dode vent. Niet dat daar nu zo veel aan te zien was: een dode, keurig geklede man met een in elkaar geschoten, bloederig gezicht. Nou ja, deze zou tenminste geen misdaden meer plegen en ook geen vuurgevecht met de politie meer aangaan.

Hij keerde zich naar het slachtoffer, de arme meid. Ook onder het bloed, maar wel in leven. Glanzend blond haar tot op de schouders, blote tenen in open sandalen, een beetje vuil, maar ja, wat wil je met die vuile trottoirs in de stad. Hij knielde en zei met zachte, troostende stem: 'We hebben in een mum een ambulance hier, mevrouw.'

Het gezicht vertrok, de ogen gingen half dicht, de lippen gingen vaneen en de hoofdinspecteur bukte zich dieper om een paar gefluisterde woorden op te vangen. Maar in plaats van woorden volgde er gelach, verrassend zwaar en hartelijk gelach voor zo'n jong meisje.

23

Clive Prescott

PRESCOTT BEGREEP NIET HOE EEN trein kon rijden zonder de hand van een machinist op de dodemansknop, maar hij begreep heel goed de urgentie in de stem van inspecteur Garber. Hij liet de telefoon vallen en liep roepend naar Correll door het vertrek.

'Niemand bestuurt de trein!' Hij schreeuwde met zijn gezicht vlak bij dat van Correll. 'Je moet 'm stoppen!'

Correll zei: 'Een trein kan uit zichzelf niet rijden.'

'Hij rijdt. Ze hebben iets met de rijcontroller uitgehaald; hij rijdt vanzelf. Ga daar niet over zeuren. Hij zit bijna bij South Ferry en dan rijdt hij door de lus terug naar Bowling Green en ramt daar achter op de trein die in het station staat. Kun je een sein op rood zetten en hem zo laten stoppen? Schiet in godsnaam op!'

'Godallemachtig,' zei Correll en Prescott kon zien dat hij eindelijk was bekeerd. 'De Toren kan hem tegenhouden, als er tijd is.' Hij draaide zich bliksemsnel naar het paneel en toen kwam net de Toren van Nevins Street over de luidspreker.

'Pelham One Two Three is juist door station South Ferry heen, rijdt tamelijk hard, zowat vijfenveertig, en nadert nu de lus...'

Prescott kreunde. Maar om een onverklaarbare reden liep Correll plotseling te grijnzen. 'Maak je geen zorgen. Ik breng die rotzak wel tot stilstand.' Zijn grijns werd nog breder terwijl hij demonstratief zijn mouwen oprolde, zijn handen door de lucht zwaaide en zei: 'Hocus pocus! Pelham One Two Three, de chef-verkeersleider gebiedt u te stoppen!'

Prescott wierp zich op Correll en greep hem bij zijn keel.

Alle vier de dienstleiders van Correll kwamen eraan te pas om zijn vingers van Corrells nek los te breken en ze moesten versterking roepen om hem op de vloer te krijgen en hem daar vast te houden.

Toen er drie man boven op hem zaten en er nog twee zijn zwaaiende armen in bedwang hielden, vertelden ze hem over het tijdsignaal. 'Er zit een tijdsignaal in de lus,' zei een witharige dienstleider met een koude sigarenpeuk in zijn mond rustig. 'Als een trein de bocht te snel in gaat, zoals deze zal doen, al heeft gedaan, dan wordt het sein rood en stelt zo de ATB in werking en de trein remt en stopt.' In het midden van een ander groepje lag Correll achterover in een stoel, met zijn handen aan zijn keel, schor te kreunen.

'Hij wist dat,' zei de witharige man en knikte naar Correll. 'Hij maakte alleen maar een grapje.'

De woede van Prescott was gezakt, maar nog niet helemaal geblust. 'Daarom probeerde ik hem zijn nek om te draaien,' zei hij. 'Ik kan zijn grapjes niet uitstaan.'

Wijkcommandant

'Gemanipuleerd met de instrumenten? Niemand in de cabine?' De wijkcommandant brulde tegen de radiostem die zijn boodschap herhaalde.

'Jawel meneer. Dat is juist, meneer.'

De wijkcommandant boog zich naar de chauffeur. 'Terug naar Union Square. Rij wat je kunt, trek je niks aan van de maximum snelheid.'

Terwijl de auto op twee wielen een bocht naar rechts nam, zei hij tegen de commissaris: 'Ik had natuurlijk toch op die ingeving in moeten gaan. Ze zitten daarginds.'

'Záten,' zei de commissaris. 'Ze hebben ons te grazen, Charlie.'

'Harder! Rij harder!' schreeuwde de wijkcommandant.

'Er zitten nog tien auto's vóór ons,' zei de commissaris. 'Die zullen ook te laat komen.'

De wijkcommandant ramde zijn vuisten tegen elkaar, verstuikte daarbij zijn linkerpols en verbrijzelde twee knokkels.

Anita Lemoyne

Iemand zat de oude man uit te schelden en tegen de tijd dat Anita Lemoyne over haar schouder keek om te zien wat er aan de hand was, waren er al een stuk of tien passagiers naar het achterdeel van de wagon gelopen. De toneelcriticus stond nog tegen haar aan gedrukt, maar ineens voelde ze hem op halfstok en toen was er helemaal geen stok meer. Hij mompelde wat en liep weg. Ze zag hem ook naar achteren lopen.

De oude man zat met zijn hoofd gebogen en zijn lippen trilden. Waar zat 'ie nou verdomme over te janken, hij en zijn seinen die niet kwamen opdagen – had hij nog niet lang genoeg geleefd? Naast hem zat die donkere kerel, kaarsrecht, zijn kin omhoog, zijn lange benen over elkaar, een voet nonchalant op en neer wippend. Oké. Hij had tenminste stijl. Hij en ik, een trotse, ten dode opgeschreven dekhengst en een ouder wordende hoer. O ja, en de oude alcoholiste, nog steeds slapend, nog steeds zeverend, die daar in haar stank en haar vuiligheid over haar volgende fles zat te dromen. Een mooi trio.

De wagon ratelde het station South Ferry binnen en het toneel van de met vuisten schuddende menigte op het perron herhaalde zich. Ze gleden de schemering van de tunnel weer in. Wat nu? Voor zich uit zag ze de wand van de tunnel een bocht maken en ze wist wat er kwam. Ze reden te snel om die bocht te kunnen nemen. De wielen zouden van de rails schieten, de trein zou zich in de muur boren en in de pilaren... Ze zette zich schrap met haar voeten wijd uiteen en zag toen vlak vóór zich een rood sein met een wit licht eronder. Kijk, de oude man had toch gelijk gehad. Maar het was te laat, ze reden de bocht al in.

Ze voelde een enorme, slepende weerstand onder haar voeten en ze werd tegen het raam geslingerd. Er klonk scherp gesis en kreten vanuit het achterdeel van de wagon. Maar door het raam zag ze alles vertragen, rails, wanden, pilaren... De wagon kwam hortend tot stilstand.

Even hing er een geschokt stilzwijgen, toen barstte er in het achterstuk van de wagon een hysterisch vreugdegehuil los en Anita dacht: kijk eens aan, mensen, we kunnen in ieder geval weer een dagje verder neuken. Ze draaide zich om en zakte slap tegen de deur. De oude man keek haar aan en probeerde te glimlachen.

'Zie je wel, jongedame, had ik het niet gezegd dat we zouden stoppen?'

De Afro-Amerikaan haalde de bloederige zakdoek van zijn gezicht en gaf hem terug aan de oude man. 'Die kun je beter verbranden, sukkel, er zit bloed aan van een buitenlander.'

De alcoholiste boerde en opende haar ogen. 'Is dit 42nd?' lispelde ze.

Bingo, dacht Anita, dat had die oude zwerfster niet beter kunnen bedenken. Ze opende haar portemonnee en liet een biljet van tien dollar in de schoot vallen van rafelige kleren die op geen enkele manier bij elkaar pasten.

Door het rooster van de nooduitgang hoorde Longman de geluiden van de stad. Toen hij begon te duwen, dreigde een voet
precies op zijn hand neer te komen en hij deinsde terug. De
voet ging verder. Hij klauterde wat verder de ladder op en duwde met beide handen tegen het rooster. De roestige scharnie-
ren piepten en een wolk van grintachtige vuildeeltjes daalde op
hem neer. Maar hij bleef het rooster vasthouden en duwde het
gewicht omhoog door naar boven te klimmen. Toen zijn hoofd
op de hoogte van het trottoir was, hoorde hij schoten achter en
onder zich. Hij verstijfde even en klom toen verder. Hij stapte
de straat op.

Met zijn gezicht naar de muur die om het park liep en zijn
rug naar het trottoir liet hij het rooster langzaam zakken en liet
het pas los toen het een centimeter of twee van de grond was.
Het viel kletterend op zijn plaats en een wolk stof rees op. Verschillende voorbijgangers keken naar hem, maar niemand
bleef staan of keek zelfs maar om. De beroemde onverschilligheid van de New Yorker, dacht hij uitgelaten. Hij stak de straat
over en verdween in de menigte van voetgangers die langs
Klein's stroomde. In de verte, bij 17th Street, zag hij een politieauto. Hij stond dubbel geparkeerd en een man stond, op het
portier geleund, met een van de agenten te praten. Hij bleef
strak voor zich uit kijken, versnelde zijn pas en draaide de hoek
om van 16 Street. Hij dwong zich om langzamer te lopen, terwijl hij zijn weg vervolgde. Bij Irving Place sloeg hij links af en
liep langs de verweerde, kleurloze steenhoop van Washington
Irving High School. Een groepje tieners hing rond bij de ingang: een zwaar opgemaakt Chinees meisje in een heel kort minirokje en twee Afro-Amerikaanse jongens in leren jassen.

Terwijl hij voorbijliep, kwam een van de jongens naast hem
lopen. 'Man, heb je een dollar voor een ijverige student?'

Longman duwde de uitgestoken hand opzij. De jongen mompelde wat en bleef staan. Longman liep verder. In de verte zag hij het hek en de kale bomen van Gramercy Park. Hij dacht aan Ryder en aan de schoten die hij had gehoord toen hij de ladder op klom. Ryder redt zich wel, zei hij tegen zichzelf en met een vreemde weerzin om nog verder over de zaak na te denken, zette hij de gedachte van zich af. Hij sloeg 18th Street in.

Hij stak 3rd Avenue over, daarna 2nd, waar de enorme, roze gebouwen van Stuyvesant Town het uitzicht beheersten. Toen was hij bij het gebouw waar hij woonde, een kleurloos, stenen woonhuis met een grauwe voorgevel en een verveloze, bekraste hal. Van achter de ramen staarden mensen en honden naar buiten, allemaal even droefgeestig en verveeld. Hij beklom de trap langs blinde, ondoordringbare deuren naar de tweede verdieping. Tastend zocht hij zijn sleutels, opende een voor een de drie sloten, van beneden naar boven, ging naar binnen en sloot de deur van boven naar beneden.

Hij liep behoedzaam door het kleine halletje naar de keuken en draaide de kraan open. Terwijl hij met een glas in zijn hand stond te wachten tot er koud water uit de kraan kwam, brulde hij plotseling een wilde, onbeheerste triomfkreet.

Anita Lemoyne

Ongeveer vijf minuten nadat de wagon was gestopt, zag Anita Lemoyne twee mannen door de voorste deur naar binnen klimmen. De eerste droeg de gestreepte overall van een machinist. Hij opende de deur van de cabine met een sleutel en ging naar binnen. De tweede was een agent van de stadspolitie.

De agent hield zijn handen omhoog om de passagiers die dicht om hem heen drongen af te weren en zei telkens: 'Ik weet van niets. Over een paar minuten kunnen jullie uitstappen. Ik weet van niets...'

De trein ging rijden en na enkele ogenblikken reden ze onder de lichten van station Bowling Street en stopten. Anita keek uit het raam.

Op het perron stond een rij agenten die met ineengehaakte armen een opdringende mensenmenigte in bedwang hielden. Een man in het uniform van een conducteur boog zich naar voren aan de zijkant van de wagon met een soort sleutel in zijn hand. De deuren gingen ratelend open. De agenten op het perron werden onder de voet gelopen. Ze werden opzij geworpen, teruggeduwd, verpletterd door een onweerstaanbare drom mensen die met geweld de wagon binnenstormde.

24

Clive Prescott

PRESCOTT GING OM HALFZEVEN NAAR huis. Het was donker en de stad zag er schoongewassen uit, zoals vaker bij helder, koud weer. Het was alsof een donkere glans de lelijkheid van de straten camoufleerde. Hij had zijn hoofd onder de koude kraan gehouden en afgedroogd tot zijn huid tintelde, maar het had niet geholpen tegen zijn uitputting. Hij keek omhoog naar de hoge voorname gebouwen, een erfenis uit het verleden van de buurt, die er nu verlaten bij lagen, van binnen vaag verlicht door hun nachtlampen. De advocaten en de wettenmakers en de rechters en de politici waren gevlucht. Er liepen nog maar enkele mensen op straat en die zouden ook spoedig verdwijnen; alleen de zatlappen en de straatrovers en de daklozen bleven over, prooi en jager.

In Fulton Street waren de winkels dicht of bezig te sluiten. Spoedig zou de hele winkelbuurt verlaten zijn. De hekken voor de warenhuizen waren dicht, de nachtwakers op hun hoede, het inbraakalarm op scherp. Een krantenverkoopster was bezig haar kiosk te sluiten, een verweerde vrouw van ongelooflijk hoge leeftijd en duurzaamheid. Hij wendde zijn blik af van de reusachtige krantenkoppen.

Een dakloze met een opvallende cowboyhoed op stak iets onder zijn neus. 'Straatkrantje, meneer?'

Hij schudde zijn hoofd en liep door. De man kwam naast

hem lopen. Overdag stonden de straten vol met daklozen die krantjes verkochten. Hij had maar zelden gezien dat iemand er een kocht.

'Kom op, meneer, alsjeblieft.'

Hij duwde de krant ruw van zich af. De dakloze keek hem teleurgesteld aan. Prescott liep door en bleef toen staan.

'Doe er dan maar een.'

Hij stak de krant onder zijn arm. Aan de overkant van de straat lag een cd-winkel met gesloten hekken en uitgedoofde lichten en uit een luidspreker in het raam boven de deur weerklonk keiharde rockmuziek. Had de eigenaar vergeten die uit te zetten? Zouden dat doordreunende basgeluid en die kleverige stemmen de hele nacht doorgaan en zelfs de stilte van de ochtendschemering verpesten?

Ik kots ervan, dacht Prescott, ik kots van politie en misdadigers en slachtoffers en toeschouwers. Van misdaad en bloed. Van wat er vandaag gebeurd is en wat er morgen zal gebeuren. Van iedereen, mijn baan en mijn vrienden en mijn gezin, van liefde en haat. Boven alles moet ik kotsen van mezelf, kotsen omdat ik kots van de onvolmaaktheden in het leven waarvoor niemand moeite doet om ze te herstellen, zelfs al zouden ze dat kunnen.

Was hij maar een centimeter of acht langer. Had hij maar een goed passeerschot. Was hij maar.... Of had hij maar...

Het enige wat niemand hem had kunnen verbeteren, was zijn manier van dribbelen geweest. Hij voelde geen angst wanneer hij met de bal naar voren ging, alleen verachting voor de grote kerels die erop wachtten om hem te grazen te nemen wanneer hij in de lucht hing, terwijl de bal al in een boog op weg was naar het basket. BENG! Maar iedere keer kwam hij weer met lange soepele passen op de muur van afwachtende bomen van kerels af rennen... Hij frommelde de daklozenkrant ineen tot een prop, bukte, draaide, dribbelde en gooide de 'bal' met een sierlijk, gehoekt schot naar het uithangbord van een winkel. Twee punten. Een zwerver grijnsde sluw, klapte in zijn handen en stak een groezelige handpalm naar voren. Prescott negeerde hem.

Morgen zou hij zich beter voelen. Maar overmorgen en de dag daarna? Niet aan denken. Morgen zou hij zich beter voelen, want slechter kon niet. Daar kon hij het mee doen.

Rechercheur Haskins

Rechercheur Bert Haskins was, op zijn Brits klinkende naam na, honderd procent onvervalst Iers. Hij had het recherchewerk vroeger beschouwd als het meest glorieuze wat iemand kon doen. Ongeveer een week lang. Daarna was ieder ideaal in rook opgegaan dat hij ooit had gekoesterd omtrent briljant denkwerk, oog in oog staan met gevaarlijke misdadigers, zich meten in gewiekstheid met meesterbreinen, en had hij zich overgegeven aan het echte werk bij de recherche: ploeteren en geduld oefenen. Recherchewerk was benenwerk, honderden tips natrekken in de hoop er één te vinden die wat opleverde; het betekende trappenklimmen, op deurbellen drukken, te doen hebben met bange, opstandige, zwijgzame of oerstomme burgers. Recherchewerk was gebaseerd op kansberekening. Je kon inderdaad zo nu en dan nog wel eens iets oppikken van een verlinker, maar meestal was het doorbijten geblazen. En doorbijten. En nog meer doorbijten.

Uit de dossiers van het Vervoerswezen waren al meer dan honderd namen tevoorschijn gekomen van werknemers die om een of andere reden waren ontslagen en ze zouden tot laat in de nacht doorgaan met zoeken. Meestal had de reden zelfs in de verte nog niet te maken met een of ander misdrijf. Toch moest je ervan uitgaan dat iedere ontslagen werknemer een reden had om ontevreden te zijn. Ontevreden genoeg om een ondergrondse te kapen? Dat was iets anders. Maar zoiets kwam je alleen te weten als je doorbeet.

Drie van de kapers waren doodgeschoten. Uit de geldvesten die twee van hen droegen was twee keer een kwart miljoen dollar tevoorschijn gekomen. Dus misten ze nog één kaper en een half miljoen dollar. Geen van de dode kapers was nog officieel geïdentificeerd, dus het was mogelijk dat een van hen een ontevreden, vroegere werknemer van de ondergrondse was. Evengoed kon het de vierde man zijn, die nog op vrije voeten liep.

Haskins en zijn partner en nog acht rechercheteams waren voor dit deel van het onderzoek ingezet en, tenzij er iemand veel geluk had, het zou wel dagen duren voordat ze de hele lijst hadden nagetrokken. Ze hadden de namen willekeurig neergepend en waren van start gegaan na een gepassioneerde toespraak van hun meerdere. Deze kerels zijn gevaarlijke moordenaars, de veiligheid van de burgers van deze stad, het afslachten van twee onschuldige slachtoffers... Vertaald luidde dat: de grote baas zit me achter mijn vodden, dus zit ik achter die van jullie, dus jullie kunnen maar beter opschieten. En opgeschoten hadden ze, nu al meer dan vier uur.

Lopen, bus, ondergrondse en boven alles klimmen. Het leek wel vaste prik in hun vak dat negen van de tien mensen waar je achterheen moest in huizen zonder lift woonden. Was ook logisch: arme mensen begingen meer misdaden dan rijke. Of, juister gezegd, meer misdaden waarmee ze de strafwet overtraden.

Een halfuur geleden had hij tegen Slott, zijn maat, gezegd dat hij maar naar huis moest gaan. Die had een maagzweer en zijn gemopper begon hem op zijn zenuwen te werken. De drie namen die nog overbleven op hun lijst kon hij zelf wel bezoeken voordat hij ermee ophield voor die avond. Toen Slott weg was, stapte Haskins een kleine stomerij binnen waarvan de eigenaar vroeger bij het Vervoerswezen had gewerkt en die zes jaar geleden was ontslagen wegens spuwen. Op passagiers. Hij was perronwacht geweest op station Times Square en hij had zo genoeg gekregen van zijn baan, dat hij stiekem passagiers op de rug spuugde wanneer hij ze op het spitsuur in de treinen duwde. Uiteindelijk waren ze hem in de gaten gaan houden, hadden hem betrapt, verhoord en ontslagen. Toen het vonnis werd uitgesproken, had hij de rechter op zijn jasje gespuugd.

In antwoord op de vragen van Haskins zei hij dat hij ten eerste al lang niets meer tegen het Vervoerswezen had, ten tweede dat hij hoopte dat die hele, verrekte ondergrondse op een goede dag tot de grond toe zou afbranden en ten derde dat hij de halve middag had doorgebracht in de stoel bij een tandarts die zijn tandvlees in mootjes had gesneden en een stelletje wortels met brute kracht eruit had gerukt. Schwartz heette die slager en zijn telefoonnummer was...

Rechercheur Haskins maakte een notitie dat hij Schwartz de volgende morgen moest bellen, gaapte, keek op zijn horloge – kwart voor negen – en bestudeerde zijn lijstje. Hij was even ver van Fitzherbert, Paul, die in 16th Street woonde, als van Longman, Walter, 18th Street. Welke van de twee? Het maakte niets uit: welke hij ook het eerst nam, het was altijd nog even ver lopen naar de andere. Welke dus? Dat was nou zo'n moeilijke beslissing die rechercheurs moesten nemen. Te moeilijk om het zonder koffie te doen, maar gelukkig was er precies op de hoek een cafetaria. Daar zou hij naartoe gaan, koffie drinken, misschien een stuk appelgebak erbij nemen en dan, wanneer de innerlijke mens versterkt was en de hersens weer lekker draaiden, zou hij de grote beslissing nemen waartoe een rechercheur zo uitstekend in staat was.

Longman kon zich er niet toe zetten om de radio aan te doen. Hij had in de film te vaak misdadigers gezien die zichzelf uiteindelijk verrieden door alle kranten te kopen of de verslagen uit te knippen. Dat was natuurlijk flauwekul van hem, want niemand zou zijn radio zelfs maar horen als hij hem heel zachtjes zette, maar toch wilde hij het niet, hoe onlogisch dat ook leek. Zo bleef hij dus doelloos door zijn appartement dwalen met zijn jas nog aan en hij wendde iedere keer zijn hoofd af wanneer hij langs de klokradio bij zijn bed kwam. Als Ryder dood was, had hij toch alle tijd om daar achter te komen?

Maar om zes uur had hij, zonder erbij na te denken, de tv aangezet voor het nieuws. De kaping was hét verhaal van die dag en de verslaggeving was opmerkelijk uitvoerig. Ze waren zelfs met camera's de tunnel in gegaan en ze lieten opnamen van de ontspoorde exprestrein zien, close-ups van de beschadigde tunnelmuren en de verwrongen rails. Daarna lieten ze 'het deel van de tunnel waar het vuurgevecht had plaatsgevonden' zien. Toen de camera op de plek werd gericht waar Steever was gevallen, kromp hij ineen. Hij wilde geen lijken zien, zelfs geen bloedvlekken. Er waren donkere plekken zichtbaar die bloedvlekken zouden kunnen zijn, maar geen lijken. Later waren er wel camera's aanwezig toen de drie lijken, bedekt met lakens, door de politie naar buiten werden gedragen. Hij voelde geen emotie, zelfs niet voor Ryder.

Toen kwamen er interviews met de hoge heren van de politie, ook met de hoofdcommissaris. Geen van hen zei veel bijzonders, behalve dan dat iedereen het over een 'snode' misdaad had. Toen de verslaggevers vragen stelden over de ontsnapte kaper – Longman voelde zich helemaal warm worden – zei de commissaris dat ze alleen maar wisten dat hij via de nooduitgang was ontsnapt. Terwijl hij sprak, splitste het scherm zich in tweeën en liet zowel de onderkant van de ladder zien als de uitgang naar de straat. De commissaris voegde eraan toe dat de politie nog geen van de gedode misdadigers had geïdentificeerd. Twee van hen waren onmiddellijk dood geweest. De derde had een schot in de ruggengraat en was een paar minuten nadat de politie hem had aangetroffen gestorven. Hij was nog ondervraagd, maar had geen antwoord kunnen geven, omdat zijn spraakcentrum blijkbaar was beschadigd.

Wat voor aanwijzingen had de politie over de ontsnapte kaper? Het hoofd van de recherche nam het over en vertelde dat er een zeer groot aantal rechercheurs aan de zaak werkte en dat ze net zolang door zouden werken totdat de misdadiger was gepakt. De verslaggever bleef aandringen: betekende dat dat ze geen bepaalde aanwijzingen hadden? Het hoofd van de recherche zei fel dat het betekende dat ze de beproefde procedures toepasten en dat hij hoopte binnenkort resultaten te kunnen melden. Longman voelde zich weer warm worden, maar het luchtte hem op toen de camera liet zien hoe de verslaggever vragend zijn wenkbrauw optrok.

Er werd niets gezegd over het natrekken van de dossiers van vroegere werknemers. Hij herinnerde zich dat Ryder daarover was begonnen. Toen had het idee hem meer angst bezorgd dan dankbaarheid voor de vooruitziende blik van Ryder.

'Ze hoeven me niet te vinden,' had hij tegen Ryder gezegd. 'Ik kan zolang bij jou intrekken.'

'Ik wil juist dat je thuis bent. Ze zullen direct argwaan koesteren als er iets is wat niet klopt.'

'Ik zal een alibi moeten bedenken.'

Ryder schudde zijn hoofd. 'Bij mensen die een alibi opgeven, zullen ze meer bijzonderheden natrekken dan bij hen die er geen hebben. De meeste mensen die ze opzoeken zullen geen alibi hebben, dus je bent in goed gezelschap. Zeg gewoon dat je die middag wat hebt gewandeld, een boek hebt zitten lezen of een dutje hebt gedaan en zorg ervoor dat je geen al te precieze tijden opgeeft voor die handelingen.'

'Ik zal er eens over nadenken wat ik zal gaan zeggen.'

'Nee. Ik wil niet dat je gaat oefenen of dat je er zelfs maar over nadenkt.'

'Ik kan zeggen dat ik het op de radio heb gehoord en dat ik het afschuwelijk –'

'Nee. Je hoeft niet met je rechtschapenheid op de proppen te komen. Ze zijn bovendien helemaal niet geïnteresseerd in jouw mening. Ze trekken een paar honderd mensen na, gewoon routine. Denk er goed aan dat jij er maar eentje bent op een lange lijst van namen.'

'Als ik jou hoor praten, klinkt het gemakkelijk.'

'Dat is het ook,' zei Ryder. 'Dat zul je zien.'

'Toch zou ik er wel even over willen denken.'

'Niet denken,' zei Ryder beslist. 'Nu niet, en ook niet als het is gebeurd.'

Hij had het advies van Ryder opgevolgd en had er in feite nu pas voor het eerst in weken weer aan gedacht. Het was gewoon routine voor de politie en hij was gewoon een vroegere werknemer bij het Vervoerswezen, net als vele honderden anderen. Hij zou het wel aankunnen.

Hij luisterde hoe het hoofd van de recherche na veel vragen toegaf dat de beschrijving van de ontsnapte man heel vaag was, dat er te veel versies waren die elkaar tegenspraken om een IdentiKit-portret te kunnen tekenen, maar dat er op het hoofdkwartier een aantal passagiers in de fotodossiers aan het kijken waren. Longman lachte bijna. Hij had geen strafblad: er zouden van hem geen foto's te vinden zijn.

Verschillende passagiers werden geïnterviewd: het meisje met de soldatenhoed, dat er voor de camera wat dikker uitzag dan hij had verwacht, die grote kerel, de toneelcriticus, die heel veel grote woorden gebruikte om heel weinig te zeggen, een paar jongens, de Afro-Amerikaan. Ineens voelde Longman zich niet meer op zijn gemak bij het zien van de passagiers. Ze keken pal in de camera, van dichtbij genomen en leken hem recht aan te kijken. Hij schakelde de tv uit.

Hij ging naar de keuken en zette water op voor thee. Met zijn jas nog aan ging hij aan de keukentafel zitten en at een paar crackers. Hij rookte een sigaret – het verbaasde hem dat hij daar nu pas trek in kreeg, want normaal was hij een stevige roker – en ging toen naar de slaapkamer. Hij zette de radio aan, maar deed hem meteen weer uit. Hij ging liggen en voelde een doffe pijn in zijn borst. Het duurde een hele tijd voordat hij besefte dat het geen hartaanval was, maar het gewicht en de druk van de geldvesten. Hij stond op en liep naar de voordeur, controleerde alle drie de sloten en keerde terug naar de slaapkamer. Nadat hij de donkergroene schermen helemaal naar beneden had getrokken, tot onder de vensterbank, trok hij zijn regenjas en zijn colbert uit en daarna de geldvesten. Hij legde ze zorgvuldig naast elkaar op het bed.

Walter Longman, zei hij tot zichzelf, je bent een half miljoen dollar waard. Hij herhaalde het fluisterend en voelde weer zo'n onstuitbare kreet omhoogzwellen. Hij sloeg zijn hand voor zijn mond om hem te smoren.

Anita Lemoyne

Anita Lemoyne had heel wat rotdagen in haar leven gekend, maar deze sloeg alles. Alsof het nog niet belazerd genoeg was dat je werd gekaapt, had ze ook nog twee stomvervelende uren moeten doormaken met naar criminele smoelen kijken, een hele optocht van wrede of onbetekenende gezichten waarbij ze telkens moest denken aan iedere vent die ze ooit had ontmoet en die vond dat hij voor een paar rottige dollars mocht worden bemind of haar pijn mocht doen.

Pas na achten liet de politie hen eindelijk allemaal gaan. Ze liepen achter elkaar het oude hoofdbureau uit en stonden versuft op het trottoir. Een paar straten terug reed een ononderbroken verkeersstroom door Canal Street, maar Centre Street was kil, somber en verlaten. Ze stonden zwijgend bijeen in een rommelig groepje. Toen trok de oude alcoholiste haar rafelige kleren stevig om haar lijf en schuifelde onzeker het donker in. Even later sloeg de Afro-Amerikaan zijn cape om zijn schouders en liep vastberaden en kaarsrecht in de richting van Canal Street. Hij en die oude alcoholiste, dacht Anita, zij zouden de enige zijn die niet zouden worden beïnvloed door wat er was gebeurd. Het stond los van hun belangrijkste gedachtestroom.

En hoe zat het met háár belangrijkste gedachtestroom? Welnu, haar belangrijkste gedachtestroom was: Anita, zie als de donder dat je hier wegkomt en probeer een taxi te vinden en thuis te komen. Een warm bad met van dat zout uit Parijs erin en dan kon ze misschien wel eens controleren of er nog berichten op haar antwoordapparaat stonden.

'Ik weet niet eens waar we zijn.' Een huilerige stem: de moeder van de twee jongens die gapend naast haar stonden, doodmoe. 'Kan iemand me zeggen hoe je van hier in Brooklyn komt?'

'Jazeker,' zei de oude man. 'U neemt de ondergrondse. Het is de snelste en de veiligste verbinding.'

Hij begon te lachen, maar op een paar zuinige glimlachjes na kreeg hij geen lachers op zijn hand. Niemand bewoog zich, totdat ineens de twee jonge koeriers, nog steeds met hun pakjes die ze een halve dag geleden begonnen waren af te leveren, iets mompelden en weggingen.

De oude man riep hen na: 'Het beste, jongens, en tot ziens.'

De jongens draaiden zich om, wuifden en liepen verder.

'Een buitengewone ervaring, en dat is nog zacht uitgedrukt.'

De toneelcriticus. Ze keek niet eens meer naar hem. Hij zou haar straks uitnodigen samen een taxi te nemen en dan vragen bij hem thuis een borreltje te drinken. De pot op. Ze wendde zich van hem af en door de verandering van richting woei een koude windvlaag haar rok omhoog en tussen haar benen. Ze draaide zich om. *Ik mag daar geen kou vatten, anders kan ik geen zaken meer doen.*

'Ik heb een idee.' De oude man. De roze teint van zijn wangen was verdwenen, zijn hoed verkreukt. 'Na alles wat we samen hebben meegemaakt, is het eigenlijk jammer dat we elkaar zo maar goedendag zeggen en...'

Die ouwe vent is eenzaam, dacht Anita, hij is bang om dood te gaan zonder dat er iemand aan zijn bed zit. Ze keek naar de gezichten om haar heen en dacht: morgen weet ik van niet een meer hoe hij eruitzag.

'...reünie, laten we zeggen ieder jaar, iedere zes maanden desnoods...'

Ze begon in de richting van Canal Street te lopen. Op de hoek haalde de toneelcriticus haar in. Zijn blozende gezicht keek glimlachend op haar neer.

'Rot op,' zei Anita. Haar hakken klikten in de stilte van de straat, terwijl ze doorliep naar Canal Street.

Frank Correll

Frank Correll weigerde zijn plaats af te staan aan zijn aflossing. Hij zat weer op zijn eigen stoel en manipuleerde zijn bedieningspaneel als (*Transit*, het personeelsblad, had het in een artikel zo eens uitgedrukt) 'een man die bezeten is, een derwisj, met hart en ziel eropuit om de ondergrondse zo glad te laten lopen als roomijs'. Hij brulde bevelen, tolde rond op zijn stoel om instructies naar de dienstleiders te roepen, veegde koffie van zijn bureau met een brede armzwaai toen een vriendelijke ziel, niet beter wetend, die daar neerzette. In voortdurend en soms gelijktijdig overleg met het Emplacement, met Operaties, met Onderhoud, met Torenkamers, met machinisten, organiseerde hij nieuwe voorlopige dienstregelingen, liet oude varen, verrichtte wonderen van manipulatie totdat, om 20.21, de A-afdeling weer op schema liep.

'Oké,' zei Correll tegen zijn aflossing, 'je kunt je spoorweg weer van me krijgen.'

Hij stond op, trok zijn jasje aan over zijn met zweet doordrenkte hemd, duwde de knoop van zijn stropdas omhoog tegen zijn gekneusde hals en trok zijn overjas aan.

Zijn aflossing die zijn plaats aan het paneel overnam, zei: 'Mooi werk, Frank.'

'Van één ding heb ik spijt,' zei Correll. 'Dat ik de baan niet heb kunnen vrij krijgen voor het spitsuur.'

'Gezien de omstandigheden had geen mens dat kunnen doen,' zei de verkeersleider die hem afloste.

'In dat geval zou ik willen dat ik geen mens was.' Correll draaide zich abrupt om, zijn handen diep in zijn zakken geduwd, en liep het vertrek uit.

De man die hem afloste zei: 'Hij moet ook altijd het laatste woord hebben.'

Bij het Communicatiecentrum bleef Correll staan luisteren. '...en de volledige dienstregeling weer hersteld om acht uur eenentwintig.'

De radiostations zouden het omroepen bij het nieuws dat ze elk uur uitzonden en morgen zou het in de kranten komen, ergens onderaan weggeduwd in het verhaal van de kaping. Eén regeltje, dacht hij. Dienstregeling hersteld om 20.21. Daar werkte je je nou de pleuris voor.

'Mooi werk,' zei een van de mensen van het Communicatie-centrum.

Correll haalde zijn schouders op. 'Daar word je voor betaald,' zei hij en hij liep de rustige gang in. Op die aanklacht na die hij ging indienen tegen die smeris zou het morgen wel weer een saaie dag worden. Nou ja, je kon niet verwachten dat je élke dag iets bij kon schrijven in de annalen van de ondergrondse.

Tom Berry

De hoofdchirurg liep met de brancard van Tom Berry mee toen ze hem de operatiekamer uit reden en bleef totdat een verpleegster en een broeder hem in bed gelegd hadden.

'Waar ben ik?' vroeg Berry.

'In het ziekenhuis. Beth Israël. We hebben net twee kogels verwijderd.'

'Maar ik bedoel: hoe gaat het met me?'

'Oké,' zei de chirurg. 'We hebben een communiqué uitgegeven waarin stond dat je het goed maakte.'

'Een communiqué over mij? Dan moet ik op sterven liggen.'

'De kranten wilden het weten. Je toestand is goed.' De chirurg keek uit het raam. 'Mooi uitzicht. Je kijkt recht op Stuyvesant Park.'

Berry betastte zichzelf. Zijn arm zat van de schouder tot de elleboog in het verband en er zat een dik verband ongeveer in het midden van zijn romp. 'Hoe komt het dat ik geen pijn voel?'

'Verdoving. Die voel je later nog wel, maak je geen zorgen.' De chirurg zei jaloers: 'Mijn kamer is zowat een kwart van deze en hij ziet uit op een bakstenen muur. Niet eens mooie bakstenen.'

Berry raakte voorzichtig het verband op zijn lichaam aan. 'Hebben ze me in mijn buik geraakt?'

'Ze hebben je nergens speciaal geraakt. Ze hebben de vitale organen gemist, hier op een millimeter na, daar op een haar na. Het geluk van een held. Ik kom straks nog wel eens kijken. Magnifiek uitzicht.'

De chirurg liep de kamer uit. Berry vroeg zich af of hij loog, of zijn toestand kritiek was. Dat zeiden ze je nooit, die geheimzinnige klootzakken. Ze vonden dat het te gecompliceerd voor je was om te weten of je bleef leven of doodging. Hij probeerde zich kwaad te maken, maar hij voelde zich veel te lekker. Hij sloot zijn ogen en dutte in.

Hij werd wakker door stemmen. Drie gezichten keken op hem neer. De ene was de chirurg. De twee andere herkende hij van foto's: de burgemeester en de hoofdcommissaris. Hij dacht dat hij wist waarom ze daar waren en zei tegen zichzelf dat hij verrast en bescheiden moest kijken. Hij was een held, zoiets had de chirurg gezegd.

'Ik geloof dat hij nu wakker is,' zei de chirurg.

De burgemeester glimlachte. Hij stond in een enorme jas gewikkeld, een volumineuze das om zijn nek en een muts met oorkleppen op. Zijn neus zag rood en zijn lippen waren uitgedroogd. De commissaris glimlachte ook, maar niet erg van harte. Hij was nou eenmaal geen grote glimlacher.

'Gefeliciteerd, agent eh...' De burgemeester aarzelde.

'Barry,' zei de commissaris.

'Gefeliciteerd, agent Barry,' zei de burgemeester. 'U hebt een daad van buitengewone moed verricht. De bevolking van de stad is u veel verschuldigd.'

Hij stak zijn hand uit en met een beetje moeite schudde Berry die. Hij was ijskoud. Toen schudde hij de hand van de commissaris.

'Prachtig werk, Barry,' zei de commissaris. 'Het korps is trots op je.'

Ze keken hem beiden afwachtend aan. Natuurlijk. Nu op de

bescheiden toer. 'Dank u. Ik heb geluk gehad. Ik heb alleen ge- daan wat iedere man in het korps zou doen.'

De burgemeester zei: 'Zorg dat je gauw weer beter bent, agent Barry.'

De commissaris probeerde te knipogen, maar dat mislukte. Hij was ook geen beste knipoger. Maar Berry wist wat er ging komen. 'We hopen je gauw weer terug te zien in dienst, *rechercheur* Barry.'

Verrassing en bescheidenheid, denk erom, zei Berry tot zichzelf. Hij sloeg de ogen neer en zei: 'Dank u, meneer, dank u zeer. Maar ik heb enkel gedaan wat iedere man in het korps –'

Maar de burgemeester en de commissaris waren al op weg naar buiten. Toen ze de deur uit liepen, zei de burgemeester: 'Hij ziet er beter uit dan ik. Ik durf te wedden dat hij zich beter voelt ook.'

Berry sloot zijn ogen en dutte weer in. Hij werd wakker omdat de chirurg hem in zijn neus kneep.

'Er staat een meisje buiten,' zei de chirurg. Deedee stond op de drempel. Ze zag er plechtig uit en leek op het punt te gaan huilen. 'De dokter zei dat je niet ernstig gewond was. Vertel me de waarheid.'

'Enkel vleeswonden.'

Een paar tranen drupten uit haar ogen. Ze deed haar bril af en kuste hem op de lippen.

'Het gaat goed met me,' zei Berry. 'Ik ben blij dat je gekomen bent, Deedee.'

'Waarom zou ik niet komen?' Ze fronste haar wenkbrauwen.

'Hoe wist je waar ik lag?'

'Hoe zou ik dat niet weten! De radio en de televisie hebben het de hele dag over je. Heb je veel pijn, Tom?'

'Helden voelen nooit pijn.'

Ze kuste hem en liet een paar tranen achter op zijn wang. 'Ik kan het niet uitstaan dat je pijn moet lijden.'

'Ik voel helemaal niks. Ze zorgen geweldig voor me. Moet je eens uit het raam kijken. Geweldig uitzicht!'

Ze pakte zijn hand en vlijde haar wang ertegenaan. Ze kuste zijn vingers en liet toen zijn hand weer los. Ze keek uit het raam.

'Geweldig uitzicht,' zei Berry.

Ze leek heel even te aarzelen, toen zei ze: 'Dit moet ik wel zeggen: je hebt je leven gewaagd voor een onwaardige zaak.'

Daar heb ik nu geen zin in, dacht hij en hij probeerde over iets anders te beginnen. 'Een poosje geleden zijn de burgemeester en de hoofdcommissaris hier op bezoek geweest. Ik ben bevorderd tot rechercheur.'

'Je had wel dood kunnen zijn!'

'Daar word ik voor betaald. Ik ben politieagent.'

'Dood om de stad één miljoen dollar uit te sparen!'

'Er waren ook mensen bij betrokken, Deedee,' zei hij zacht.

'Ik ga nu geen ruzie met je maken. Ik kan niet met je bekvechten als je gewond bent.'

'Maar?'

'Maar zo gauw je beter bent, ga ik je laten beloven dat je weggaat bij de politie.'

'En als ik beter ben ga ik je laten beloven dat je weggaat bij de Beweging.'

'Als jij het verschil niet weet tussen fascistische meeloperij en de strijd om de vrijheid en de rechten van het volk –'

'Deedee, ga nou geen speech afsteken. Ik weet dat jij principes hebt, maar die heb ik ook.'

'Smerissen? Geloof je daar in? Je hebt zelf gezegd dat je wel een miljoen twijfels hebt.'

'Misschien geen miljoen, maar wel twijfels, ja. Maar toch niet genoeg om me te ontmoedigen.' Hij reikte naar haar hand. Ze trok terug en gaf hem toen toch.

'Ik hou van het werk. Niet van al het werk. Er zijn karweitjes

bij de politie die stinken. Ik weet alleen nog niet precies in hoe-
verre.'

'Ze hebben je belazerd.' Haar ogen werden donker, maar ze
liet zijn hand niet los. 'Ze hebben het je mooi voorgespiegeld
en jij bent erin gestonken.'

Hij schudde zijn hoofd. 'Ik blijf erbij totdat ik weet hoe ik erover denk. En dan ga ik of helemaal met hen mee, of ik stap
eruit.'

De dokter verscheen weer op de drempel. 'Het is tijd. Het
spijt me.'

'Ik geloof dat we het maar beter uit kunnen maken,' zei Deedee. Ze liep snel naar de deur, hield in en keek naar hem om.

Er vielen hem een paar dingen in waarmee hij tijd kon rekken, zelfs dingen waarmee hij haar over kon halen, maar hij liet
ze ongezegd. Het spelletje was uit, het irriterende, amusante
maar uiteindelijk toch kinderachtige spelletje dat ze nu al
maanden speelden. Waar het om ging was echt en misschien
konden hun standpunten daarover wel nooit met elkaar worden verenigd. Dat moest je onder ogen zien.

'Dat moet jij weten, Deedee,' zei hij. 'Eén ding: denk er eerst
eens over na.'

Hij kon haar niet goed zien weglopen, gaan want de dokter
stond ervoor en belemmerde zijn uitzicht. 'Over zo'n tien, vijftien minuten krijg je waarschijnlijk wat pijn,' zei de dokter.

Berry keek hem wantrouwig aan en toen begreep hij het. De
dokter had het over fysieke pijn.

Longman

Pas om negen uur zette Longman de radio aan. Het was een sa-
menvatting van het nieuws. Geen nieuwe ontwikkelingen en
slechts één vermelding over de vermiste kaper: de politie deed

alles om hem te pakken te krijgen. Hij zette de radio uit en liep zonder speciale reden de keuken in, behalve dan dat hij geen rust had en veel van kamer naar kamer was gedoold. Hij droeg de geldvesten weer – het bed leek niet echt een goede plaats voor een half miljoen dollar – en had zijn overjas aangetrokken, gedeeltelijk om de vesten te bedekken, maar ook omdat het kil was in zijn flat. Zoals gewoonlijk waren ze weer zuinig met de verwarming.

Hij keek naar het tafelblad van zijn keukentafel en voor het eerst zag hij pas goed hoe lelijk het was, hoe versleten, hoe vol met krassen en sneden. Maar hij kon zich nu best iets nieuws veroorloven. Hij kon zich ook veroorloven om ergens anders te gaan wonen, waar hij ook maar wilde in Amerika, waar hij ook maar wilde op de wereld zelfs. Het zou Florida worden, dat had hij al uitgedokterd. Het hele jaar zon, niet te veel kleren, vissen, misschien hokken met een of andere weduwe die ook wel eens wat wilde...

Een half miljoen. Hij kon er nog steeds niet over uit. Hij glimlachte en dat was zowat de eerste keer die week. Maar de glimlach verdween toen hij ineens terugdacht aan die drie lichamen die de tunnel uit werden gedragen, drie bulten onder zeildoek en misschien – al had de camera daar niets van laten zien – misschien lekte er nog wel wat bloed uit. Drie doden en één overlevende. Dat dat nou net Wally Longman moest zijn.

Hij stelde zich voor hoe ze op het koude marmer in het lijkenhuis lagen en voelde niets, behalve voor Ryder. Welcome was een beest en Steever... Nou, hij had niets tegen Steever, maar hij was ook een beest, een soort gehoorzame hond, een dobermann bijvoorbeeld die was afgericht om op een commando te reageren. Hij had nog niet veel aan Ryder gedacht. Toch, nu Ryder dood was, had hij iets verloren. Wat? Geen vriend. Hij en Ryder waren nooit echte vrienden geweest. Collega's, misschien was dat het juiste woord. Hij had veel respect voor Ryder: zijn terughoudendheid, zijn moed, zijn zelfbeheersing. Ryder was bovenal aardig voor hem geweest en dat kon hij van niet zo veel mensen zeggen.

Wat zou Ryder nu doen als hij de enige overlevende was geweest? Nou, hij zou zeker rustig zijn, ontspannen, zou waarschijnlijk wat zitten lezen in zijn kamer, die grote, onpersoonlijke ruimte die even spaarzaam gemeubileerd was als een kazerne. Hij zou niet bang zijn voor de politie – zonder strafblad, zonder vingerafdrukken, zonder duidelijk signalement, zonder medeplichtigen die nog in leven waren en hem, zelfs per ongeluk, zouden kunnen verraden, zou hij zich heel veilig voelen. Nou ja, dacht Longman, hij mocht dan nerveus zijn geweest waar Ryder koelbloedig was geweest, toch zat hij ook lang niet gek.

Een gevoel van blijdschap trok door hem heen toen hij daaraan dacht en hij sprong overeind. Hij voelde zich zo vol energie dat hij om de tafel begon te lopen om het kwijt te raken voordat hij weer zo'n kreet zou uitstoten die de buren aan zijn deur zou brengen.

Hij beende nog steeds om de tafel toen er op de deur werd geklopt. Hij bleef stokstijf staan, doodsbang, en voelde zijn hele lichaam warm worden.

Er werd nogmaals geklopt en toen klonk er een stem: 'Hallo, meneer Longman? Dit is de politie. Kan ik even met u praten?'

Longman keek naar de deur, naar het bekraste, dik beschilderde paneel dat voor de helft werd bedekt door een garagekalender met een knap meisje erop in hotpants en zonder beha, die scheel naar haar eigen tieten keek. Drie sloten. Drie sterke sloten die geen smeris open zou kunnen krijgen. Wat zou Ryder doen? Ryder zou precies doen wat hij hem had opgedragen te doen. Doe de deur open en beantwoord de vragen van de politie. Maar Ryder had niet voorzien dat hij zelf dood zou zijn en het feit dat het geld hier was in plaats van weggestopt in Ryders kamer, zoals ze van plan waren geweest. Waarom had hij niet eerder aan dat verrekte geld gedacht? Verdomme, hij droeg het. Maar het zat wel goed verborgen onder zijn overjas en die jas kon hij gemakkelijk goedpraten, omdat het zo koud was in zijn flat. Maar hoe kon hij het goedpraten dat hij geen gehoor had gegeven aan twee keer kloppen? Als hij nu opendeed, moest die agent wel argwaan hebben en hij zou zelfs kunnen redeneren dat hij pas laat had opengedaan om het geld te kunnen verstoppen. Hij had zich verraden door niet open te doen.

'Het is maar een kleinigheid, meneer Longman. Zou u even open willen doen?'

Hij stond naast het raam. Het raam. De drie sloten. Zonder zijn voeten te bewegen stak hij zijn hand uit naar de tafel, pakte zijn grijze bontmuts en zette die op. Het was stil aan de andere kant van de deur, maar hij wist zeker dat de agent er nog stond en dat hij weer zou kloppen. Hij draaide zich stilletjes naar het raam, pakte de onderkant vast en duwde die langzaam omhoog. De frisse avondlucht kwam naar binnen, zacht en verkwikkend. Hij stapte door het raam op de brandladder.

Rechercheur Haskins

Je werd verondersteld opzij van een gesloten deur te gaan staan, zodat ze je misten als ze er doorheen schoten. Maar het geladen zwijgen aan de binnenkant en het feit dat er een flinke kier zat tussen de deur en de deurpost maakten het erg uitnodigend. Daarom legde rechercheur Haskins zijn oor tegen de ongelijke spleet en hoorde duidelijk het piepen van hout op hout. Een beetje zeep, dacht hij, terwijl hij zich omdraaide en de trap af begon te lopen, als hij een beetje zeep op de raamkozijnen had gesmeerd, had hij ervandoor kunnen gaan. Aan de andere kant: als Slott niet met zijn maagzweer naar huis was gegaan, was hij toch de pineut geweest, want dan had een van hen de achterdeur in de gaten gehouden.

Hij maakte praktisch geen geluid toen hij de trap afliep. Je leerde jezelf als rechercheur toch wel enkele handige dingen aan: lopen zonder geluid te maken, bijvoorbeeld. Je leerde ook om je ogen te gebruiken als je ergens binnenkwam en dan wist je dat er onder de trap een deur was naar buiten, naar de achterkant van het gebouw.

De deur had een veerslot. Haskins trok de hendel terug, opende de deur net voldoende om erdoor te kunnen glippen en liet hem zachtjes weer in het slot vallen. Hij stond op een kleine binnenplaats. De duisternis werd onregelmatig onderbroken door plekken licht dat uit de huizen boven hem scheen. Hij merkte op dat er wat fruitschillen lagen, een tijdschrift, een paar krantenpagina's en een kapot speelgoedje. Niet zo gek. Het werd waarschijnlijk maar één keer in de week schoongemaakt of zo. Hij ging voorzichtig in de schaduw staan en keek naar boven.

De man – Walter Longman – stond bijna vlak boven hem. Hij was aan het prutsen met de haak waarmee de brandladder aan de reling vastzat. Vergeet het maar, Longman, zei Haskins bij zichzelf, die dingen zijn verroest en ze zitten onwrikbaar vast. Je kunt het veel beter op zijn beloop laten en je vanaf de onderste sport naar beneden laten vallen.

Longman deed nog een vergeefse poging om de haak los te maken en gaf het toen op. Haskins keek toe hoe hij onhandig zijn been over de reling tilde en met zijn voet naar de sport van de ladder tastte. Heel goed, dacht Haskins, nou de andere voet... uitstekend. Longman was geen acrobaat, hij bewoog zich meer als een oude man. Nou ja, hij had toch ook wel eens een gewapende inbreker van tachtig in zijn kraag gegrepen?

Longman bungelde met zijn handen krampachtig rond het

roestige metaal van de onderste sport. Maar het leek of hij niet los durfde laten. Je moest je schamen, dacht Haskins, een gewelddadige kaper die zich niet eens een meter naar beneden durft te laten vallen? De benen van Longman zwaaiden nu op en neer en zijn knokkels zagen lijkwit. Hij liet één hand los, maar bleef bungelen.

Haskins keek naar de samengebalde rechterhand. Zogauw de vingers loslieten, deed hij één stap uit de schaduw naar voren. Hij had het perfect berekend. Longman viel en Haskins ving hem keurig op tegen zijn eigen lichaam. Longman draaide zijn hoofd met een ruk om en liet een bleek, verfomfaaid gezicht zien met verschrikte ogen.

'Verrassing!' zei Haskins.